海南文獻叢刊・方志二

海南方志探究

上冊

王　會　均　著
王珮琪　王家昌
編　校

文史哲出版社印行

國家圖書館出版品預行編目資料

海南方志探究 / 王會均著 -- 初版 -- 臺北市：文史哲，民 101.06
頁； 公分. --（海南文獻叢刊·方志；2）
ISBN 978-986-314-029-0 (上冊：平裝). --
ISBN 978-986-314-030-6 (下冊：平裝). --
ISBN 978-986-314-031-3 (全套：平裝)

1.方志 2.海南省

673.71 101010115

海南文獻叢刊·方志二

海南方志探究（上冊）

著者：王會均
編校者：王珮琪·王家昌
出版者：文史哲出版社
http://www.lapen.com.tw
e-mail:lapen@ms74.hinet.net
登記證字號：行政院新聞局版臺業字五三三七號
發行人：彭正雄
發行所：文史哲出版社
印刷者：文史哲出版社
臺北市羅斯福路一段七十二巷四號
郵政劃撥帳號：一六一八〇一七五
電話886-2-23511028 · 傳真886-2-23965656

平裝上冊售價新臺幣七〇〇元

中華民國一〇一年（2012）七月初版

ISBN 978-986-314-029-0 66903

恭祝

父親大人

母親大人

福壽雙全　健康幸福

王珮琪　王家昌

鞠躬

王家昌　邱美妹　王會均　王珮琪

鶼鰈情深　孝悌和樂

王會均編纂

海南文獻叢刊

吳大猷題

海南文獻叢刊襲序

海南（舊名瓊崖）孤懸海外，爲我國南疆國防之重要屏障，世人固知之諗矣，而其礦藏之豐富，土壤之膏沃，教育之普及，民俗之淳厚等等，則鮮爲世悉。鼎革以還，南中及國內各界名流，曾聯名條陳建省，北伐統一，鄉人宋子文陳策諸人復大力倡議開發，喧騰一時，遂爲世所矚目，因而私人旅遊觀光者有之，組隊探究考察者有之，建教機構之提綱調查，專業團體之特定撰述，林林總總，不一而足，撰述之項目雖殊，開發之主張則一，其受各方人士之重視，已可概見，而珠璣文章，亦可列爲地方文獻而無愧。

緬維吾人有維護文獻之義務，尤有發揚光大之責任，民初之際，海口海南書局曾收集邱文莊海忠介二公與諸前賢之學術著作從政書疏與文稿，都三十餘種，編印爲海南叢書行世，此舉對顯彰前賢，啓迪後學，與夫保存文獻各方面，厥功其偉，惜乎連年兵燹，多遭戰火而燬失，今能倖存者，想已無幾矣。

本邑王君會均，青年有爲，對於方志典籍以及地方文獻等卷帙，搜存尤爲用心，前曾刊行海南文獻簡介一書，甚得佳評，今特將多年收藏之四百餘種有關海南文獻典籍中，擇其精要，作有系統之整理，編成「海南文獻叢刊」，而將次第印行，冀保文獻於久遠，作開發之津梁，復可供邦人君子暨中外學者作研究海南種種問題之參考，一舉數得亦可免珠沉滄海，玉蘊深山而不得用世焉。

龔少俠中華民國七十五年丙寅十二月行憲紀念日

海南方志探究

目 次

書《海南方志探究》成

夫「方志」者，地方志書之簡稱也。乃一個地方之《百科全書》，或一地方之《古今總覽》。係以地方為單位（元），依一定之體裁（敘例），纂記其歷史與人文地理之誌書耶。

更具體地說，方志紀事之要目，誌地理者：沿革、疆域、面積、分野，誌政治者：建置、職官、兵備、大事記，誌經濟者：戶口、田賦、物產、役稅，誌社會者：風俗、方言、寺觀、祥異，誌教育者：學制、書院、學堂、學田，誌文獻者：人物、藝文、金石、古蹟。

方志屬地域性文獻史料，其內容悉以當時地方之史蹟為主，且多直接取材於檔冊、案牘、函札、碑碣。是故分量之豐，內容之精，價值之隆，逾於璆璧，其足資徵信程度，更非吾人意想所難及者，又豈能漠視其重要性。於是顯示，方志在史籍中所扮演之重要角色，暨不可泯滅的存在價值。

海南方志之纂修，源流久遠，其有史稽考者，緣自晉代《珠崖傳》肇始，中經宋、元、明而繼之，迨清一代，修志風尚鼎盛，其牒本極為豐贍。由於年代久遠，保藏維護非易，間被水漬或蟲害，抑遭兵災或火焚，致藏板湮滅，梓本散佚。於是乎！存世流傳者，雖卷帙不多，唯被視為瑰寶，彌足珍貴矣。

海南方志，乃取其通義所泛稱之志書，包括：地理志書、一統志、省通志、府志、州志、縣志、鄉土志、采訪冊、外紀、傳錄、圖經（說），共一二七種。於今海內外圖書館，暨文教機構或資料單位，所庋藏者，計有：手稿本、原刻本、續修本、補刊本、抄本、傳鈔本、石印本、鉛印本、油印本、影（重）印本（列注所據母本），共六十五種。於《廣東通志》中，「瓊州府」紀事，大都散布在各門目，鮮有專章，稽查彙考，困難重重，勞心勞神，費時費事，工程浩大，誠非個人能力所及，故本《海南方志探究》，忍痛割愛，實情非得已，亦非心所願，敬祈學者專家，暨邦人士子，鑒諒！

首就《海南方志探究》，所臚著志書類別分析，計有：地理志書七種（佔 5.512%）、一統志五種（佔 3.937%）、瓊州府志二十二種（佔 17.323%）、州志二十種（佔 15.748%）、縣志六十四種（佔 50.394%）、鄉土志六種（佔 4.724%）、采訪冊三種（佔 2.362%），共一二七種（合 100%）。

除地理志書七種，大一統志五種，未予排比外。依瓊州府暨各州縣窺之，其名次：瓊州府二十五種（府志二十二種、鄉土志二種、采訪冊一種）最多，定安縣十四種（縣志十三種、鄉土志一種）次之，崖州十種（州志九種、鄉土志一種）居三，瓊山縣九種（縣志七種、鄉土志一種、采訪冊一種），文昌縣九種（縣志）並列第四，澄邁、瓊東（會同）、陵水三縣（縣志），皆為七種并列第五，儋州六種（州志五種、鄉土志一種）、萬州六種（州志）、臨高縣六種（縣志五種、采訪錄一種）同列第六，樂會縣四種（縣志）第七，感恩縣三種（縣志）第八，昌化縣二種（縣志）最少（殿後）。於是顯示，海南方志之類別，暨瓊州府與各州、縣，志牒之數量、比例、名次，大略如斯矣。

次從《海南方志探究》，所知見志書藏板窺之，計有：地理志書六種、大一統志五種，非為單行本外，餘者大都是專志（書）刊行。諸如：手稿本、原刻本、續修本、補刊本、抄本、傳鈔本、石印本、鉛印本、油印本、景印本（列注所據母本），暨微縮捲片，……

海南志書（知見藏板）計：瓊州府志二十二種（見存七種、待訪一十五種），儋州志五種（見存三種、待訪二種），萬州志六種（見存二種、待訪四種），崖州志十種（見存三種，待訪七種），瓊山縣志七種（見存五種、待訪二種），澄邁縣志七種（見存四種、待訪三種）、臨高縣志五種（見存二種、待訪三種），定安縣志一十三種（見存五種、待訪八種），文昌縣志九種（見存三種、待訪六種），會同縣志七種（見存三種、待訪四種），樂會縣志四種（見存三種、待訪一種），昌化縣志二種（俱存），陵水縣志七種（見存二種、待訪五種）、感恩縣志三種（見存一種、待訪二種），鄉土志六種（見存五種、待訪一種），采訪冊三種（俱存），共有一二七種（見存六十五種、待訪六十二種）。於是顯見，海南志書，種數不多，然待訪（散佚）者亦眾。於今公私藏板，益顯珍貴，視同瑰寶，實乃治「海南方隅史」者，不可缺少史料，殊具學術研究參考價值焉。

復由《海南方志探究》，於修志朝代統計之，海南志牒之纂修，緣自晉代《珠崖傳》肇始，中經唐宋元明四代續之，迨清一代，修志風尚鼎盛，牒本極為豐贍。除未著修志年代者二種（鄉土志）外，於晉代一種（府志）、唐代一種（地理志），宋代一十四種（地理志書五種、瓊州府志四種、州志三種、縣志二種），元代四種（一統志一種、府志一種、縣志二種），明代三十種（一統志一種、府志一十一種、州志六種、縣志一十二種），清代六十七種（地理志一種、一統志三種、府志五種、州志一〇種、縣志四十四種、鄉土志四種），民國八種（州志一種、縣志四種、采訪冊三種），合計一二七種。於是顯見，以清代牒本最多，明代修本亦不少，惟民國志書史料新穎，且內容詳實而富美，殊為珍貴耶。

綜窺《海南方志探究》，不難瞭解「海南志書」牒本全貌，除地理志書七種、一統志五種外，其餘如：瓊州府志二十二種、州志二十種、縣志六十四種、鄉土志六種、采訪冊三種（共一一五種），係以專書（志）刊行於世。其中公私藏板五十三種（瓊州府志七種、州志七種、縣志三〇種、鄉土志六種、采訪冊三種）。此外，宋代地理書載《瓊州紀事》，清代《瓊州府部彙考》，暨清代一統志（三修本）載《瓊州府事》，皆由臺北市「海南文獻史料研究室」，分別影印彙裝成冊（八冊），彌足珍貴。然年久流佚（待訪）志書，亦有六十二種，殊深痛惜矣！

從史學理念，暨方志學角度觀之，於修志源流，脈絡傳承，構成「海南志書」完整性體系。就文獻史料價值言之，本「海南志書」，不僅是人類文化資產，亦係海南文化根源，深具史料參考價值。於海南學術研究，當有莫大之助益也。

本《海南方志探究》，大都是在圖書館服公期間，於國際學術研討會，暨各刊物上發表之論文。於今，重新釐訂，審校刪補，彙整成帙，題名曰《海南方志探究》。其主要內容，計分：地理志書與海南、大一統志與瓊州、瓊州府志、州志（三州）、縣志（十縣）、鄉土志、采訪冊等七大部分（單元）。書末，附錄：作者暨書名索引，查檢方便。

是《海南方志探究》之出版，有賴文史哲出版社彭正雄先生，精心策畫，不計血本，協助發行，無勝銘感。同時內人邱美妹女史，全力支持，陪伴照料，極備辛勞，無怨無尤。於結縭四十餘載，患難相依，甘苦備嘗，憂勞相輔，不怨不悔，銘感五中，特致謝忱。並獲珮琪、家昌姐弟，協力編校，鼎力支持，敬表孝心，足堪告慰耶。

古人云三不朽，立功立德立言。今值耄耋之年，虛度八秩歲月，平生立身行己，立功一無所成，立德不足為儀，立言了無遺憾，誠亦心安神怡。若《海南方志探究》，對海南學術研究，有所助益，吾願足矣！

中華民國一〇〇年(2011)歲次辛卯之元月二日

王會均書於臺北市：海南文獻史料研究室

凡 例

一、本《海南方志探究》，係從史學（志書、傳記）理念，暨資訊科學（書目、版本）角度，作系統化分析，暨綜合性研究，以供方家參考。

二、本《海南方志探究》，採體裁與內容兼顧配合原則，以海南方志為範疇，力求全備而系統化，俾構成完整性脈絡體系。

三、本書所稱海南方志，乃取一般通義所泛指之志書也。包括：地理志（書）、一統志、瓊州府志、州志、縣志、鄉土志、采訪冊等七大部分。

四、本書所蒐集之海南方志，除地理志書、大一統志外，以單行本為範疇，國內外圖書館暨文教機構藏板為主，學者私人藏板為輔，力求全備。

五、本書中各志書譔著方法，除首著「目片格式」之外，主要內容，計分：知見書目、修志始末、纂者事略、志書內容、修志體裁（斷限年次）、刊本年代等（或間有：徵引書目）項。

六、本書中於各志書，其刊版年次，採中國紀元，並在括號內加記西元年代，以利查考。

七、本書係著者在圖書館服公餘暇，從事蒐集、整理、審校、纂著等工作。由於公務繁忙，才疏學淺，錯失欠當，必亦難免，敬祈學者專家，暨邦人士子，以及廣眾讀者指正。

卷之一　地理志書與海南

夫「地理書」者，就輿圖地理之書也。係秦漢時期的地志之書，屬早期方志。乃多記一方疆域、區域、山川、道里、戶口、民情、風俗。最早的地理書，首見於《秦志圖》也。

唐・劉知幾（唐代著名史學家）於《史通》中列舉辛氏《三秦記》，載秦漢時代三秦地理、沿革、民情、風俗等，已開後世方志，此類記載之先河。東漢靈帝時，應　劭《地理風俗記》，其內容與體例，亦與後世方志頗合。漢成帝時，朱　贛《地理書》，對後來之地理、風俗志的影響既深且巨。李吉甫《元和郡縣志》（序），亦稱效法朱贛《地理書》耶。

秦漢《地理書》所載，雖未概述全國區劃、山川總況，但於一方地理，記載較詳，體例初備。無論在體例與內容方面，頗同於後世方志地理門類，堪稱後世方志之淵源矣。

地理志，亦稱：輿地志。源衍於地理書，屬早期方志。乃記載一個行政區域位置、面積、範疇，暨地理環境資源（以作為人類生活及社會發展條件）之志書也。

按《地理志》之內容，於舊方志中，通常包括：輿圖、建置沿革、疆域、星野、形勝、山川、古蹟、物產、風俗、道里、村鎮。①

① 黃　葦《中國地方志詞典》　頁 399~400
一九八六年十一月　合肥市　黃山書社

唐、宋兩代，地理書（志）頗多，惟最著名者，不外是：唐代《元和郡縣圖志》（李吉甫）、宋代《太平寰宇記》（樂史）、《元豐九域志》（王存）、《輿地廣記》（歐陽忞）、《輿地紀勝》（王象之）、《方輿勝覽》（祝穆），暨清代《瓊州府部彙考》（陳夢雷）。

除《輿地廣記》外，於諸書中，惟其內容，以與海南四州：瓊州、儋州（昌化軍）、崖州（吉陽軍）、萬安州（萬安軍）相關者為主要論旨範疇，作綜合性研究，以供方家參考。

臺北市「海南文獻史料研究室」，特將宋代諸地理書中，相關於瓊州、儋州（昌化軍）、崖州（朱崖軍，亦稱：吉陽軍）、萬安州（萬安軍）部分，暨清代《古今圖書集成》中〈瓊州府部彙考〉，分別影印彙裝成四冊，以供研究參考。

一、元和郡縣圖志

《元和郡縣圖志》　瓊州（卷三十六　佚）

唐・李吉甫奉敕修　　清文淵閣四庫全書本

㈠、知見書目

歐陽修《唐書藝文志》（卷二）：

元和郡縣圖志　五十四卷　　李吉甫

托克托《宋史藝文志》（卷三）：

元和郡縣圖志　四十卷　　李吉甫

李　昉《太平御覽經史圖書綱目》：

元和郡國志

元和郡縣志

元和郡縣圖志

尤　袤《遂初堂書目》（地理類・頁一九）：元和郡縣志

陳振孫《直齋書錄解題》（卷八）：

元和郡縣圖志　四十卷　　李吉甫撰

鄭　樵《通志藝文略》（卷四）：

元和郡縣圖志　五十四卷　　李吉甫撰

馬端臨《文獻通考經籍考》（卷三十一）：

元和郡縣圖志　四十卷

王應麟《玉海》（卷十四・頁二〇）：

唐元和郡國圖志條（舊記）

焦　竑《國史經籍志》（卷三）：

元和郡國圖志　五十四卷　　李吉甫

永　瑢《四庫全書總目》（卷六十八・地理類一）：

元和郡縣志　四十卷　　唐李吉甫撰

永　瑢《四庫全書總目提要》（卷六十八・地理類一）：

元和郡縣志　四十卷　　唐李吉甫撰

浙江巡撫採進本

國立中央圖書館《善本書目》（頁二五六）：

元和郡縣圖志　存十七卷　四冊　　唐李吉甫撰

明鈔本　朱校　　存卷一至卷十七　　北平

元和郡縣圖志　存三十四卷　八冊　　唐李吉甫撰

舊鈔本　清光緒十三年丁亥　李宗蓮　朱墨手校

原缺卷十九、卷二十、卷二十三、卷二十四、

卷三十五、卷三十六，凡六卷　　北平

元和郡縣圖志　存三十四卷　八冊　　唐李吉甫撰
舊鈔本
原缺卷十九、卷二十、卷二十三、卷二十四、卷三十五、卷三十六，凡六卷　　北平
元和郡縣圖志　存三十四卷　十冊　　唐李吉甫撰
清范品金手鈔本
原缺卷十九、卷二十、卷二十三、卷二十四、卷三十五、卷三十六，凡六卷

張國淦《中國古方志考》（頁八十一）：
元和郡縣圖志　四十卷　　唐李吉甫撰
武英殿聚珍本　　閩本　　岱南閣叢書本
畿輔叢書本　江寧局本　廣州局本

楊家駱《四庫大辭典》（頁二二一）：
元和郡縣志　四十卷
唐李吉甫撰，是書前有吉甫原序，稱起京兆府，盡隴右道，凡四十七鎮，成四十卷。每鎮皆圖在篇首，冠於敘事之前，並目錄二卷，共成四十二卷，故名元和郡縣圖志。後有淳熙二年程大昌跋，稱圖至今已亡，獨志存焉。
聚珍板本、閩刊本、岱南閣刊本、江寧刊本、廣東刊本。地理

呂名中《南方民族古史書錄》（頁三十九）：
元和郡縣圖志　四十卷　　唐李吉甫撰
清武英殿聚珍本　四庫全書本　岱南閣叢書本
畿輔叢書本　叢書集成初編本

清光緒六年(1880)金陵書局刊本

一九八二年　中華書局　賀次君點校本

圖及目錄早佚，四十卷亦只存三十四卷。中華書局點校本，收繆荃蓀輯缺卷逸文三卷。

本書為唐地理總志，以當時四十七節鎮為準，分鎮記載府州縣戶、沿革、山川、道里、貢賦。現存較完整的總志以此為最早，其中涉南方民族地理者，可資參考。

國防研究院圖書館《普通線裝書目》（頁四十八）：

元和郡縣圖志　存三十四卷　補目錄一卷

附闕卷逸文一卷　一函六冊

唐李吉甫撰　　清孫星衍校

嘉慶元年(1796)　陽湖孫氏校刊　岱南閣叢書本

原書四十卷傳本，缺卷十九、二十、二十三、二十四、三十五、三十六共六卷

㈡、敕修始末

按《元和郡縣志》（亦名：元和郡縣圖志），係金紫光祿大夫中書侍郎同中書門下平章事兼集賢殿大學士李吉甫奉敕修，於唐憲宗元和八年(813)所上也。然書中更置「宥州」一條，乃在元和九年，蓋其事為吉甫所經畫，故書成之後，又自續入之也。

首據黃葦《中國地方志辭典》（頁二十四・著名方志）載，摘其敕修始末，臚述於次：②

唐・李吉甫《元和郡縣圖志》，今有清武英殿聚珍本，《畿輔叢書》本等多種版本。書成於唐元和八年(813)，次

年(814)又有增補。原書四十卷，目錄二卷。北宋後圖佚，故又稱《元和郡縣志》，志文亦多有脫佚，河北道缺一卷（卷十九），山南道缺二卷（卷二十、二十三），淮南道一卷全缺（卷二十四），嶺南道缺二卷（卷三十五、三十六），實存三十四卷。

全書以唐代十道四十七鎮分篇，以府或州為敘述單位，先列府、州之名，下記開元與元和時之戶數，次敘沿革、府或州境、四至八到，開元、元和年間貢賦，轄縣數目和名稱。再分縣，略敘其沿革、山川、城邑和歷代重大事件等，凡有墾田或監牧地者，均一一注明。

由於李吉甫係當朝宰相，熟悉當時圖籍，故載述具體扼要，能翔實反映唐代有關情況。其體例實開《太平寰宇記》之先河，一直為世所重。

次依陳光貽《稀見地方志提要》（卷首・總志）載，摘其要義，著述於次，以供方家研究參考。③

元和郡縣圖志　四十卷

清乾隆三十四年　益都李氏抄本（上海圖書館藏本）

唐李吉甫纂（事跡具《唐書》本傳），此書為益都李氏抄本，有李文藻校跋，及周喜猷跋。書名《元和郡縣圖志》，原存卷一至十八，卷二十一至二十二，卷二十五，卷二十七至三十五，卷三十七至四十。北京圖書館藏，乾隆三十四年(1769)錢氏通經樓抄本，有孔繼泰跋，題名亦稱《圖志》，

② 黃　葦　《中國地方志詞典》　頁 24

③ 陳光貽《稀見地方志提要》（卷首：總志）　頁 1~3
一九八七年八月　濟南市　齊魯書社

存卷與此本同。《四庫全書》用浙撫采進本，重編為四十卷，使相聯屬，以便循覽也。以其圖亡，改名《元和郡縣志》耶。

其《提要》曰：是書據宋洪邁跋，稱為元和八年所上，然書中更置「宥州」一條，乃在元和九年。蓋其事為吉甫所經畫，故書成之後，又自續入之也。前有吉甫原序稱：起京兆府，盡隴右道。凡四十七鎮，成四十卷，每鎮皆圖在篇首，冠於敘事之前，並目錄兩卷，共成四十二卷，故名《元和郡縣圖志》。後有宋淳熙二年(1175)程大昌跋，稱圖至今已亡，獨志存焉，故《書錄解題》唯稱：《元和郡縣志》四十卷。此本又缺第十九卷，二十卷、二十三卷、二十四卷、二十六卷、三十六卷。其第十八卷則缺其半，二十五卷亦缺二頁，又非宋本之舊矣。篇目斷續，頗難尋檢。

考《水經注》本四十卷，至宋代佚其五卷，故水名缺二十有一。南宋刊版，仍均配為四十卷，使相聯屬。今用其例，亦重編為四十卷，以便循覽。仍注其所缺於卷中，以存舊第。其書《唐志》作五十四卷，證以吉甫之原序，蓋志之誤。《唐志》偶失移并，非今本錯亂也。《輿記圖》、《隋志》、《唐志》所著錄者，率散佚無存。其傳於今者，惟此書為最古，其體例亦為最善。後來雖遞相損益，無能出其範圍矣。

綜觀中國地理之書，以《元和郡縣志》體裁最備，故《四庫全書》錄以冠地理總志之首。夫總志集郡縣志書而成，郡縣志書參總志體例而纂，兩者密切相關。故本《提要》著錄總志冠以卷首，而《元和郡縣志》為志乘家祖述之所自焉。

㈢、修者事略

奉敕修者：李吉甫(758~814)，字宏憲，栖筠（官御史大夫）子，趙州（今河北趙縣）贊皇人。生於唐肅宗乾元元年（戊戌），卒於唐憲宗元和九年（甲午），享年五十有七歲（新唐書・卷一百四十六附栖筠傳、舊唐書・卷一百四十八）。④

吉甫以蔭補倉曹參軍，元和初累官同平章事，連蹇外遷十餘年，究知閭里疾苦，常病方鎮強恣，從容為帝言。使屬郡刺史，得自為政，則風化可成，遂出郎吏十餘人為刺史。自德宗以來，姑息藩鎮，有終身不易地者。為相歲餘，凡易三十六鎮，殿最分明，旋因事乞免。及再相，天下想望丰采，而稍修怨，帝知其專，進李絳，遂與有隙，數辨爭殿上，然畏慎奉法，不忮害，顧大體，史稱鯁正不及父，卒諡忠懿。所著《元和郡縣志》，隋唐以來圖志之傳於今者，以此書為最古，體例亦最善，後來言地志者，皆祖述焉。⑤

吉甫，於元和中累擢中書侍郎同中書門下平章事，封贊皇縣侯徙趙國公，諡忠懿。工書，柳宗元稱其手札，垂露在手，清風入懷。貞元十四年(798)嘗正書女祠詩，又唐韋鶠十馬後有其題字，真佳蹟也（唐書本傳、金石錄、東觀餘論、柳河東集）。⑥

④ 姜亮夫《歷代人物年里碑傳綜表》 頁 171
民國七十四年(1985) 臺北市 文史哲出版社

⑤ 臧勵龢《中國人名大辭典》 頁 386
民國六十一年(1972) 臺北市 臺灣商務印書館

⑥ 文史哲《中國美術家人名大辭典》 頁 356
民國七十六年(1987) 臺北市 文史哲出版社

李吉甫氏，年二十七為太常博士，曾任忠州、郴州和饒州刺史，唐憲宗元和二年(807)入為宰相，於三年(808)九月出為淮南節度使，六年(811)正月再入為相，封趙國公。李吉甫主張書要詳今略古，詳載兵餉、山川、攻守利害，志書所載宜真實可信，目的為切合實用。⑦

㈣、志書內容

李吉甫奉敕纂《元和　郡縣圖志》，起京兆府，盡隴右道，凡四十七鎮，成四十卷，每鎮皆圖在篇首，冠於敘事之前，並目錄二卷，總四十二卷。

全書以唐代十道四十七鎮分篇，以府或州為紀事單位，先列府、州之名，下記戶數（開元、元和時）、次敘沿革、府或州境、四至八到、貢賦（開元、元和年間）、轄縣數目名稱。再分縣，略敘其沿革、山川、城邑與歷代重大事件，凡有墾田或監牧地者，均詳加注記。

依臺灣商務印書館，於民國七十二年(1983)六月至七十五年(1986)三月（據清文淵閣四庫全書本）影印本（第四六八冊）《元和郡縣圖志》卷三十四載：嶺南道嶺南節度使理所（轄州二十二），屬管「崖州、瓊州、振州、儋州、萬安州」等五州，皆隸屬今海南行政區域。

就嶺南道統屬各州相關資料析窺之，於各州分別著錄：沿革、州境、里至、貢賦、縣數等五目。惟今見藏各刊本，皆佚卷三十五及卷三十六，於是主要內容，均未悉其詳，殊深憾惜矣。

⑦　黃　葦　《中國地方志詞典》　頁 232~233

㈤、刊版年次

李吉甫奉敕纂《元和　郡縣圖志》之刊版，綜據各知見書目資料，臚著於次，以供參考。

清武英殿聚珍本

清文淵閣四庫全書本　　臺灣：國立故宮博物院文獻館

清《四庫全書》影印本（第四六八冊）

臺灣：國立臺灣圖書館：082.1/4800A　V.468

岱南閣叢書本　　臺灣：國防研究院圖書館

清嘉慶元年(1796)陽湖孫星衍校刊

畿輔叢書本

臺灣：國立臺灣圖書館：A080/6614　V.14

叢書集成初編本

臺灣：國立中央圖書館（今名：國家圖書館）

國學基本叢書本

臺灣：國立臺灣圖書館：664.16/4045　V.9

閩本　　江寧局本　　金陵書局本　　廣州局本

清光緒六年(1880)刊本

明抄本　朱校　　北平圖書館（存十七卷　四冊）

清抄本　朱墨手校（存三十四卷　八冊）

清光緒十三年(1887)丁亥　　北平圖書館

舊鈔本（存三十四卷　八冊）　　北平圖書館

清范品金手抄本（存三十四卷　十冊）　　北平圖書館

一九八二年　中華書局點校本　賀次君點校

唐代《元和郡縣圖志》書影

文淵閣《四庫全書》景印本

欽定四庫全書

元和郡縣志卷三十五

唐　李吉甫　撰

嶺南道一

廣州　南海　中都督府

開元户六萬四千二百五十　鄉一百九十四
元和户七萬四千九十九　鄉九十一

今為嶺南節度使理所　管廣州循州潮州端州康
州封州韶州春州新州雷

州羅州高州恩州潘州辯州瀧州勤州崖州瓊州
振州儋州萬安州　案管縣及都管戶數傳寫缺

欽定四庫全書　元和郡縣志　卷三十五

所列州目與唐書方鎮表元和時嶺南節度使領
二十二州相合今攷春新以下十五州志文春州

即南陵郡其縣曰陽春羅水新州即新昌郡其縣
曰新興索盧永順雷州即海康郡其縣曰海康遂

溪徐聞羅州即招義郡其縣曰廉江吳川幹水零
綠高州即高涼郡其縣曰良德電白保定恩州即

恩平郡其縣曰恩平杜陵陽江潘州即南潘郡其
縣曰茂名潘水南巴辯州即陵水郡其縣曰石龍

陵羅瀧州即開陽郡其縣曰瀧水開陽鎮南建水
勤州即雲浮郡其縣曰銅陵富林崖州即珠崖郡

其縣曰含城澄邁文昌瓊州即瓊山郡其縣曰瓊
山臨高曾口樂會顏羅振州即延德郡其縣曰寧

遠延德吉陽臨川落屯儋州即昌化郡其縣曰義
倫昌化感恩洛場富羅萬安州即萬全郡其縣曰

萬安陵水富雲博遼此元和時十五州所領五十
縣可徵諸地理志合封韶以上七州所領縣為八

二、元豐九域志

《元豐九域志》 瓊州（卷九 廣南路：西路）

宋・王 存奉敕纂

清乾隆四十九年(1786)八月 桐鄉馮集梧刊本

(5)頁（雙面） 27 公分 線裝

㈠、知見書目

托克托《宋史藝文志》（卷二）： 王 存 九域志 十卷

晁公武《郡齋讀書志》（卷八）：九域志 十卷

尤 袤《遂初堂書目》（地理類）：皇朝九域志

陳振孫《直齋書錄解題》（卷八）：

元豐九域志 十卷 王 存撰

鄭 樵《通志藝文略》（卷四）：

九域志 十卷 宋・王 存等撰

王應麟《玉海》（卷十五）：熙寧九域志條：

元豐八年(1085)七月十一日辛丑，詔三館秘閣，刪定九域圖。

馬端臨《文獻通考經籍考》（卷三十一）：

元豐九域志 十卷

焦 竑《國史經籍志》（卷三）：

元豐九域志 十卷 宋・王 存

永 瑢《四庫全書總目》（卷六十八・地理類一）：

元豐九域志 十卷 宋・王 存奉敕撰

兩江總督採進本

美國國會圖書館《中國善本書錄》（頁三二三）：

新定九域志　六冊一函　　鈔本（十行二十二字）

國立中央圖書館《臺灣公藏善本書目書名索引》（頁一七三）：　　元豐九域志　十卷　　宋・王　存等撰

舊鈔本　中圖 257

清文淵閣四庫全書本　故宮 85

張國淦《中國古方志考》（頁九十九）：

元豐九域志　十卷　　宋・王　存纂

武英殿聚珍本　　閩刊本　　馮集梧刻本

江寧局本　　廣州局本

國立中央圖書館《善本書目》（頁二五七）：

元豐九域志　十卷　五冊　　宋・王　存等撰

舊鈔本(3182)

新定九域志　十卷　二冊

宋・王　存等撰　　坊賈增訂

明錫山氏雁里草堂烏絲欄鈔本　北平

新定九域志　十卷　二冊

宋・王　存等撰　　坊賈增訂　　舊鈔本

新定九域志　存四卷　四冊

宋・王　存等撰　　坊賈增訂

舊鈔本　存卷一至卷四

國立故宮博物院《善本舊籍總目》（史部・地理類・頁四〇一～四〇二）：

元豐九域志　十卷　　宋・王　存等奉敕撰

清乾隆間寫文淵閣四庫全書本　七冊

元豐九域志　十卷　　宋・王　存等奉敕撰

清乾隆間武英殿聚珍本　十冊

楊家略《四庫大辭典》（頁二二一）：

元豐九域志　十卷

宋・王　存等撰，是書始於四京，終於省廢州軍，及化外羈縻州。凡州縣皆依路分隸，首具赤畿望緊上中下之名，次列地里，次列戶口，次列土貢，每縣下又詳鄉鎮，而名山大川之目亦併見焉。

德聚堂刊本、聚珍板本、閩刊本、乾隆四十九年馮氏刊本、李目有鈔二十四卷本、傳是樓有影宋本、金陵局本。地理一

黃　葦《中國地方志詞典》（著名方志・頁三〇）：

元豐九域志　　王　存纂　志共十卷

武英殿聚珍本、乾隆馮集梧刻本、光緒年間金陵書局刻本。

陳光貽《稀見地方志提要》（總志：卷首・頁五）：

元豐九域志　十卷　　宋・王　存纂　　抄本

清盧文弨校　　（上海圖書館藏）

呂名中《南方民族古史書錄》（頁六十一）：

元豐九域志　十卷　　宋・王　存等撰

傳是樓影宋本　四庫全書本　武英殿聚珍版本

乾隆四十九年馮氏刊本　青芝堂影宋本　閩刊本

德聚堂刊本　盧氏鈔本　江寧局本　廣州局本

叢書集成初編本

一九八四年　中華書局　王文楚、魏嵩山點校本

㈡、敕修始末

按《元豐九域志》，係尚書右丞王　存奉旨刪定。是書始修於宋神宗熙寧八年(1075)，迄元豐三年(1080)閏九月書成。後又修訂，記事以元豐八年(1085)為斷限。

首據清・永　瑢《四庫全書總目》（卷六十八），摘迻敕修始末於次，以供方家研究參考。

元豐九域志　十卷　兩江總督採進本

宋承議郎知誥丹陽王　存等奉敕撰，初祥符中，李宗諤、王　曾先後修九域圖，至熙寧八年，都官員外郎劉師旦，以州縣名號多有改易，奏乞重修。乃命館閣校勘曾肇，光祿丞李德芻刪定，而以存總其事，以舊書名圖而無繪事，請改曰志，迄元豐三年閏九月書成。

次據黃　葦《中國地方志詞典》（頁三〇・著名方志）載，摘其敕修始末，著迻於次，以供查考。

元豐九域志　　王　存纂

有武英殿聚珍本、乾隆馮集梧刻本，光緒年間金陵書局刻本。

是《九域志》十卷，卷首有序及目錄。其書始修於宋熙寧八年，元豐三年書成，後又修訂，元祐元年(1086)刊刻，體例因循宋《九域圖》，但無圖，記事又以元豐八年為下限，故名《元豐九域志》。

㈢、纂者事略

奉敕修者：王　存(1023~1101)氏，字正仲，潤州丹陽（今江蘇省丹陽縣）人。生於宋仁宗天聖元年（癸亥），卒於宋徽宗建中靖國元年（辛巳），享壽七十歲（宋史・卷三二一，有傳）。⑧

存幼喜讀書，十二歲辭親，從師於江西，五年始歸。慶曆六年(1046)，登進士第，調嘉興主簿，為官公正，修潔自重，為歐陽修、呂公著所知。治平三年（1066）初，入為國子監直講，遷秘書省著作佐郎，歷館閣校勘、集賢校理、史館檢討，知太常禮院。元豐元年(1078)，為國史編修官，修起居注。元豐五年（1082），授龍圖閣直學士、知開封府。元祐二年（1087）拜中大夫、尚書右丞，三年(1088)遷左丞，後又出知杭州。⑨

宋仁宗慶曆六年（丙戌）進士，除密州推官，修潔自重，為歐陽修、呂公著所知，歷太常禮院，故與王安石厚。安石執政，數引與論事不合，叩謝不往。存在三館歷年，不少貶以干進，屢上書陳時政。累官戶部尚書，哲宗朝轉吏部。時朋黨論熾，存為帝言恐濫及善人，與任事者戾。出知杭州，遷右正議大夫致仕。⑩

㈣、志書內容

王　存奉敕修《元豐九域志》，凡十卷。依目錄及卷次，著述其內容於次，以供方家參考。

卷第一　四　京　東京　西京　南京　北京

⑧　姜亮夫《歷代人物年里碑傳綜表》　頁 259
⑨　黃　葦《中國地方志詞典》（修志名家與方志學家）　頁 236
⑩　臧勵龢《中國人名大辭典》　頁 89

京東路　東路　西路
京西路　南路　北路
卷第二　河北路　東路　西路
卷第三　陝西路　永興軍路　秦鳳路
卷第四　河東路
卷第五　淮南路　東路　西路
兩浙路
卷第六　江南路　東路　西路
荊湖路　南路　北路
卷第七　成都府路
梓州路
卷第八　利州路
夔州路
卷第九　福建路
廣南路　東路　西路
卷第十　省廢州軍
化外州
羈縻州

按《元豐九域志》，凡十卷，總二十三路，京府四、次府十、州二百四十二、軍三十七、監四、縣一千二百三十五。所述文直事核，欲使覽者易知也。

從《元豐九域志》內容窺之，卷第九（廣南路：西路），屬管瓊州（今海南境地），分轄：

瓊山郡軍事，治設瓊山縣，領縣五：瓊山（七鄉）、澄邁（三鄉）、文昌（三鄉）、臨高（三鄉）、樂會（二鄉）。

昌化軍，治設宜倫縣，領縣三：宜倫（三鄉）、昌化（昌化山、南崖江）、感恩（二鄉）。

萬安軍，治設萬寧縣，領縣二：萬寧（一鄉）、陵水（一鄉）。

朱崖軍，轄臨川及藤橋（二鄉）二鎮。

上述各軍紀事，依次分為：地里（四至）、戶（主、客）、土貢、縣屬等四目著錄，其中以地里及縣屬二目，紀事較詳。

㈤、刊版年次

宋・王　存奉敕修《元豐九域志》（凡十卷），係從宋刻本抄得，並採各刊本參校。諸如：江本（江南書局所進本）、浙本（浙江書局所進本）、嘉定王氏本，崑山徐氏所藏宋槧本等。於今臺灣各圖書館暨文教機構公藏者，依其刊版及年代，分別著述如次，以供方家查考。

清乾隆四十九年(1784)桐鄉馮集梧刊本

臺灣：國家圖書館 31　　國立臺大（研圖）115

民國五十一年(1962)十一月　臺北永和　文海出版社影印本（據乾隆四十九年桐鄉馮集梧刊本）

臺灣：國立臺灣圖書館 665.15/1040

清乾隆五十三年(1788)德聚堂刊本

臺灣：中央研究院史語所 423

清乾隆間武英殿聚珍本　　臺灣：國立故宮博物院 71

清翻刻殿本　　臺灣：中央研究院史語所 423

清乾隆間刊本　　臺灣：中央研究院史語所 676

清光緒八年(1882)金陵書局刊本　臺灣：國家圖書館 31

戶 主八千四百三十三 客五百三十

土貢 銀一十兩 檳榔一千顆

縣五 開寶五年廢舊崖州以舍城文昌澄邁三縣隸州熙寧四年省舍城縣入瓊山

中 瓊山 七鄉感恩英田場二柵有瓊山

下 澄邁 州西五十五里三鄉有澄邁山

下 文昌 州東一百里三鄉樊樓一鎮有那射水

下 臨高 州西一百二十里三鄉有滴掃水

下 樂會 州東南一百六里二鄉有滴泰水

同下州 昌化軍 唐儋州昌化郡皇朝熙寧六年廢為昌化軍治宜倫縣

地里 東京七千二百八十五里東至本軍界五十五里自界首至瓊州二百一十里西至海三[illegible][illegible]十里

南至本軍界三百三十四里自界首至朱崖軍一百五十里北至海三十五里東南至黎峒一百四十里西南

元豐九域志 卷九

宋代《元豐九域志》書影

國立臺灣圖書館藏板

三、太平寰宇記

北宋・樂　史《太平寰宇記》（凡二百卷），乃宋代著名「地理書」之一種。夫「太平」者，係指結束五代十國紛爭局面。而「寰宇」者，乃「天下」也，指國家全境。其所記始於東京，迄於四裔，故名《太平寰宇記》。

海南位在廣東省極南端海中，古名珠崖、又名瓊臺、或曰瓊州、抑曰瓊崖，簡稱瓊。於唐虞為揚越荒徼，秦為象郡外域，漢屬珠崖、儋耳郡境地。

本《太平寰宇記》，於「嶺南道十三」（卷一六九）載記：儋州（領縣四）、瓊州（領縣三）、新崖州（領縣五）、萬安州（領縣二），於今海南省境地也。

析　論

《太平寰宇記》二百卷　　北宋・樂　史撰

明烏絲欄鈔本　二百卷　目錄二卷

26 冊　26 公分　線裝（善本）

臺灣：中央研究院傅斯年圖書館

清文淵閣四庫全書本　一九三卷

36 冊　26 公分　線裝（善本）

案：原缺卷一一三～卷一一九，凡七卷。

臺灣：國立故宮博物院

清光緒八年(1882)　金陵書局刊本　二百卷

36 冊　27 公分（框 17×13.4 公分）　線裝

臺灣：國立臺灣圖書館　480/33（和）

藍格舊鈔本　一百九十二卷

48 冊　26 公分　線裝（善本）

案：缺卷四、卷一一三～卷一一九，凡八卷。

臺灣：國家圖書館

宋・樂　史撰《太平寰宇記》（凡二百卷：存一百九十三卷，缺卷一一三～卷一一九，計七卷），略仿《元和郡縣志》義例，而增辟風俗、姓氏、人物、土產等門（類、目），兼及經濟、文化。於後之「方志」，必列人物、藝文者，其體例皆始於樂史耶。

清・永　瑢《四庫全書簡明目錄》（卷七・史部十一・地理類）云：史進書序，譏李吉甫之漏闕，故其書採摭繁富，惟取賅博，人物藝文，多所登載。蓋地理之書，至是而記錄始詳，亦至是而體例大變焉。

㈠、知見書目

元・托克托《宋史藝文志》（卷二）：

太平寰宇記　二百卷　　樂　史

宋・尤　袤《遂初堂書目》（地理類）：太平寰宇記

宋・陳振孫《直齋書錄解題》（卷八）：

太平寰宇記　二百卷

太常博士直史館、宜黃・樂　史子正撰

宋・鄭　樵《通志藝文略》（卷四）：

太平寰宇記　二百卷　　宋朝・樂　史撰

宋・晁公武《群齋讀書附志》載云：

太平寰宇記　二百卷　　皇朝・樂　史等撰

宋・馬端臨《文獻通考經籍考》（卷三十二）：

太平寰宇志　一百九十三卷　　宋・樂　史撰

宋・王應麟《玉海》（卷十五）：

太平寰宇記（條・書目）　凡二百卷

直史館・樂　史撰

明・焦　竑《國史經籍志》（卷三）：

太平寰宇記　一百九十三卷　　宋・樂　史撰

清・永　瑢《四庫全書總目》（卷六十八・地理類一）：

太平寰宇記　一百九十三卷　　宋・樂　史撰

清・永　瑢《四庫全書總目提要》（卷六十八・史部二十四・地理類一）：

太平寰宇記　一百九十三卷　　宋・樂　史撰

浙江・汪啟淑家藏本（清乾隆年間刊本）

國立中央圖書館《善本書目》（史部・地理類・頁二五六）：　太平寰宇記　存一百九十二卷　三十二冊

宋・樂　史撰　　舊鈔本

缺卷一百十三～卷一百十九（凡七卷）

太平寰宇記　存一百九十二卷　四十八冊

宋・樂　史撰　　藍格舊鈔本

缺卷四、卷一百十三～卷一百十九（凡八卷）

太平寰宇記　存一百九十二卷　二十六冊

宋・樂　史撰　　舊鈔本

缺卷四、卷一百十三～卷一百十九（凡八卷）

太平寰宇記　存一百九十二卷　四十冊

宋・樂　史撰　　舊鈔本

缺卷四、卷一百十三～卷一百十九（凡八卷）

國立故宮博物院《善本書目》（上編・史部・地理類・頁八五）：　太平寰宇記　一百九十三卷　三十六冊

宋・樂　史撰　　四庫全書本

中央研究院歷史語言研究所《善本書目》（史部・地理類・頁六三）：太平寰宇記　二百卷　目錄二卷　二十六冊

宋・樂　史撰　　明烏絲欄鈔本

張國淦《中國古方志考》（頁八八）：

太平寰宇記　二百卷　　宋・樂　史纂

宋江西樂氏刻本　　萬廷蘭刻本　　江寧局本

國立故宮博物院《善本舊籍總目》（史部・地理類・頁四〇一）：　太平寰宇記　一九三卷　　宋・樂　史撰

清乾隆間寫文淵閣四庫全書本　三十六冊

太平寰宇記　一九二卷　補闕八卷　宋・樂　史撰

清嘉慶八年(1803)重刊乾隆間南昌萬氏本

二十八冊　　原缺卷一一三～一一九

太平寰宇記　殘六卷　　宋・樂　史撰

清光緒九年(1883)遵義黎氏刊古逸叢書之一

存卷一一三～一一八

香港中文大學圖書館《中國古籍目錄》（地理類・總志・頁一五九）：太平寰宇記　補闕六卷（存卷一百十三至一百十八）

宋・樂　史撰　清光緒九年(1883)遵義黎氏日本東京使署影刻古逸叢書本

據宋本影刻，書名葉題《影宋本太平寰宇記補闕》

楊家駱《四庫大辭典》（頁六七四）：

太平寰宇記　一百九十三卷

宋・樂　史撰，《通考》作：太平寰宇志，原本二百卷，後闕自一百十三卷至一百十九卷，存一百九十三卷。

活字板本、鈔本、乾隆年樂氏刊本、金陵局本、江西萬氏刊本、錢遵王家有足本。地理一

國立中央圖書館《臺灣公藏善本書目書名索引》（頁二〇六）：　太平寰宇記　二百卷　宋・樂　史撰

明鈔本　史語所 63　舊鈔本　中圖 256 四部

清文淵閣四庫全書本　故宮 85

黃　葦《中國地方志詞典》（著名方志・頁二九）：

太平寰宇記　北宋・樂　史撰

陳光貽《稀見地方志提要》（卷首・總志・頁四）：

太平寰宇記　二百卷　首二卷

宋・樂　史纂　抄本

北平圖書館藏朱彝尊藏原抄本

上海圖書館藏傳抄朱彝尊藏本

原缺卷一百十一至一百十九

呂名中《南方民族古史書錄》（頁六二）：

太平寰宇記　二百卷　補缺　八卷　紀元表一卷

宋・樂　史撰　清・陳蘭森輯　萬廷蘭撰表

清初傳抄趙清常校本

清乾隆五十八年(1793)南昌萬氏刊本

四庫全書本　　趙氏藏書本　　金陵局本

一九八二年　杭州古舊書店　復印本

據清光緒八年(1882)金陵書局刊本

（共五十冊，係一百九十三卷本）

王杏根《古籍書名辭典》（宋部分・頁一一〇）：

太平寰宇記　　北宋・樂　史撰

張林川《中國古籍書名考釋辭典》（史部・地理類・頁一二一）：　太平寰宇記　一百九十三卷　　宋・樂　史撰

國立中央圖書館臺灣分館《線裝書目錄》（頁二五四）：

太平寰宇記　二百卷

清光緒八年(1882)　金陵書局刊本

36 冊　27 公分（框 17×13.4 公分）　線裝

索書號：（和）480/33

㈡、纂修始末

按《太平寰宇記》（凡二百卷），係朝奉郎太常博士直史館賜緋魚袋樂史纂。於宋太宗（趙匡義，即位後改名趙炅）太平興國四年(979)己卯歲始作，然疆域、政區、沿革，均斷限於宋太宗雍熙四年(987)丁亥。書名〔太平〕二字，既用以標明始作年代，又示以太平盛世也。①

依宋・樂史〈太平寰宇記表〉云：「臣聞四海同風，九州共貫，若非聖人握機蹈杼，織成天下，何以逮此。自唐之季，率土纏兵，裂水界山，竊王盜帝，至于五代，環五十年，雖奄有中

① 黃　葦《中國地方志詞典》（著名方志）　頁 29

原，而未家六合。不有所廢，其何以興，祖龍爲炎漢之梯，獨夫啓成周之路。皇天駿命，開我宋朝，太祖以握斗步天，掃荊蠻而幹吳蜀，陛下以呵雷叱電，蕩閩越而縛并汾，自是五帝之封區，三皇之文軌，重歸正朔，不亦盛乎。」

又云：「有以見皇王之道全，開闢之功大，其如圖籍之府未修，郡縣之書罔備，何以頌萬國之一君，表千年之一聖，眷言闕典，責在史官。雖則賈耽有《十道述》，元和有《郡國志》，不獨編修太簡，抑且朝代不同，加以從梁至周，郡國割據，更名易地，暮四朝三。臣今沿波討源，窮本知末，不量淺學，撰成《太平寰宇記》二百卷，並目錄二卷，自河南周於海外，至若賈耽之漏落，吉甫之闕遺，此盡收焉。」

末云：「萬里山河，四方險阻，攻守利害，沿襲根源，伸紙未窮，森然在目，不下堂而知五土，不出戶而觀萬邦，圖籍機權，莫先於此。臣職居館殿，志在坤輿，輒撰此書，冀聞天聽，誠慚淺略，仰冒宸衷，謹上。」

綜窺宋・樂　史〈太平寰宇記表〉，詳著其纂修之緣由與意旨、歷程與始末，大略如斯矣。

案：宋・馬端臨《文獻通考》作《太平寰宇志》，此本標題實作《太平寰宇記》，諸書所引，名亦兩歧。今窺宋・樂　史進書原表亦作「記」字，則《文獻通考》爲傳寫之誤，不足據也。

㈢、纂者事略

樂　史(930~1007)氏，字子正，北宋・撫州宜黃（今江西省宜黃縣）人。生於後唐明宗長興元年（庚寅），卒於北宋真宗景德四年（丁未），享壽七十八歲（宋史卷三百六、東都事略卷一百十五。史無生卒年，此用錢大昕說）②。

史初仕南唐，入宋為平原主簿。北宋太宗太平興國五年(980)庚辰科進士，授掌書記，擢為著作佐郎，知陵州，召為三館編修。雍熙中，遷著作郎、直史館，轉太學博士，知舒州，遷水都員外郎。於淳化四年(993)癸巳，加都官、知黃州。迨宋真宗咸平初，遷職方，出知商州。後又入史館，出掌西磨勘司，改判留司御史台。③

太宗時上書言事，擢著作佐郎，知陵州，召為三館編修。雍熙中獻所著書四百餘卷，悉藏之祕府。有《仙洞集》、《廣卓異記》，又所著《太平寰宇記》，卷帙浩博，考據尤精核。④

樂　史，北宋・文學家、地理學家，畢生著作甚富，有《金明池賦》、《貢舉事》、《登科記》、《唐登科文選》、《孝弟錄》、《續卓異記》、《廣孝傳》、《總仙記》、《廣孝新書》、《上清文苑》、《總記傳》、《商顏雜錄》、《廣卓異記》、《諸仙傳》、《宋齊丘文傳》、《杏園集》、《李白別集》、《神仙宮殿窟宅記》。於地理學上，有《太平寰宇記》（二百卷）、《坐知天下記》（四十卷）、《掌上華夷圖》（一卷）⑤。

托克托《宋史》（卷三百六・列傳第六十五・樂黃目傳

② 楊家駱《歷代人物年里通譜》　頁 213
民國六十三年(1974)七月　臺北市：世界書局
③ 黃　葦《中國地方志詞典》　頁 233
④ 臧勵龢《中國人名大辭典》　頁 1502.2
⑤ 黃　葦《中國地方志詞典》　頁 233~234

附）、柯維騏《宋史新編》（卷八四）、王稱《東都事略》（卷一一五）、黃震《古今紀要》（卷一七）、厲鶚《宋詩紀事》（卷三）、陸心源《宋詩紀事補遺》（卷二）、林庭㭿《嘉靖　江西通志》（卷二一・人物志・撫州府）、于成龍《康熙　江西通志》（卷三四・人物志・撫州府）、謝旻《雍正　江西通志》（卷八〇・人物志・撫州府）、趙之謙《光緒　江西通志》（卷一五一・列傳十八・撫州府）、徐良傅《嘉靖　撫州府志》（卷十一・人道志・名公世家）、蔡邦俊《崇禎　撫州府志》（卷十六・人道志・名賢傳上）、曾大升《康熙　撫州府志》（卷十八・人物考・仕績上）、羅復晉《雍正　撫州府志》（卷之二十一・人物考・仕績上）、尤稺章《康熙　宜黃縣志》（卷之六・人物志・鄉賢）、張興言《同治　宜黃縣志》（卷三十一・人物志・儒林），皆載有傳或事略。

㈣、全書內容

宋・樂史《太平寰宇記》（凡二百卷、首二卷），除〈太平寰宇記表〉外，其內容，依目錄、卷第，分述如次，以供查考。

河南道（卷一～二十四）：

東京　西京　陜州　虢州　許州　汝州　滑州　鄭州
陳州　蔡州　潁州　宋州　亳州　鄆州　曹州　廣濟軍
濮州　濟州　單州　徐州　利國監　泗州　宿州　淮陽軍
漣水軍　青州　濰州　淄州　齊州　登州　萊州　兗州
萊蕪監　海州　沂州　密州

（計：京二、州二十九、軍三、監二）

關西道（卷二十五～三十九）：

雍州　同州　沙苑監　華州　鳳翔府　司竹監　耀州
乾州　隴州　涇州　原州　慶州　邠州　寧州　鄜州
坊州　丹州　延州　靈州　會州　鹽州　夏州　通遠軍
保安軍　綏州　銀州　振武軍　麟州　勝州　府州　宥州
豐州　天德軍

（計：府一、州二十六、軍四、監二）

河東道（卷四十～五十一）：

并州　汾州　嵐州　石州　忻州　憲州　晉州　澤州
遼州　潞州　蒲州　解州　絳州　慈州　隰州　代州
寶興軍　雲州　威勝軍　大通監　平定軍　岢嵐軍
火山軍　寧化軍　蔚州　朔州

（計：州一十九、軍六、監一）

河北道（卷五十二～七十一）：

孟州　懷州　魏州　博州　相州　衛州　磁州　澶州
德清軍　通利軍　洺州　貝州　邢州　趙州　祁州　鎮州
定州　冀州　深州　德州　棣州　濱州　滄州　瀛州
莫州　易州　雄州　霸州　保州　定遠軍　乾寧軍
破虜軍　威虜軍　平塞軍　靜戎軍　寧邊軍　保順軍
平戎軍　幽州　涿州　薊州　平州　嬀州　營州　檀州
燕州　威州

（原本，計：州三十六、軍十一）

案：河北道二十（卷七十一），原本散目只載五州，自威州以下，計：愼州、思順州、歸順州、元州、崇州、尼賓州、師州、鮮州、帶州、黎州、沃州、昌州、歸義州、瑞州、青山州、凜州、安東都護府、新城州都督府、遼城州都督府、哥勿州都督府、建安州都督府、南蘇州、木底州、蓋牟州、代那州、倉巖州、磨米州、積利州、黎山州、延津州、安市州三十二州廢，今查記載祇三十一州，數既不合，而三十二州之某州，今理某縣元領縣及四至八到、新舊户數，備載與久廢不可考者有間，仍悉錄出如上。

劍南西道（卷七十二～八十一）：

益州　彭州　漢州　永康軍　眉州　嘉州　邛州　蜀州
簡州　資州　懷安軍　雅州　黎州　茂州　翼州　維州
戎州　羈縻州　霸州　拓州　恭州　雋州　保州　真州
松州　當州　悉州　靜州

（原本，計：州二十六、軍二）

案：①劍南西道六（卷七十七）：雅州，領投降吐蕃部落七、羈縻吐蕃四十六州附，夏陽路九州附，原本不載，今錄出之如上。黎州，舊統制五十五州附，原本不載，今錄出之如上。

②劍南西道七（卷七十八）：茂州、翼州、維州，原本祇列三州，今查記載理某縣元領縣及四至八到、户數，皆與威州下之愼州同，爲悉錄出如次：塗州　炎州　徹州　向州　冉州　穹州　笮州

③劍南西道八（卷七十九）：戎州、羈縻州，原本祇列二州，協州已下不錄，今查記載理某縣元領縣及四至八到、户數，皆與維州下之塗州相等，爲錄出之如次：協州　西宗州　郎州　昆州　盤州　黎州　匡州　髳州　尹州　曾州　鈎州　縻州　裒州　宗州　微州

姚州

④劍南西道十（卷八十一）：松州、當州、悉州、靜州，原本祇列四州，嶲州已下不錄，今查記載理某縣元領縣及四至八到、户數，皆與戎州之下協州相等，爲悉錄出如次：嶲州　懿州　麟州　雅州　萊州　可州　遠州　奉州　巖州　諾州　蛾州　彭州　軌州　蓋州　直州　肆州　位州　玉州　嶂州　祐州　臺州　橋州　序州

劍南東道（卷八十二～八十八）：

梓州　富國監　綿州　劍州　龍州　陵州　榮州　陵井監　果州　閬州　遂州　普州　瀘州　昌州　富順監

（原本，計：州十二、監三）

案：劍南東道七（卷八十八）：瀘州　富順監　昌州，原本祇列二州一監，其扶德州已下不錄，今查記載理某縣元領縣及四至八到、户數，皆與松州之下嶲州相等，爲錄出如次：扶德州　能州　淅州　納州　藍州　順州　宋州　高州　奉州　思峨州　薩州　晏州　長寧州　鞏州　滴州　定州

江南東道（卷八十九～一百二）：

潤州　昇州　蘇州　常州　江陰軍　杭州　湖州　睦州　秀州　嘉興監　越州　衢州　婺州　明州　台州　溫州　處州　福州　南劍州　建州　邵武軍　龍焙監　泉州　漳州　汀州　興化軍

（計：州二十一、軍三、監二）

江南西道（卷一百三～一百二十二）：

宣州　廣德軍　歙州　太平州　池州　洪州　筠州　饒州
永平監　信州　虔州　袁州　吉州　建昌軍　撫州　江州
南康軍　鄂州　岳州　興國軍　潭州　衡州　邵州　道州
永州　全州　郴州　連州　桂陽軍　澧州　朗州　施州
辰州　錦州　敘州　溪州　涪州　黔州　夷州　播州
費州　思州　南州　西高州　溱州　牂州　莊州　琰州
沅州　充州　業州

（原本，計：州四十五、軍五、監一）

案：江南西道一十八（卷一百二十）：涪州、黔州，原本衹列二州，其控臨番落種附　管番州五十三附不載，今錄出之。

淮南道（卷一百二十三～一百三十二）：

揚州　和州　楚州　鹽城監　舒州　廬州　無為軍　蘄州
光州　滁州　濠州　壽州　泰州　通州　海陵監　利豐監
高郵軍　天長軍　建安軍　黃州　漢陽軍　安州　信陽軍

（計：州一十四、軍六、監三）

山南西道（卷一百三十三～一百四十一）：

興元府　西縣　三泉縣　鳳州　開寶監　文州　興州
利州　合州　渝州　開州　達州　洋州　渠州　廣安軍
巴州　蓬州　集州　壁州　金州　商州

（計：府一、州一十六、軍一、縣二、監一）

山南東道（卷一百四十二～一百四十九）：

鄧州　唐州　均州　房州　隋州　郢州　復州　襄州
光化軍　荊州　荊門軍　峽州　雲安軍　夔州　大寧監
歸州　萬州　忠州　梁山軍

（計：州一十四、軍四、監一）

隴右道（卷一百五十～一百五十六）：

秦州　成州　儀州　太平監　渭州　鄯州　蘭州　涼州
甘州　肅州　沙州　瓜州　伊州　河州　階州　洮州
岷州　廓州　疊州　宕州　西州　庭州　安西都護府

（原本，計：州二十一、都護府一、監一）

案：隴右道七（卷一百五十六）：西州、庭州、安西都護府，原本祗載二州一都護府，其下俱不列，今考其紀載，皆有所統攝，為錄出之如次：瀚海軍、天山軍、伊吾軍、一十六番州、四鎮、羈縻州。

嶺南道（卷一百五十七～一百七十一）：

廣州　潮州　恩州　春州　藤州　龔州　韶州　端州
循州　湞州　梅州　英州　南雄州　賀州　高州　桂州
南儀州　新州　竇州　昭州　蒙州　潯州　康州　封州
梧州　鬱林州　寶州　澄州　象州　融州　羅州羈縻州
邕州羈縻州　貴州　横州　田州　山州　容州　化州
白州　欽州　瀼州　古州　柳州　宜州羈縻州　太平軍
雷州　儋州　瓊州　崖州　萬安州　交州　峰州　愛州
驩州　陸州　福祿州　長州　武峨州　芝州　湯泉州
演州　林州　景州　籠州　環州　德化州　郎茫州
龍武州（計：州六十七、軍一）

四　夷：東夷（卷一百七十二～一百七十五）：

朝鮮　濊　百濟　三韓　高句麗　新羅　倭　夫餘　蝦夷
東沃沮　挹婁　勿吉　扶桑　東女　文身　大漢　琉球

四　夷：南蠻（卷一百七十六～一百七十九）：

徼外南蠻：黃支　哥羅　林邑　扶南　頓遜　毗騫
干陁利　狼牙脩　婆利　槃槃　赤土真臘　羅剎　投和
丹丹　邊斗　杜薄　薄郊　火山　無論　婆登　烏篤
㵲陀洹　訶陵　多蔑　多摩長　哥羅舍分
松外諸蠻：殊奈　甘棠　舍利毗誓　驃國　占畢
徼內南蠻：盤瓠　廩君　板楯　南平　東謝　西趙　牂牁
僚　夜郎　滇國　邛都　筰都　冉駹　附國　東女
哀牢　焦饒　樿國　兩　爨　昆彌　尾濮　本棉濮
文面濮　赤口濮　折腰濮　黑僰濮　占城　勃泥
四　夷：西戎（卷一百八十～一百八十八）：
車師國（後為高昌）　葱茈羌　樓蘭　且末　杅　彌
龜茲　焉耆　于闐　疎勒　迷密　泮汗　烏孫　姑墨
溫宿　烏秅　難兜　大宛　莎車　罽賓　康居　曹國
米國　何國　史國　奄蔡　滑國　嚈噠　天竺　烏萇
車離　獅子　高附　大秦　小人　烏弋山離　條支　安息
小安息　大夏　大月氐　小月氐　党　項　白蘭　白徇
吐蕃　大羊同　悉立　章求拔　泥婆羅　軒渠　三童
澤散　驢分　堅昆　呼得　丁令　短人　波斯　悅般
伏盧尼　朱俱波　渴槃陀　粟弋　阿鉤羌　副貨　疊伏羅
賒彌　石國　瑟匿　女國　吐火羅　俱蘭　劫國
陁羅伊羅　越底延　大食　塞內六國　羌無弋
湟中月氏　吐谷渾　乙弗敵　宕　昌　鄧至
四　夷：北狄（卷一百八十九～二百）：
匈奴　南匈奴　烏桓　鮮卑　托跋氏　蠕蠕　軻比能
宇文莫槐　徒河　段　慕容氏　高車　稽胡　突厥

西突厥　鐵勒　薛延陁　哥邏祿　僕骨　同羅　都波
拔野古　多濫葛　斛薛　阿跌　契苾羽　鞠國　俞枍
大漠　白霫　庫莫奚　契丹　室韋　地豆于　烏洛候
驅度寐　霫　拔悉彌　流鬼　回紇　黠戛斯　骨利幹
駮馬　鬼國　突厥失　雜說併論

㈤、海南紀事

按《太平寰宇記》，於「嶺南道十三」（第一百六十九卷）載：儋州、瓊州、崖州（內文作：新崖州）、萬安州，逐州分述於次，以供方家查考。

儋　州

儋州，昌化郡，今理宜倫縣。州居南海之中，漢元鼎六年(111B.C)，定越地置儋耳郡，以其人鏤離其耳為名。唐武德五年(622)，置儋州，領義倫、昌化、感恩、富羅四縣。貞觀元年(627)，分昌化置普安縣，尋廢。天寶元年(742)，改為昌化郡。乾元元年(758)，復為儋州。

元領縣五，今四：宜倫　昌化　感恩　洛場

一縣廢：富羅

州　境

東西六百六十里　　　南北三百六十五里

四至八到

西北至東京七千九百六十八里

西北至西京八千五百四十七里

東至瓊州樂會縣界射狼山三百二十里

西至舊振州延德縣界白沙三百四十七里

南至舊州界馬鞍嶺三百四十里

北至大海二十五里

西南至大海四十五里

東北至舊崖州澄邁縣界合橋三百七十里

西南至大海八十五里

又東北至廣州二千三百七十里，若從海乘船使便風，至廣州七日七夜，如無便風即不可到。

戶

唐開元戶三千三百

皇朝（宋）管丁六百八十五，不言戶

風　俗

儋耳，即離耳也。皆鏤其頰皮上連耳，斥狀似雞腸下垂。在海渚，不食五穀，食蚌及鼈而已。俗呼山嶺為黎，人居其間，號曰生黎，殺行人取齒牙貫之於頂，以衒驍勇。弓刀未嘗離手，弓以竹為弦，績木皮為布。尚文身，富豪文多，貧賤文少，但看文字多少，以別貴賤。觀禽獸之產，識春秋之氣，占藷芋之熟，紀天文之歲。（山海經）

土　產

醞酒不用麴蘖，有木曰嚴樹，取其皮葉，擣後清水浸之，釀粳和之數日成酒，香甚能醉人。又有石榴亦取花葉，和醞釀之數日成酒。

高良薑　白籐花　煎沉香出深洞　蘇木出黎洞　苔塘香　相思子　金貢

宜倫縣，二鄉。漢儋耳縣，隋為義倫縣，州所理，因義倫水為縣名，皇朝（宋）改為宜倫縣。

昌化縣，**西一百八十里，二鄉**。漢置至來縣，隋為昌化縣。

感恩縣，**東二百二十五里，二鄉**。漢九龍縣地，隋為感恩縣，取感恩水為名。

洛場縣，**新置**。元縣在黎洞心，因黎賊作亂，今移入州城下。

廢富羅縣，**東北一百二十里，一鄉**。漢儋耳縣，隋為毗善縣。唐武德五年(622)改為富羅縣（**原本誤作富樂縣**），此縣名是林黎夷人，舊廢。

毗邪山，山頂上有蟲似伏蟲，俚人以蟲為毗邪也。

溫湯，在感恩縣北七十里，夏即清冷，冬即沸熟，有患瘋疥瘴氣者，浴之皆愈。

浴泊石神，在昌化縣西北二十里，石形似人帽，其首面南，側有橘柑，甘香之果，或攜去即黑霧暴風駭人。池中有魚亦然，土人往往祈禱。

明山，山有二石如人形，故老傳云：有兄弟二人，向海捕魚，因化為石，號為兄弟石。

滔沿井，與倫水通，有人將竹木置井中，於倫水得，俚人呼竹為滔沿，因為之名。

魚鱗州　龍吟泉　黎吟泉　黎母山　黎粉山　感恩水，已土皆郡邑之山水也。

瓊　州

瓊州，瓊山郡，今理瓊山縣。本隋朱崖郡之瓊山縣，唐貞觀五年(631)置瓊州，領瓊山、萬安二縣，其年又割崖州之臨機來屬。十三年(639)廢瓊州，以瓊山屬崖州，尋復置瓊州，領瓊山、容瓊、曾口、樂會、顏羅五縣。天寶元年(742)改為瓊山郡，乾元元年(758)復為瓊州。

唐貞元五年(789)十月（案：樂史作：貞觀五年十月，有誤，補正如上述），嶺南節度使李復奏曰：瓊州本隸廣府管內，乾封元年(666)山洞草賊反叛，遂滋淪陷至今一百餘年。臣令判官姜孟京、崖州刺史張少逸，併力討賊已收復舊城，且令降人權立城柵，竊以瓊州空壓賊洞，請升於下，都督府加瓊、崖、振、儋、萬安五州，部招討遊譯使，其崖州都督請停從之。皇朝（宋）開寶四年(971)平南越，割崖州之地，屬瓊州。

元領縣五，今三：瓊山　臨高　樂會

二縣廢：顏羅　容瓊

舊崖州，元領縣三：舍城　澄邁　文昌三縣並屬瓊州

州　境　缺（東西闕　南北闕）

四至八到

北至東京水陸七千五十里

北至西京水陸七千四百三十里

西至長安水陸八千五十里

東至文昌縣極大海一百二十里

東至萬安州五百里　　　西至儋州五百里

北十五里極大海，泛大船使西風帆，三日三夜到地名崖門。從崖門山入小江，一日至新會縣。從新會縣入或便風，十日到廣州，路經黎岡州，皆海之險路，約風水為程。如無西南風，無由渡海，卻迴船本州石鑊水口駐泊處，次年中夏西南風至，方可行船。

西南至大海一百七十一里

西北至舊崖州二百六十里

西南至舊振州四百五十里

戶

瓊州，唐管戶六百四十九

舊崖州，唐管戶六千六百四十六

皇朝（宋）兩州，共管戶三千五百一十五丁，戶部牒不言戶只言丁。

又別管蕃、蜑二坊，戶在符江口東岸，不耕田以捕魚為業，官司差為水上駕船。

風　俗

有夷人無城郭殊異居，非譯語難辨其言，不知禮法須以威服，號曰生黎，巢居深洞，績木皮為布，以木棉為毯。性好酒，每醞釀用木皮草葉代麴櫱，熟以竹筒吸之。打鼓吹笙以為樂，男人則髽髮首插梳，帶人齒為瓔飾。好弓矢，削竹為箭，鏃銳而無羽。女人文領，穿耳垂環。病無藥餌，但烹羊犬，祀神而已。

土　產

出剪枕、黃熟等香　蘇木　蜜蠟　古貝布木名，葉可爲布，出唐書　白藤　高良薑　益智子　乾梔皮

舊崖州出紫貝菜　真珠　碁子　金華有花綵者　金貢

又舊崖州有酒樹，似安石榴，其著花甕中，即成美酒醉人。

瓊山縣，舊一鄉，今三鄉，州所治。唐貞元七年(791)，省容瓊併入。

臨高縣，舊二鄉，今三鄉，州東八十里，本崖州平昌縣。唐開元元年(713)改為臨高縣，貞元七年(791)割屬瓊州。

樂會縣，舊一鄉，今二鄉。唐貞觀元年(627)先置瓊州，至顯慶五年(660)方置此縣。

廢顏羅縣　廢容瓊縣，已上二縣並唐時廢。按貞觀七年(633)合容瓊入瓊山為一縣，又割崖州臨高縣以填闕，其臨高在郡正東八十里。梁載言《十道志》有顏羅縣，無樂會縣（**四庫全書本，作：曾口縣**），今二縣俱廢。

瓊山　陰陽山　連延水　龍眼水，已上郡內之山水。容瓊洞，夷人居之。

舍城縣，**舊崖州郭下縣，舊三鄉**。漢潭都縣地，隋舊縣。其崖、儋、振、瓊、萬安五州，都在海中洲之上，方千里，四面抵海，北渡海洋，帆一日一夜至雷州。

澄邁縣，**舊崖州西九十里，舊四鄉，今三鄉**。漢苟中縣地，隋置澄邁縣，以界內邁山為名。

文昌縣，**舊崖州東南一百四十里，元十二鄉，今二鄉**。漢紫貝縣地，隋改為平昌縣，唐貞觀元年(627)改為文昌縣，取偃武修文之意。已上三縣，舊崖州割到。牀柵山　紫貝山　元屬紫貝縣。玉陽山　鄭彥瓊山，在古玳瑁縣，已上舍城等三縣，今屬瓊州，山水隨之。

廢舊崖州，在瓊州東北二百六十里，本珠崖郡，理舍城縣。南裔蠻夷之地，州居南海之中。漢武帝元鼎六年(111B.C)，平呂嘉開南海，置珠崖、儋耳二郡。崖岸之邊出真珠，故曰珠崖。其土方千里，去雷州徐聞縣，隔一小海相望見珠崖，春秋便風一日早過。漢時郡縣吏卒多侵陵之，故率數歲一反。昭帝省儋耳併珠崖，元帝用賈捐之言乃弃之。唐武德四年(621)平蕭銑置崖州，領舍城、平昌、澄邁、顏羅、臨川五縣。貞觀元年(627)置都督府，督崖、儋、振三州，其年顏羅改為顏城，平昌改為文昌。二年(628)割崖州屬廣府，五年(631)又置瓊州，十三年(639)廢瓊州以臨川、容瓊、萬安三縣來屬。天寶元年(742)改為珠崖郡，乾元元年(758)復為崖州在廣府東南。皇朝（宋）開寶三年(970)平南越，卻廢崖州之城入瓊州。其俗以土為金，器用瓠瓢，無水人飲木汁，謂之木飲。州無馬與虎，有牛羊雞犬。

新崖州

崖州，本振州也，即今。隋臨振郡，又曰延德郡。唐武德五年(622)置振州，天寶元年(742)改為臨振郡，乾元元年(758)復為振州，理寧遠縣，土地與崖郡同。皇朝（宋）開寶六年(973)，割舊崖之地隸瓊州，卻改振州為崖州。

元領縣五　寧遠　延德　吉陽　臨川　落屯

州　境　缺（東西闕　南北闕）

四至八到

北至東京七千六百八十五里

北至西京七千七百九十七里

北至長安八千六百六里

東至瓊州四百五十里　　西南至大海一十五里

南至大海二十七里　　西至儋州四百二十里

東至萬安州安陵縣一百六十里

戶

唐開元戶八百一十九

皇朝（宋）管戶　主三百四十　客一十二

風　俗

與瓊州同

土　產

金貢

寧遠縣，**二鄉**。漢臨振縣地，隋置，州所理。

延德縣，**西四十二里，二鄉**。漢臨振縣地，唐貞觀三年(629)，分延德縣置。

吉陽縣，**東北九十里**。唐貞觀二年(628)，析寧遠縣置。

案：原本缺吉陽縣，今據《大清一統志》吉陽廢縣注補入。

臨川縣，**東南八十里，二鄉**。漢臨振縣地，隋置。

落屯縣，**東北二百里，二鄉**。　澄島山　澄浪牧　落澄山　織島山：有黎水　落猿山　鍾延嶺

已上皆郡邑之山水

萬安州

萬安州，**萬安郡，今理萬寧縣**，土地與珠崖郡同。唐龍朔二年(662)分崖州之文昌縣置萬安州，開元元年(713)移治於陵水縣，天寶元年(742)改為萬安郡，至德二年(752)改為萬全郡，乾元元年(758)復為萬安州，貞元元年(785)以便百姓，移州於萬寧縣，即今治也。

元領縣四，今二：萬寧　陵水

二縣廢：富雲　博遼

州　境

東西三百八十四里　　南北二百五十七里

四至八到

北至東京陸路七千三百里

西北至西京水陸路七千五百里

西北至長安水陸路八千五百里

東至海三十里　　西北至崖州三百二十里併陸路

南至海四十二里　　北至瓊州四百五里

戶

唐舊戶一百二十一　　　皇朝（宋）管戶二百八十九

風　俗

女人以五色布為帽，以班布為裙似袋也，號曰都籠。以班布為衫，方五尺常中心開孔，但容頭入，名之曰思便。

土　產

金貢

萬寧縣，**舊二鄉，今一鄉**。唐至德二年(757)改為萬全，後復舊。

陵水縣，**西南二百里，今一鄉**。

廢富雲縣　廢博遼縣，唐末廢。

聲山，常有聲如人言也。

赤土國，在州南，渡海便風十四日，經籠島即至其國，亦海中之一洲。　丹丹國，振州東界，舟行十日至。

校　勘：

儋　州，土產：苔塘香。

按《十道四番志》：作占糖香。

感恩縣，漢九龍縣。

按：《元和郡縣志》云：感恩，本漢九說縣，今記九龍。又崖州舍城縣，《元和志》云：本漢潭縣，今記云潭都。漢記廢郡，地理志所不載，未知孰是。

瓊　州

文昌縣，隋改為平昌縣，唐貞觀元年(627)改為文昌縣。

按：隋地志云：武德五年(622)置平昌縣，貞觀元年(627)改為文昌，新唐志亦同，今記謂「隋改為平昌」，恐誤。

㈥、纂修體例

北宋・樂史《太平寰宇記》（凡二百卷、目錄二卷），起自河南道（計：京二、州二十九、軍三、監二）、關西道（計：府一、州二十六、軍四、監二）、河東道（計：州二十九、軍六、監一）、河北道（原本計：州三十六、軍一十一）、劍南西道（原本計：州二十六、軍二）、劍南東道（原本計：州一十二、監三）、江南東道（計：州二十一、軍二、監二）、江南西道（原本計：州四十五、軍五、監一）、淮南道（計：州一十四、軍六、監三）、山南西道（計：府一、州一十六、軍一、縣二、監一）、山南東道（計：州一十四、軍四、監一）、隴右道（原本計：州二十一、都護府一、監一）、嶺南道（計：州六十七、軍一），周於四夷（包括：東夷、南蠻、西戎、北狄）。

本《太平寰宇記》（始東京迄四裔），係以道為綱，以府、縣為緯，除沿襲《元和郡縣志》（李吉甫）門類外，又增辟風俗，姓氏、藝文、土產、四夷等內容，兼及經濟文化。於列朝人物一一并登，而題詠古跡亦皆并錄。地理之書至是始詳，體例亦自是而大變矣。後來"方志"必列人物、藝文者，其體皆始於樂史。元明以來，是書為州、縣志之濫觴矣。

按宋・樂史纂《太平寰宇記》時，太宗始平閩、越，并北漢。史因合輿圖所隸，考尋始末，而成其書。然是時幽、嬀、營、檀等十六州，實未入版圖，史沿賈耽《十道志》、李吉甫《元和郡縣志》之舊，概列其名。史於進〈表〉又譏賈耽、李吉甫為漏缺，故其書採摭繁富，惟取賅博。體例相沿，而藝文溢於全集，末大於本，然輿圖反若附錄。其間假借誇飾，以侈風土，至是而流弊生，藝文則為題詠而設，而不為考據。其鄙俚者，文移案牘，江湖游乞，隨俗應酬而已耳，方志不純史法矣。

北宋・樂史《太平寰宇記》（凡二百卷、目錄二卷），始作於宋太宗太平興國四年(979)己卯，然疆域、政區、沿革均斷限於雍熙四年(987)丁亥。太平，係指結束五代十國之紛爭局面。寰宇，天下也，係指國家全境。故書名"太平"，既用以標明始作年代，又示為太平盛世耶。

㈦、刊版年代

北宋・樂史《太平寰宇記》（二百卷、首二卷），始作於太平興國四年(797)己卯，然疆域、政區、沿革，皆斷限於雍熙四年(987)丁亥，當宋太宗朝上之（年次未詳）。考宋太宗朝年號，有："太平興國"計八年(976~983)、"雍熙"計四年(984~987)、"端拱"只有二年(988~989)、"淳化"五年(990~994)、"至道"三年(995~996.3)，故是書當在宋太宗端拱、淳化、至道年間(988~996.3)上之。

是《太平寰宇記》，原本二百卷，諸家藏板并多殘闕，惟浙江汪氏進本，所缺自一百十三卷至一百十九卷，僅佚七卷。又每卷末附校正一頁，不知何人所作，辨析頗詳，較諸本最為精善，今據以著錄。《文獻通考》作《太平寰宇志》，此本標題實作《太平寰宇記》，諸書所引亦名兩歧。今考史〈進書原序〉亦作「記」字，則《通考》為傳寫之誤，不足據也（參見《四庫全書總目》卷六十八）。

按《太平寰宇記》，今是本首有目錄二卷，缺卷亦與《四庫全書提要》所載浙江汪氏進本同。考諸家藏書目皆有缺，其佚七卷，由來已久矣。然《古逸叢書》，刊有楊守敬從日本（楓山官庫藏宋槧殘本），輯回所闕的五卷半（卷一百十三至一百十八，內卷一百十四尾缺湘鄉以下五縣）。雖尚佚二卷又半（河南道第四十一卷、卷一百十九、卷一百十四數頁），未為完書，亦足以慰好古之懷矣（參見《古逸叢書》本，楊守敬〈跋《太平寰宇記》云〉。

依據諸家書目資料，於今海內外各圖書館，暨文教機構庋藏者，就藏板年次，分別著述如次，以供方家查考。

宋江西樂氏刻本　佚　　　　清乾隆年樂氏刊本

明烏絲欄鈔本　　臺灣：中央研究院史語所　二十六冊

清朱彝尊藏原抄本　　北京圖書館（原缺卷一百十

傳抄朱彝尊藏本　　上海圖書館　一至一百十九）

清初傳抄趙清常校本

清乾隆間寫文淵閣四庫全書本　　　故宮（三十六冊）

四庫全書本　　　故宮（一百九十三卷　三十六冊）

清文淵閣《四庫全書》景印本（第四六九冊）

清乾隆五十八年(1793)南昌萬氏刊本

萬廷蘭刻本　　　　江西萬氏刊本

浙江汪啟淑家藏本　　錢遵王家有足本　　趙氏藏書本

古逸叢書本　　　池北書庫本　　　麓山精舍叢書本

清嘉慶八年(1803)重刊乾隆間南昌萬氏本　　臺灣：故宮

一九二卷　補闕八卷　二十八冊

原缺・卷一一三～一一九

清光緒八年(1882)金陵書局刊本　　臺灣分館　三十六冊

一九八二年　杭州　古舊書店　復印本（共五十冊）
據光緒八年(1882)金陵書局刊本（一百九十三卷本）
清光緒九年(1883)遵義黎氏刊古逸叢書本　　臺灣：故宮
（殘六卷，存卷一一三～一一八）
江寧局本　　活字板本
藍格舊鈔本　四十八冊（存一百九十二卷）
臺灣：國家圖書館
缺：卷四、卷一百十三～卷一百十九（凡八卷）
舊鈔本　三十二冊（存一百九十三卷）
臺灣：國家圖書館
缺：卷一百十三～卷一百十九（凡七卷）
舊鈔本　二十六冊（存一百九十二卷）
臺灣：國家圖書館
缺：卷四、卷一百十三～卷一百十九（凡八卷）
舊鈔本　四十冊（存一百九十二卷）
缺：卷四、卷一百十三～卷一百十九（凡八卷）
臺灣：國家圖書館

結　語

北宋・樂史《太平寰宇記》（凡二百卷），雖卷帙浩博，而考據特為精核，要不得以末流冗雜，追咎濫觴之源矣。并認為：地理之書，記載至是書而始詳，體例亦自是而大變（參見《四庫全書總目提要》卷六十八）矣。

清・洪亮吉〈太平寰宇記序〉（重校刊）云：「……史撰此

志，徵引繁富，多南宋以後所未見本。即以地志論，晉《太康土地志》、……李吉甫《十道志》，以迄圈稱、……任昉，諸人所箚錄者，多至百數十種，史雖不善抉擇，然零篇斷簡，藉是書以存者實多，此其所長也。」

又云：「……乃自序反譏賈耽之漏落，吉甫之缺遺，不知己之病適與之相反也。然地理書自吉甫以後，藉以考鏡今古，聯綴前後者，實無踰此書，宜其傳之久而必不能廢矣。……」於洪氏之評價，亦都極高耶。

北宋・樂　史《太平寰宇記》之後，方志必列「人物」、「藝文」者，其體例皆始於史。自元、明以來，是書為州、縣志之濫觴也。

本書自元而後，雖刊本不一，然皆不甚精審。此刻於宋影鈔本外，能彙集諸舊本，補其遺亡，校其譌舛，於近日刊本中，最為完善，則南昌萬氏之有功於樂氏，為不少也（清・洪亮吉〈太平寰宇記序〉嘉慶八年）。

參考文獻書目

《太平寰宇記》　二百卷　　北宋・樂　史撰

民國七十年(1981)　臺北市　文海出版社　精二冊　影印本

《道光　瓊州府志》　四十四卷　首一卷

清・明　誼修　張岳崧纂　道光二十一年(1841)修本

民國五十六年(1967)　臺北市　成文出版社　精二冊

影印本（據清光緒十六年庚寅　補刊本）

《道光　萬州志》　十卷　　清・胡端書修　　楊士錦纂

民國三十七年(1948)　鉛印本（據清道光八年修本）

《光緒　崖州志》　二十二卷　　清・鍾元棣修　　張　雋纂

一九八三年四月　廣州市　廣東人民出版社　全一冊

簡字本（據民國三年鉛印本，重新點校橫排版）

《民國　儋縣志》　十八卷　首一卷　　彭元藻修　王國憲纂

民國六十三年(1974)　臺北市　成文出版社　影印本

（據民國二十五年五月，海南書局鉛印本）　精四冊

中華民國九十九年(2010)庚寅歲三月一日　校補

中華民國九十五年(2006)丙戌歲九月七日　完稿

臺北市　海南文獻史料研究室

山有黎木　蒼嶺山　鍾延嶺已上皆郡邑之山木

萬安州

萬安州萬安郡今萬寧縣土地與珠崖郡同唐龍朔二年分崖州之文昌縣置萬安州開元元年移治於陵水縣天寶元年改爲萬安郡至德二年改爲萬全郡乾元元年復爲萬安州貞元元年以便百姓移州於萬寧縣即今州也

元領縣四　今二

萬寧　陵水

二縣廢

富雲　博遼

太平寰宇記卷百六十九　萬安州　十六

州境

東西三百八十四里　南北二百五十七里

四至八到

北至東京陸路七千三百里

西北至西京水陸路七千五百里

西北至長安水陸路八千五百里

東至海三十里

西北至崖州三百二十里併陸路

南至海四十二里

北至瓊州四百五里

樂史《太平寰宇記》書影

國立臺灣圖書館藏板

戶
唐舊戶一百二十一
皇朝管戶二百八十九
風俗
女人以五色布爲帽以斑布爲裙似袋也號曰都籠以
斑布爲衫方五尺常中心開孔但容頭入名之曰思便
土產
金 貢
萬寧縣 唐至德二年改爲萬全後復舊
陵水縣 廢富雲縣 廢博遼縣唐末廢
山常有聲如人音也　赤土國在州南渡海便風十四
日經儋島即至其國亦海中之一洲　丹丹國振州東
丹舟行十日至
校勘
太平軍
廢樂州元領縣四
按國朝會要樂州石康縣注云開寶五年廢常樂
州以博電零綠豐[illegible]三縣地置九域志亦云以三
縣地置石康縣詳此則常樂州元領縣四以石康
爲有縣恐誤

○儋州土產[illegible]香
按十道四蕃志作占[illegible]香
感恩縣漢九龍縣
按元和郡縣志云感恩本漢九龍縣今記九龍又
崖州舍城縣元和志云本漢[illegible]縣今記云潭都漢
記[illegible]郡地理志所不載未知孰是
○瓊州
文昌縣隋改爲平昌縣唐貞觀元年改爲文昌縣
按隋地志云武德五年置平昌縣貞觀元年改爲
文昌新唐志亦同今記謂隋改爲平昌恐誤
太平寰宇記第一百六十九卷[illegible]

樂史《太平寰宇記》書影

國立臺灣圖書館藏板

四、輿地紀勝

南宋・王象之《輿地紀勝》（凡二百卷），乃宋代著名「地理書」之一種。夫「輿地」者，係指「地理」也。是書彙集各種「地理書」之長，并包舉各地名勝文墨，故名《輿地紀勝》耶。

海南位於廣東省極南端海中，古名珠崖、又名瓊臺，或曰瓊州，抑曰瓊崖，簡稱瓊。於唐虞為揚越荒徼，秦為象郡外域，漢屬珠崖、儋耳郡境地。

本《輿地紀勝》於「廣南西路」（卷一二四～卷一二七）：瓊州（領縣五）、昌化軍（領縣三）、萬安軍（領縣二）、吉陽軍（領縣一），於今海南省境地也。

析　論

《輿地紀勝》二百卷　　南宋・王象之撰

清道光二十八年(1848)揚州岑氏懼盈齋綠格鈔本

60 冊　28 公分　線裝（善本書）

臺灣：國家圖書館

清咸豐五年(1855)南海伍氏校刊本　粵雅堂開雕板

22 冊　28 公分（框 20.5×15.8 公分）　線裝

臺灣：國立臺灣圖書館　480/17（和）

臺灣：國家圖書館珍藏「岑氏懼盈齋綠格鈔本」，存一百六十八卷，殘缺：卷十三～卷十六、卷五十～卷五十四、卷一三六～卷一四四、卷一六八～卷一七三、卷一九三～卷二〇〇，凡三十二卷。另一部「舊鈔本」（黑筆簽校），存一百六十六卷（六十四冊），殘缺卷數，凡三十四卷。於缺卷八十一、卷八十二（二卷）外，餘殘缺卷次，與「岑氏懼盈齋綠格鈔本」（清道光二十八年）雷同。

王象之撰《輿地紀勝》旨意，有感於輿地之書「不過辯古今，析同異，考山川之形勢，稽南北之離合。」然若「收拾山川之精華，以借助於筆端，取之無盡，用之不竭，使騷人才士，於一寓目之頃，而山川俱若效奇於左右，則未見其書，此《紀勝》之編，所以不得不作也。」

綜從《輿地紀勝》內容窺之，是書於風景之美麗，名物之繁縟，人物之奇傑，吏治之循良，方言之異聞，故老之傳說，與夫詩章文翰之關於風土者，皆為留心與輯纂。於是顯示，其用心可見焉。

㈠、知見書目

清・倪　燦《宋史藝文志補》載：

輿地紀勝　二百卷　　王象之

宋・陳振孫《直齋書錄解題》（卷八）：

輿地紀勝　二百卷　　知江寧縣　金華・王象之撰

宋・馬端臨《文獻通考經籍考》（卷三十二）：

輿地紀勝　二百卷　　宋・王象之撰

明・焦　竑《國史經籍志》（卷三）：

輿地紀勝　二百卷　　宋・王象之撰

清・胡玉縉《四庫未收書目提要補正》（卷二）：

輿地紀勝　二百卷　　宋・王象之撰

國立中央圖書館《善本書目》（史部・地理類・頁二五七）：　　輿地紀勝　存一百六十六卷　六十四冊

宋・王象之撰　　舊鈔本　　黑筆簽校

缺：卷十三至卷十六、卷五十至卷五十四、卷八十一、卷八十二、卷一百三十六至卷一百四十四、卷一百六十八至卷一百七十三、卷一百九十三至卷二百，凡三十四卷

中國：北平圖書館

輿地紀勝　存一百六十八卷　六十冊

宋・王象之撰　清道光二十八年(1848)揚州岑氏懼盈齋綠格鈔本

缺：卷十三至卷十六、卷五十至卷五十四、卷一三六至卷一四四、卷一六八至卷一七三、卷一九三至卷二〇〇，凡三十二卷

張國淦《中國古方志考》（頁一〇五）：

輿地紀勝　二百卷　　宋・王象之纂

粵雅堂刻本　　廣陵岑氏懼盈齋刊本

黃　葦《中國地方志詞典》（著名方志・頁三五）：

輿地紀勝　　南宋・王象之纂

陳光貽《稀見地方志提要》（卷首・總志・頁九）：

輿地紀勝　二百卷　　宋・王象之纂

舊抄本（上海圖書館藏）

呂名中《南方民族古史書錄》（五代・宋・頁九一）：

輿地紀勝　二百卷　校勘記五十二卷　補缺十卷

宋・王象之撰　　清・劉文淇校勘

清・岑建功補缺

四庫全書本　　述古堂宋刻足本

清道光二十九年(1849)廣陵岑氏懼盈齋刊本

粵雅堂叢書本

王杏根《古籍書名辭典》（宋部分・頁一四九）：

輿地紀勝　　宋・王象之撰

國立中央圖書館臺灣分館《線裝書目錄》（頁二九九）：

輿地紀勝　二百卷　　宋・王象之著

清咸豐五年(1855)南海伍氏校刊本

粵雅堂開雕板

22 冊　28 公分（框 20.5×15.8 公分）　線裝

索書號：（和）480/17

香港中文大學圖書館《中國古籍目錄》（地理類・總志・頁一五九）：輿地紀勝　二百卷　　宋・王象之撰

清咸豐五年(1855)南海伍氏粵雅堂刻本

二十二冊　原缺：卷十三至十六、五十一至五十四、一百三十五至一百四十四、一百六十八至一百七十三、一百九十三至二百。

㈡、纂修始末

按《輿地紀勝》（凡二百卷），係南宋・王象之纂。然王象之〈序〉，作在南宋寧宗（趙擴）嘉定十四年(1221)辛巳孟夏，惟據李𡌴〈序〉，作於南宋理宗（趙貴誠，改名：趙昀）寶慶三年(1227)丁亥季秋三日。由此觀之，全書之撰成，約在南宋理宗寶慶三年矣。

據王象之〈序〉云：「世之言地理者尚矣，郡縣有志，九域有志，寰宇有記，輿地有記。或圖兩界之山河，或紀歷代之疆域，其書不爲不多，然不過辨古今、析同異，考山川之形勢，稽南北之離合，資遊談而誇辯博，則有之矣。」

次云：「至若收拾山川之精華，以借助於筆端，取之無禁，用之不竭，使騷人才士，於一寓目之頃，而山川俱若效奇於左右，則未見其書，此《紀勝》之編，所以不得不作也。」

又云：「余少侍先君，宦遊四方，江、淮、荊、閩，靡國不到，獨恨未能執簡操牘，以紀其勝。及仲兄行甫，西至錦城，而叔兄中甫，北趨武興，南渡渝瀘，歸來道梁益事，皆衮衮可聽。然求《西州圖紀》於篋中，藏未能一二，雖口以傳授，而猶恐異時無所據依也。」

末云：「余因暇日，搜括天下地理之書，及諸郡圖經，參訂會粹，每郡自爲一編。以郡之因革，見之編首，而諸邑次之，郡之風俗又次之，其他如山川之英華，人物之奇傑，吏治之循良，方言之異聞，故老之傳記，與夫詩章文翰之關於風土者，皆附見焉。…」

依李𡌴〈序〉首云：「東陽王象之儀父，著《輿地紀勝》一書，甚鉅，書成匃余爲序。且曰：吾書收拾天下郡縣山川之精華，使人於一寓目之頃，而山川俱若效奇於左右，以助其筆端，取之無禁，用之不竭。」

次云：「余告之曰，昔昌黎韓公南遷過韶州，先從張使君借圖經，…然所在圖經，類多疏略舛訛，失之鄙野多矣。必得學者參伍考正，而勒爲成書，然後可據也。…」

復云：「…今儀父所著，余雖未睹其全，第得首卷所紀行在所以下觀之，則知其論次積日而成，致力非淺淺者。蓋其書比李氏圖經則加詳，比韋宋所著記志庶幾班焉，使人一讀，便如身到其地，其土俗人才，城郭民人，與夫風景之美麗，名物之繁縟，歷代方言之詭異，故老傳記之放紛，不出户庭，皆坐而得之。嗚呼！儀父之用心，可謂廑矣。」

末云：「余又嘗語儀父曰：古人讀書，往往止用資以爲詩，今儀父著書，又秖資他人爲詩，不亦如羅隱所謂徒自苦，而爲他人作甘乎。儀父笑而不答，余以是知儀父，前所與余言者，特寓言耳，其意豈止此哉。…」

綜觀王象之、李埴氏，兩序之要義，而《輿地紀勝》一書，其纂修之緣由意旨、歷程始末，於大略瞭然哉。

㈢、纂者事略

王象之，字儀父，南宋・金華東陽（今浙江省金華縣）人。南宋寧宗慶元二年(1196)丙辰科進士，嘗官長寧軍文學，知永寧縣、江寧縣。

王象之，年輕時宦游四方，見聞甚廣。於是基礎上，廣為搜羅全國地理書籍及諸郡圖經，參訂其謬誤，吸取其精華，譔成《輿地紀勝》（二百卷）。①

王象之，志行高潔，隱居不仕。嘗著《輿地紀勝》，今之輿地諸書，皆本之。

王象之，師亶子，慶元二年(1196)進士，官江寧令。博學多識，著《輿地紀勝》（二百卷）、《碑目》（四卷）。

① 黃 葦《中國地方志詞典》（著名方志） 頁 45~46

清・沈翼機《乾隆　浙江通志》（卷一百九十三・人物志十・隱逸下）、鄧鍾玉《光緒　金華縣志》（卷之九・人物志三・政事），黃　葦《中國地方志詞典》（修志名家與方志學家・頁二四一），載有事略。

㈣、主要內容

南宋・王象之《輿地紀勝》（凡二百卷），除卷首：王象之、李𡌴〈輿地紀勝序〉外，其內容，依目錄、卷次，分述於次，以供查考。

行在所　（卷一）

兩浙西路（卷二～九）：臨安府、嘉興府、安吉州、平江府、常州、鎮江府、嚴州、江陰軍。

兩浙東路（卷十～十六）：紹興府、慶元府、台州、溫州、婺州、處州、衢州。

江南東路（卷十七～二十五）：建康府、太平州、寧國府、徽州、信州、池州、饒州、廣德軍、南康軍。

江南西路（卷二十六～三十六）：隆興府、瑞州、袁州、撫州、江州、吉州、贛州、興國軍、臨江軍、建昌軍、南安軍。

淮南東路（卷三十七～四十四）：揚州、真州、楚州、秦州、通州、滁州、高郵軍、盱眙軍。

淮南西路（卷四十五～五十四）：廬州、安慶府、蘄州、和州、黃州、濠州、光州、無爲軍、安豐軍、潭州。

荊湖南路（卷五十五～六十三）：衡州、永州、郴州、道州、寶慶府、全州、桂陽軍、武岡軍、茶陵軍。

荊湖北路（卷六十四～八十一）：江陵府、鄂州、常德府、岳州、澧州、沅州、靖州、峽州、歸州、辰州、復州、德安府、荊門軍、漢陽軍、信陽軍、壽昌軍。

京西南路（卷八十二～八十八）：襄陽府、隨州、郢州、均州、房州、光化軍、棗陽軍。

廣南東路（卷八十九～一百二）：廣州、韶州、循州、連州、南雄州、封州、英德府、肇慶府、新州、南恩州、惠州、潮州、德慶府、梅州。

廣南西路（卷一百三～一二七）：
靜江府、容州、象州、邕州、昭州、梧州、藤州、潯州、貴州、柳州、橫州、融州、賓州、化州、高州、雷州、欽州、廉州、鬱林州、宜州、賀州、瓊州、昌化軍、萬安軍、吉陽軍。

福州路（卷一二八～一三五）：福州、建寧府、泉州、漳州、汀州、南劍州、邵武軍、興化軍。

成都府路（卷一三六～一五二）：成都府、崇慶府、眉州、彭州、緜州、漢州、邛州、黎州、簡州、嘉定府、雅州、威州、茂州、隆州、永康軍、石泉軍。

潼川府路（卷一五三～一六七）：
瀘州、潼川府、遂寧府、順慶府、資州、普州、合州、榮州、昌州、渠州、敘州、懷安軍、慶安軍、長安軍、富順監。

夔州路（卷一六八～一八二）：夔州、開州、施州、

達州、珍州、忠州、涪州、重慶府、黔州、萬州、

思州、梁山軍、南平軍、大寧監、雲安軍。

利州路（卷一八三～一八六）：

興元府、利州、閬州、隆慶府。

利東路（卷一八七～一九二）：

巴州、蓬州、金州、洋州、大安軍、劍門軍。

利西路（卷一九三～二百）：沔州、階州、成州、

西和州、鳳州、交州、龍州、天水軍。

案：本書內文「原缺」者，用「黑體楷字」表示之。

㈤、海南紀事

本《輿地紀勝》，於「廣南西路」（卷一百二十四至卷一百二十七，計四卷）載：瓊州、昌化軍、萬安軍、吉陽軍，逐州（軍）分述於次，以供方家查考。

瓊　州（卷一百二十四）：曾口　靜海　瓊山　容瓊

州沿革

瓊州，瓊山郡（九域志），靖海軍節度（政和陞軍）。非禹貢所及春秋所治（漢書・賈捐之傳），古揚粵地（瓊管志），牽牛婺女之分野（漢志）。漢武帝遣路博德平南粵，以其地為珠崖、儋耳郡（漢書）。……

皇朝（宋）平南漢，割崖州之地入瓊州（寰宇記）。……今隸廣西經略司，領縣五，治瓊山。

縣沿革：

瓊山縣，倚郭，州所治也。本漢瑇瑁縣地（元和郡縣

志），……瓊山為縣，自唐有之（瓊管志）。……宋熙寧四年(1071)辛亥，省崖州舍城縣入瓊山（國朝會要）。

澄邁縣，在州西五十五里，漢苟中縣地（寰宇記），以界內澄邁山為名（隋志）。

文昌縣，在州東一百里，漢紫貝縣地（元和郡縣志）。唐貞觀元年(627)丁亥，以平昌縣，更名文昌縣（唐志）。

案：王象之《輿地紀勝》作：正觀元年，恐誤。

臨高縣，在州西一百二十里，唐武德五年(622)壬午，分平昌縣，置臨機縣（元和郡縣志）。……唐玄宗開元元年(713)癸丑，更名臨高縣（唐志）。

樂會縣，在州東南一百六十里，唐顯慶五年(660)庚申，置樂會縣，隸瓊州（唐志）。

風俗形勝：

在海中洲居（漢書・賈捐之傳），郡在大海之中，崖岸之中出真珠，故名珠崖（漢武紀・應劭注），珠崖言珠若崖（張晏注）。顓顓獨居一海之中（賈捐之傳），南極天際（柳文），無虎與馬（漢志）。島夷卉服，珠崖如囷廩大，與徐聞對渡，北風舉帆，一夕一日而至（元和郡縣志）。

瓊崖、瓊海，尤難賓服，南方遐阻，民強吏懦，豪富兼并，役屬貧弱（通典）。自合浦徐聞南入海得大洲，東西南北方千里。武帝略以為儋耳、珠崖郡。

民皆服布，如單被穿中央為貫頭。男子耕農種禾稻紵麻，女子桑蠶織績。亡馬與虎，民有五畜，山中多麈麖。兵則矛盾刀木，弓弩竹矢或骨為鏃。自初為郡縣，吏卒中國人多侵陵之，故率數歲一反，元帝時遂罷弃之（西漢志）。

南極星降黎母山，雷攝蛇卵（劉誼〈平黎記〉云）。上帝賜寶，以奠南極（東坡〈峻靈王廟碑〉云）。四州之地，以徐聞為咽喉（東坡〈伏波廟碑〉云）。南望連山，若有若無，杳杳一髮（東坡文，見《瓊管志》大海門）。

其俗朴野，若伯叔兄弟之子不以齒序，伯之子雖少皆以兄自居，而叔之子雖耄亦為弟也（瓊管志）。試期以六月，勸駕以九月（貢院記）。

瓊海之潮，半月東流，半月西流，潮之大小，隨長短星初，不係月之盛衰，豈不異哉（嶺外代答）。

夷人之俗（引《寰宇記》云），瓊管氣候（引《瓊管志》云），取三斗器（引《圖經》云），賜一監書（提刑彭次雲奏請），以檳榔為命，以藷蕷為糧（東坡云）。一峰聳翠插天（劉誼〈平黎記〉云），生黎、熟黎（引《繫年錄》云）。

景物上：

節堂、燕堂（俱在郡治）、新學（在郡學之左廡，黎人遣子弟入學）、焚艛（平黎記）、颶風（東坡賦）、雙泉（昔東坡寓，李光有詩）、椰子（吉陽所產為上）、沈香（出萬安軍）、瓊臺（在譙樓下臨放生池，引《圖經》云）、瓊山　白玉（圖經）、瓊枝（出樂會縣）、鐵柱（南海志）、蜑家（圖經）、烏魚（東坡云）、烏喙（東坡云）、海漆（東坡名之）。

景物下：

靖端堂、虛白堂、緩帶堂、退思堂（俱在郡治）、知樂堂（在放生池上）、平理堂（在郡治）、明倫堂（在郡學）、燕喜堂（在郡治）、節愛堂、超然堂（俱在倅廳）、雲海樓（在郡治）、風月臺（在倅廳）、經史閣（在郡學）、海山樓（南海志云：在州城南，陳瓘有詩）、鑒空閣（南海志云：在城西五十里，蘇軾題詩）、定光堂（在開寶寺）、臨清亭、濯纓亭（俱在雙泉）、卓錫泉（南海志）、泂酌亭（在雙泉）、茉莉軒（在臨高縣治，胡澹庵有詩）、菖蒲澗（南海志云：在州東北二十里）、橄欖株（在瓊山縣陷屋潭）、檳榔水、惠通泉（在城東，有東坡墨跡）、豐好水（距城七里）、連延水（九域志云：在瓊山縣界，寰宇記云：在樂會縣）、澄邁山（在本縣）、毗耶山（在臨高縣北）、陰陽山（寰宇記云：在樂會縣）、雲露山（在瓊山縣西南六十里）、三坑水（在文昌縣東）、三公廟（李德裕、盧多遜、丁謂）、五色雀（坡公詩）、五指山（在臨高縣）、六瑞堂（在放生池上）、七星山（在瓊山縣東，文昌界海濱，狀如七星）、七星嶺（在文昌縣近海岸，其勢如連珠）、九代祖（錢易洞微志）、萬歲洞（在澄邁縣西十里，上有怪石如列屏）、蒼錫山（在文昌縣西北二十里）、紫貝山（寰宇記云：舊為紫貝縣、今在文昌縣境）、赤石岡（南海志云：在州西南五里，南越志云：其色若丹）、落雲嶺（在臨高縣）、知風草（叢生若藤蔓）、天生燭（海南有草叢生如蘆荻，取以為燭，臨用以油漬而點之，則光過於真燭）、長節竹（黎母山有水五派流入四郡，嘗以舟泂泝而至其源，有巨竹其質甚長，約其節不啻丈餘）、鐵樹花（海南多此樹，纔一二尺，葉密而紅）、銅鼓嶺（在文昌縣，俗傳民得銅鼓者驗之，乃諸葛武侯征蠻之鉦，因以名之）、洗馬池（在州南三里）、抱虎嶺（在文昌縣）、龍眼水（九域志、郡國志，並在瓊山界）、馬鞍山（在瓊山縣五原鄉石山村）、金牛山（在樂會縣）、玉陽山（在文昌縣北二十里）、南弄水（在樂會縣）、南來嶺（在文昌縣南三十五里）、南橋水（在文昌縣東）、東猺山（在文昌縣）、神應港（在瓊山白沙津蕃舶所聚之地）、神霄宮（在澄邁縣，曰神霄玉清宮）、開元寺（在東坡亭之右，有蘇東坡書額）、報恩寺（南海志云：寺在州西城內）、興化寺（南海志云：在州西城內、劉氏建為影堂，太平興國間改今額）、浮邱山（郭祥正詩）、通飛閣（在澄邁縣，胡邦衡、蘇東坡有題詩）、郁射山（在瓊山縣）、郁鄧山（在瓊山縣永興鄉）、黎母山（圖經）、黎母水（在瓊山縣東三里）、波羅蜜果（大如斗，剖之如蜜，其香滿室）。

古　迹：

古崖州城（圖經序云：去州三十里，有古崖州城）、廢舊崖州（寰宇記云：在瓊州東北二百六十里）、廢忠州（圖經云：昔唐咸通中……置忠州，……與崖州分界計六百八十餘里）、廢鎮州（大觀四年廢）、廢顏羅縣（寰宇記云：在樂會縣）、廢容瓊縣（寰宇記云：在樂會縣，唐廢）、廢舍城縣（寰宇記云：本隋舊縣）、廢紫貝縣（寰宇記云：在文昌縣境）、古玳瑁縣（寰宇記云：……今屬瓊州）、東坡臺（在開元寺，東坡常寓其間，今有祠堂）、乾亨寺鐘（在開元寺，有南漢乾和九年鐘銘）、南宮廟（祝融神也，在州東南二里）、伏波威武廟（漢兩伏波也，蘇文忠有銘）。

官　吏：

周仁浚，長編云：初平嶺南，命太子中允。周仁浚知瓊州，以儋、崖、振、萬安四州屬焉。……開寶五年(972)壬申，……列上駱崇璨等四人，各授檢校官，俾知州事，徐觀其效可也。

李崇矩，宋太平興國二年(977)，為邕貴潯橫欽等州都巡檢使，徙瓊崖儋萬麾下，軍士咸憚於從行，崇矩盡出器用金帛，凡直數百萬分給之，眾乃感悅。時黎賊擾動，崇矩悉至洞穴撫諭，以己財遺其酋長，眾皆懷附。……（見長編）

張　岐，真宗朝守瓊管，……鎮以清淨有獻不受，民夷服其廉介。……州多颶風，掀屋拔木，人至凍死，岐教之立舍，方略無患（建安志）。

杜　杞，慶歷中，為廣西轉運使時，希範寇破瓊州，杞以計攻破之，遂復瓊州。因伏兵擒諸蠻寇六百餘人、尋得希範醢之，海南遂平（東齋紀事）。

宋守之，慶歷中，以國博來守，教諸生讀五經於先聖廟，建尊儒亭，暇則躬自講教。

李時亮，元豐中，以左僕來守，乞賜書，修學淵齋（郡學），建御書閣。

郭　曄，政和間為守，乞置澄邁西峰，臨高定南兩寨，以隘阻黎人，道路無梗。

李　諤，宋高宗紹興十八年(1148)為帥守，築外灑城。

蘇　軾，紹聖自惠州，再謫瓊州別駕，昌化軍安置。元符二年(1099)五月，詔移廉州，由澄邁北渡。

李　復，南海志云：復為廣州刺史，嶺南節度觀察使，勸導百姓令變茅屋為瓦舍。瓊州久陷蠻獠，復奏置瓊州都督府，以綏撫之。

向中敏，宋太宗淳化二年(991)，以職方員外郎任，就移本路轉運使（南海志）。

蔣之奇，元祐間，以朝議大夫集賢殿修撰知瓊州，四年(1089)移江淮轉運使（南海志）。

周惇頤，熙寧元年(1068)，以虞部郎中充判官，四年(1071)移除本路提刑（南海志）。

李　綱，建炎元年(1127)，自澧州安置，移萬安軍，南渡至瓊州，後三日得赦北歸（題於遠華館）。

李　光，紹興中與秦檜和議不合，責藤州後責瓊州安置，居雙泉九年，再貶昌化軍。光有詩云：曾是雙泉舊主人。紹興二十五年(1155)乙亥，移郴州。

李廷臣，頃官瓊管，一日過市，有獠子持錦臂轉售於市者，繼成詩一聯取視之，乃仁宗景佑五年(1038)，賜新進士詩也（云：恩袍草色動，仙籍桂香浮）。廷臣以千錢易得之，貼之外屏，致几席間，以為朝夕玩。

人　物

姜唐佐，字君弼，郡人也。嘗從東坡學，跋其課冊，……子瞻贈之一聯，曰：滄海何曾斷地脈，白袍端合破天荒。

陳　孚，郡士也。從太守建陽朱公貫之學，得官以歸，自是瓊人始喜習進士業，近歲有數人得進士出身者，自孚始也。

杜介之，郡士也。為高州司法，真純野逸，有隱士之風，李光（參政）有詩贈之。

王進慶，澄邁縣人。事母孝，紹興間，母陳氏病瞽而疾且死。進慶刲股為粥以獻，母病愈瞽良愈。

仙　釋

安昌期，昭州恭城人。得官為橫山尉，遂不仕，放意山水間。……（南海志）

蓬萊仙，本姓陳，名安姐、字仁嬌，嘗夢為逍遙遊，飧丹霞飲玉液，及寤不瞑，每追思夢遊不可復，忽八月望日，夜有仙數百從空招之，仁嬌超然隨眾朝謁於帝，遂掌蓬萊紫盧洞，儔侶五人，曰：瓊嬌玉潤伯，仙蟾姬伯瑰。元祐中，降於廣州進士黃洞家者，再時，蔣之奇得其詩（南海志）。

金剛仙，唐開成中，有西域僧號：金剛仙，居於清遠峽山寺，……（南海志）。

僧守忠，澄邁縣永慶寺僧也。戒行頗嚴，一日頌云：不如擺卻塵勞，笑指洞天之外坐化，今肉身猶存，俗號聖僧。

碑　記

〈乘桴於海賦〉，李綱作，南宋高宗建炎元年(1127)丁未，李網（丞相）自澧移謫萬安軍，已渡海至瓊，而德音聽還，想必是渡海而作也。

〈瓊州學記〉，朱晦公作，見《晦公集》。

《瓊管志》，義太初序。

詩——

釋無可送李使君，赴瓊州兼五州招討使。詩云：

分竹雄兼使南方，到海行臨門雙旆。……

郡士姜唐佐與東坡游，東坡贈之詩。云：

適從瓊管魚龍窟，秀出羊城翰墨場。

滄海何曾斷地脈，白袍端合破天荒。

東坡詩，云：

四州環一島，百洞蟠其中。

我行西北隅，如渡半月弓。

東坡，詩云：

應怪東坡老，衰顏語徒工。

久矣此妙聲，不聞蓬萊宮。

東坡題澄邁驛通明閣，詩云：

餘生欲老海南村，帝遣巫陽招客魂。

海闊天低鶻沒處，青山一髮是中原。

東坡澄邁驛通明閣詩，云：

倦客愁聞歸路遙，眼明飛閣俯長橋。

貪看白鷺橫秋浦，不覺青林沒晚潮。

東坡經過梧州，聞子由（蘇轍）在藤州，作詩示之。

莫嫌瓊雷隔雲海，聖恩尚許遙相望。

東坡過海北歸詩，云：

參橫斗轉欲三更，苦雨終風也解晴。

雲散月明誰點綴，天容海色本澄清。

空餘魯叟乘桴意，粗識軒轅奏樂聲。

九死南荒吾不恨，此游奇絕冠平生。

胡澹庵題瓊州臨高茉莉軒詩（今留題猶在）云：

眼明漸見天涯驛，腳力將窮地盡州。

胡澹庵到瓊州，和李參政韻〈詩〉：

落網從前一念斜，崖州前定復何嗟。

萬山行盡逢黎母，雙井渾疑到若耶。

行止非人十年夢，廢興有命一浮家。

此行所得誠多矣，更願從公泛北槎。

李安撫時亮，瓊管即事，云：

萬里波光外，孤城南極西。

李時亮牛頭山路，云：

數點晴明天外國，一帆風信舶家舟。

范成大《桂海虞衡志》云：翠尖浮半空。

沈佺期詩，云：

異哉寸波中，露此橫海脊。

舉首玉簪插，忽去銀釘擲。

身大何時見，夭矯翔霹靂。

銅柱威丹徼，朱崖鎮火陬。

東坡詩，云：

瓊崖千里環海中，民夷錯居古相蒙。

方壺蓬萊此別宮，峻靈獨立秀且雄。

為帝守寶甚嚴恭，庇蔭嘉穀歲屢豐。

四　六：聯語之屬

韓茂良賀瓊州魏守，云：

據百蠻通道之要津　　兼四國于蕃之重寄

同　上

鯨波萬里　暫同季路之乘桴

鳳闕九重　遙想子牟之馳戀

同　上

遂敉寧於卉服　　即歸從於荷囊

會　元：

領瓊管之一麾　　涉鯨波之萬里

昌化軍（卷一百二十五）：宜倫　毗耶　昭山　倫江　南崖

軍沿革：

昌化軍同下州（九域志），星土分野與珠崖同（寰宇記）。本漢儋耳郡（唐志），以其人鏤離其耳為名（寰宇記）。昭帝罷儋耳郡併入珠崖（西漢紀），自漢至陳更不得其本地（元和郡縣志）。……中興以來，廢軍為宜倫縣，以縣隸瓊州（瓊管志）。復為昌化軍（國朝會典），免隸瓊州，以軍使兼知倚郭縣（皇朝郡縣志）。……以邊事隸瓊管司（瓊管志），今領縣三，治宜倫。

縣沿革：

宜倫縣，倚郭（元和郡縣志）。本漢儋耳郡地，……隋置義倫縣，為珠崖郡所理，因義倫水為名（寰宇記）。……太平興國元年(976)丙子，改為宜倫縣，避太宗御諱也（國朝會要）。

昌化縣，在軍西一百八十里。本漢至來縣，隋大業六年(610)庚午，置昌化縣（元和郡縣志）。

感恩縣，在軍西南二百七十九里，本漢儋耳郡地（皇朝郡縣志）。本漢九龍縣，隋大業六年(610)庚午，改名感恩縣，取感恩水以為名（元和郡縣志）。

風俗形勝

郡名：儋耳，以其人鏤離其耳，因以為名。又云：外城楊僕築，子城儋耳婆築（靈齊夫人廟記）。

州城，即漢儋耳郡城（輿地廣記）。軍治後堂，栽花蒔竹，壘石為山，有巖壑之趣，名曰：吏隱（李光名之）。南海志云：無馬與虎。

儋耳、珠崖郡民，皆服如單被，穿中央為貫頭。男則耕種禾稻紵麻，女子桑蠶織績。民有五畜，山多麈麖。兵則矛盾刀木弓弩竹矢，或骨為鏃。

自初為郡縣，吏卒中國人多侵陵之，故率數歲一反。漢元帝時，遂罷棄之（西漢志）。儋州，雖數百家之聚，而州人所須取之市而足（東坡謫島謂葛延之語）。

儋耳，即離耳也。皆鏤其頰皮上連耳，匡狀似雞腸下垂。在海渚不食五穀，食蚌及鼇而已（山海經）。

俗呼山嶺為黎，人居其間，號曰生黎。殺行人取齒牙貫於項，以衒驍勇。弓刀未嘗離手，弓以竹為弦。績木皮為布，尚文身，豪富文多，貧賤文少，但看文字多少，以別貴賤。觀禽獸之產，識春秋之氣，占藷芋之熟，紀天文之歲（寰宇記）。

昌江，無煙瘴水澇之患。風俗淳朴，雖無富民，而俗尚儉約。婦人不曳羅綺，不施粉黛。婚姻喪祭，皆循典禮。無飢寒之民，凶年不見丐者（李參政〈顯應夫人廟記〉注）。

海南，自古無戰場。靖康之變，中原紛擾幾三十年，此郡獨不見兵革（瓊管志）。

東坡老女文，引杜詩云：夔州處女髮半華，十有八九無夫家。吾來儋耳亦多老女，至四五十者作文付。

黎先覺秀才，使論其里黨（東坡）。醞酒不用麴糵（寰宇記），昌化絕無酒（李參政光有詩）。

景物上

昭山、倫江（輿地廣記：俱在宜倫縣）、吏隱（在郡治，見風俗形勝）、明山（寰宇記）、乳泉（東坡作賦）、相泉（距儋耳十五里）、稗酒（東坡作賦）、溫湯（寰宇記云：在感恩縣北七十里）、藤山（隋志云：在武德縣）、松煤（東坡海南作墨）。

景物下

九思堂、熙春堂、平心堂（俱在郡治）、博望臺（在郡東北重岡之上）、動鑒閣（在郡城）、臨清亭（在清水池上）、野趣亭（嚴氏之居也，極為幽勝。郡守李申之與李參政光，重九日置酒其上）、載酒亭（在儋城東，隱士黎子雲故宅）。下原書缺

古　迹

儋耳國（李參政光詩、後漢蠻夷傳云：海外有儋耳國）、延德軍（瓊管志）、廢富羅縣（元和郡縣志、輿地廣記、廣西郡邑志）、廢洛場縣（寰宇記、廣西郡邑志、輿地廣記）、廢涔陽縣（元和郡縣志）、廢普安縣（寰宇記）、峻靈王廟（在儋州昌化縣之西北，東坡有碑）、顯應夫人廟（在儋州，即儋耳婆也。……紹興二十一年(1151)辛未，賜廟曰靈濟）、洗氏廟（高涼人，適馮寶，在隋時以忠義佐國，有平寇之功，封譙國夫人）、獅子神（正烈侯廟，在城西。一石峰……形類獅子，俗呼獅子神）、浴泊石神（在昌化縣西北二十里）、伏波將軍廟（九域志云：即馬伏波也）。

官　吏

裴　瑑，子聞義，趙丞相為作〈家譜〉云：本裴晉公之十四代孫，瑑守雷州時，中原亂不能歸，子召為吉陽守，遂

為吉陽人。

裴聞義，璩子，知昌化軍，在郡凡九年而終。子嘉瑞、嘉祥。胡澹庵題所居之堂曰：盛德堂，有堂銘。

陳中孚、陳適，中孚字中正，為萬寧令，黎賊犯城，君守有勞，擢知昌化軍。長子適為臨高尉，儋耳民王　高叛。適徑造賊壘，諭以禍福，賊乞逐去，……擢知昌化。作：繼美堂，胡澹庵作記。參政李公，自瓊移儋，與陳尤善，休沐未嘗不杖屨往來。

蘇　軾，號東坡居士，宋紹聖四年(1097)五月，自惠州貶所，再責昌化軍安置，……寓城南天慶觀之側（乳泉賦）。……元符三年(1100)庚辰，徽宗登極，徙移廉州，由澄邁北渡（有詩）。

呂公著，呂正獻公著，貶昌化軍司戶參軍，書名黨籍（三朝言行錄）。

任伯雨，眉山人。建中右正言，黨籍除官第二十八人，貶昌化軍。紹興元年(1131)，贈直龍圖閣（卒諡：忠敏）。

折彥質，號葆真居士。建炎四年(1130)，貶昌化軍。至郡，與儋士許庭惠輩，效溫公「真率會」為鄉約，每五日一集，太守李行中與焉。……

李　光，自號：體物老人。紹興中與秦檜不合，自藤州再謫瓊州，……公居瓊九年，居儋六年。紹興二十五年(1155)乙亥冬，移郴州（中興遺史）。

人　物（耆老附）

黃　中、羊萊，皆年九十餘，郡以名聞，並授初品官。

王　霄，以貢生住辟雍三年，建炎間歸鄉，潛德不仕。

年九十六歲，推為鄉先生。婦吳氏，亦九十餘。州郡以聞，授初品官，吳氏封孺人。

王公輔，俗呼：王六公，居儋城，東坡甚重之，世傳知天文，折樞密亦與相厚。一日具冠帶賀折曰：夜來見客星使帝座，公即還朝。……六公年一百單三歲，卒號：百歲翁。

道　釋

息軒楊道士，東坡在儋耳，題司命宮，楊道士息軒，曰：無事此靜座，一日似兩日。……（冷齋夜話）

地藏菩薩（東坡〈處子再生〉云）……是僧定所謂地藏菩薩耶，書以為世戒。

碑　記

〈六無帖〉，蘇東坡作。東坡謫儋耳，貽書江浙士友，云：食無肉，出無友（輿），居無屋，病無醫，冬無炭，夏無寒泉。（瓊管志）

〈峻靈王廟碑〉（東坡文）

詩——

嚴維送李秘書往儋州（文苑英華），云：

魑魅曾為伍，蓬萊近拜郎。

臣心瞻北闕，家事在南荒。

莎草山城小，毛洲海驛長。

元成知必大，寧是泛滄浪。

東坡和擬古詩，云：

少年好遠遊，……無肉亦奚傷。

東坡目作〈桂酒〉詩，曰：

爛煮葵羹斟桂醑，風流可惜在蠻村。

東坡詩，以儋州在海中，故云：老去仍栖隔海村。

東坡〈吏隱〉詩，云：

旋移松石成巖壑，時引笙歌入醉鄉。

吏散簾垂公事畢，清風一榻傲羲皇。

東坡自昌化軍移廉州，由澄邁北渡詩，云：

九死南荒吾不恨，茲游奇絕冠平生。

東坡〈洗夫人廟〉詩，云：

馮洗古烈婦，翁媪國於此。

東坡〈海南重九詩〉：

三年瘴海上，越嶠真我家。

東坡寄子由，詩云：

他年誰與作地志，海南萬里真吾鄉。

東坡五月旦日，和戴主簿詩，云：

海南無冬夏，安知歲將窮。

鉏耰代肅殺，有擇非霜風。

東坡與殷晉安別詩：

久安儋耳陋，日與彫題親。

子由送東坡渡海，詩云：

至今東坡室，不立杜康祀。

東坡儋耳詩，云：

不用長愁掛月村，檳榔生子竹生孫。

東坡詩，云

四洲環一島，百洞蟠其中。……此生當安歸，

四顧真途窮。……久矣此妙聲，不聞蓬萊宮。

東坡在惠州作詩，傳至京師，章子厚見之，笑曰：蘇子

尚爾快活耶，故有昌化之命。其詩曰：

為報先生春睡美，道人輕打五更鐘。

東坡〈峻靈廟銘〉（廟在儋州），云：

瓊崖千里環海中，民夷錯居古相蒙。

方壺蓬萊此別宮，峻靈獨立秀且雄。

潁濱先生次韻，子瞻過海詩，云：

我遷海康郡，猶在寰海中。送君渡海南，

風帆似張弓。笑揖彼岸人，回首平生空。

折彥質渡海詩，云：

朝宗於海固願也，……此生是等事嘗多。

折彥質北歸渡海詩，云：

去日驚濤遠拍天，……便覺君恩更渙然。

李光送王逢時赴昌江太守，詩云：

昌江古佳郡，……

李光與郡士杜君，詩云：

南極多老人，及見九代孫。……

……白髮應紅顏，疑是羲皇人。

李光詩，云：

有客南來自吉陽，始知儋耳本清涼。……

……何處更求依佛國，此生端欲老蠻鄉。

胡澹庵詩，云：

儋耳道中還可樂，東坡安用嘆途窮。

李　光〈芋魁大盈尺〉詩云：

昌江真陋邦，芋魁大盈尺。

逐客方阨陳，飽食度終日。

四　六：聯語之屬

折樞密謫昌化謝表：

不知滄海之深　　但見恩波之闊

萬安軍（卷一百二十六）：萬寧　萬全　陵水　赤隴　金山

軍沿革：

萬安軍同下州（九域志），星土分野並同瓊州（圖經），土地與珠崖同（通典）。南海序略云：海南諸國，漢武通焉，元帝時棄之（在初元間）。

唐析文昌縣置萬安縣（廣西郡邑志），并置富雲、博遼二縣（皇朝郡縣志），屬瓊州，尋屬崖州（輿地廣記）。又立萬安州（唐志、瓊管志、九域志，所紀事及年代各異），領縣三，曰：萬安、富雲、博遼。明皇時移理陵水（元和志），更州為萬全郡，復為萬安州（瓊管志），徙治萬安（輿地廣記）。

五代為劉氏所據（五代史），省富雲、博遼二縣（輿地廣記）。皇朝（宋）更為軍（國朝會典），移軍於陵水洞（圖經），又移軍於客寮，後移今處。未幾，提刑董芬奏廢軍為萬寧縣，以軍使兼知縣事，隸瓊州（瓊管志）。安撫王趯奏復為軍（國朝會要），今領縣二，治萬寧。

縣沿革：

萬寧縣，倚郭。本漢紫貝縣地，分文昌縣置萬安縣（元和郡縣志），本隸瓊州，析文昌縣，并置富雲、博遼二縣，隸崖州（唐志）。後改萬全，復名萬寧，隸瓊州（輿地廣記）。

陵水縣，在軍西南一百十里，隋於此置陵水縣（元和郡縣志）。本隸臨振州，後來屬萬安（唐志）。熙寧七年(1074)廢為鎮入萬寧縣，元豐三年(1080)後，紹興六年(1136)隸瓊州，十四年(1144)復來隸萬安軍（國朝會要）。

風俗形勝

多委舊德重臣撫寧其地（通典），此邦與黎蜑雜居，其俗質野而畏法，不喜為盜，牛羊被野無冒認。居多茅竹，絕少瓦屋。婦媼以織貝為業，不事文繡。病不服藥，信尚巫鬼（圖經・風俗門）。

女人以五色布為帽，以斑布為裙，似袋也，號曰：都籠。以斑布為衫，方五尺當中開孔，但容頭入，名之曰：思便（寰宇記）。

景物上

南山，在陵水縣南八十里。靈山，在陵水縣二十三里（輿地廣記）。聲山，在陵水縣，常有聲如人言也（寰宇記）。溫泉，在城西，其泉常溫。鑒亭，在城東下隴小江。

景物下

愛民堂、凝香堂、觀德堂（俱在州治），金仙水，在萬寧縣北三里（輿地廣記）。金牛嶺，在城西北，常有寶氣。獨洲山，在城東南五十里，林木茂密，山峰插天。雙女石，在城南陵水縣界。三里亭，在城東三里，迎送之所。萬安橋，在城南有屋三十一楹。通濟橋，在城南四里。仙河橋，在城北三里。仙人跡，在仙河橋東，石上有仙人跡及馬跡。赤隴山，在萬安縣東南三十里，又謂之赤龍山（輿地廣記）。赤土國，在州南渡海便風十四日，經雞籠島山至其國，亦海中之一洲也（寰宇記）。清溪水，在萬寧縣北二十里。丹丹國，振州東南，舟行十日至（寰宇記）。陵枘水，在陵水縣東北十五里（寰宇記）。湳陵水，在萬寧縣西南二里。都封水，在萬寧縣西南三十里。都籠水，在陵水縣東北十五里。

古　迹

廢富雲縣，在陵水縣（寰宇記）。廢博遼縣，在陵水縣，唐末廢（寰宇記）。故富雲、博遼二縣，唐貞觀五年(631)置（王象之《輿地紀勝》作：正觀五年），南漢皆省之（輿地廣記）。本朝（宋）省富雲、博遼二縣（廣西郡縣志）。三者俱不同，而九域志不載省富雲、博遼二縣一節，則非廢於本朝（宋）。而寰宇記謂廢於唐末，輿地廣記謂廢於劉漢，亦不同，有待稽考。

官　吏

趙　絳，邕州人。儂竹高之族，賜姓趙。淳熙元年(1174)守萬安，黎人王集結、兆多囊，上中下三洞叛，絳如瓊乞師屯賊衝，未幾三洞勦平，至今畏服。

湯　鷟，南劍人。以武舉（狀元）守郡，南洞王利學叛亂，鷟勦平之，民為立祠。

李　綱，建炎元年(1127)，以尚書左僕射落職，自鄂移澧，自澧移萬，未及軍而還（詳見碑記門）。

楊　煒，進士出身，初李光除參政，而金人議和，煒不以為是，以書責之光，發其言遂引去。煒後以從政郎為黃巖令，有詆時相語論，居萬安。

楊元光，自參議謫萬安。

白　諤，紹興十四年(1144)，右武大夫白諤，自北方從太后歸，宣言燮理乖謬，洪皓名聞華夷而不用，秦檜聞之奏繫謫大理寺，謫館客張伯麟題太學壁譏訕，流謫於萬安軍，伯麟於吉陽軍（中興小歷）。

仙　釋

交趾道士，城南並海石屋中，舊傳有道士年九十九，自言本交趾人。因渡海船壞，於此遂庵焉。……僧惠洪謁之出示三物，洪獻之曰：公小人國中引導神也。

碑　記

〈瓊州華遠館題壁〉，李綱作。宋高宗建炎二年(1218)，李丞相綱自澧州移萬安軍，尋奉德音北歸，寓華遠館，有感泣題云。

詩——

東坡夜臥濯足詩，云：

萬安無市井，斗水寬百憂。

天低瘴雲重，地薄海氣浮。

郭祥正至萬安軍，寄吉守李獻文大夫，詩云：

江水成文地最奇，風流太守更能詩。……

……盛携樽酒頻賡唱，幙下高才似牧之。

吉陽軍（卷一百二十七）：延德　寧遠　朱崖　臨振　崖州

軍沿革

吉陽軍同下州（輿地廣記），星土分野並同瓊州（圖經）。本漢珠崖郡地（元和郡縣志），漢武帝初置珠崖、儋耳二郡（漢紀），至昭帝併儋耳入珠崖，元帝用賈捐之議，遂罷珠崖郡（漢書）。東漢立珠崖縣，屬合浦郡（東漢志）。吳於徐聞縣立珠崖郡，於其地置珠官縣（赤烏二年，亦就西元239年）。

晉省珠崖入合浦（晉志），梁於徐聞縣立珠崖郡（元和郡縣志），又立崖州（隋志）。隋文帝以臨振縣為冼夫人湯沐邑（高州誠敬夫人廟碑），煬帝置臨振郡，隋末陷賊（元和郡縣志）。

唐改為振州（通鑑），析延德置吉陽縣（唐志），改為延德郡（唐志、通典，廣西郡邑志作寧遠郡不同。王象之云：唐志、元和志、通典、寰宇記諸書，第有寧遠縣，而無寧遠郡之文，今不載），又置落屯縣（唐志、元和志），復為振州（寰宇記）。五代，劉陟割據，地屬南漢（瓊管志）。

本朝（宋）平嶺南，割舊崖州之地隸瓊州，改振州為崖州（寰宇記、九域志、國朝會要），改崖州為朱崖軍，又廢吉陽及寧遠縣（國朝會要）。改朱崖軍為吉陽軍，因郡守吳況所奏也（泉州志）。併吉陽縣為寧遠一縣（瓊管志、國朝會要）。今吉陽軍城，非崖與振之古城，乃朱崖軍吉陽縣基也（瓊管志）。

中興以來，廢為寧遠縣，隸瓊州，未幾復為軍（國朝會要），以軍使兼知倚郭縣事免隸瓊州，尋復差守臣以原管屬縣還隸焉（皇朝郡縣志）。今隸瓊管，領縣一，治寧遠（廣西郡邑志）。

縣沿革

寧遠縣，倚郭，隋大業六年(610)，分置寧遠縣（元和志）。……宋紹興七年(1137)，廢吉陽軍為寧遠縣隸瓊州。十三年(1143)復為軍，使以知縣兼知，尋復差守臣（國朝會要）。

風俗形勝

吉陽，地多高山，峰巒秀拔，所以郡人間有能自立者（瓊管志）。吉陽俗近夷，多陰陽拘忌，至有十數年，不葬其親者（胡澹庵）。

其外，則烏里蘇密吉浪之洲，而與占城相對，西則真臘交趾，東則千里長沙、萬里石塘，上下渺茫，千里一色，舟舶往來，飛鳥附其顛頸而不驚（瓊管志）。

海南以崖州為著郡，崖州舊治在今瓊州之譚村，土人猶呼為舊崖州。所謂便風揚帆一日可至者，即其地也（瓊管志）。

振在吉陽、昌化之間（瓊管志），崖州舊治譚村後遷於振州，及改吉陽軍，乃創治於今吉陽縣基（瓊管志）。

吉陽，地狹民稀，氣候不正，春常苦旱，涉夏方雨。樵牧漁獵與黎獠錯雜，出入必持弓矢。婦女不事蠶桑，止織吉貝（瓊管志）。

本唐振州，即隋之寧遠，臨振郡又曰延德郡（晏公類要）。山出珠犀玳瑁，故號珠崖（宋・劉誼〈平黎記〉，見瓊管志）。

崖州水土無他惡（盧多遜坐貶崖州），崖州最大（丁謂謫崖州）。至吉陽則海之極處，無復陸途（瓊管志・大海門）。

隋冊，冼氏為譙國夫人，贈馮盎父為崖州總管，更名：朱崖郡（唐初，盎以地降，四年復曰崖州）。

教民讀書著文，號《知命集》（丁晉公謫貶崖州，日賦一詩，號曰：知命集），地僻無書（李德裕：窮愁志序）。

遞角皆由海道，再涉鯨波（東波、胡澹庵詩）。刱雞翁（李德裕《北窗瑣言錄》見瓊管志）。

景物上

南山，在城西南十里枕海。石龜，在城北，有石如龜，長一尋闊二丈有半，旱蝗則禱之立應。石船，在南嶺之南，距海數步，長丈餘如舟，然旁有峻嶺，名試劍峰。石盤，去城十三里，面平如掌，……周使君嘗至其處，愛其清絕，伐木誅芽，結亭石盤之北，榜曰：清賞。瑤柱，胡澹庵詩曰：瑤柱還勝玉。海曲，李德裕在儋州作古箴，曰：子以仲夏月達海曲。

景物下

清心堂，在郡治。洗兵堂，在郡西過江二里（胡澹庵名取杜詩之意）。懷遠亭，丁晉公嘗築臺高丈餘，左右有二小臺。……後郡守結亭其上，名之曰：懷遠亭。凝香堂，在公庫。閱武堂，在教場。海口驛，在郭外。吏隱堂，乃僉判廳也。樂輪亭，在省倉。賢逸洞（胡澹庵詩，取竹林七賢之義）、開元寺，在城西百餘步（胡澹庵緣化鐘樓）。臨川水，在吉陽縣。藤橋水，在吉陽縣。寧遠水，去廢寧遠縣一里（元和志）。延德水，去廢延德縣一里（元和志）。黎峩山，在吉陽縣東七十里（元和志）。纖浪水，在寧遠縣。澄島山（寰宇記）、育黎山（寰宇記）、育黎水（在寧遠縣）、鍾延嶺（寰宇記）、賓櫝嶺（在寧遠縣）、落島山（在寧遠縣）、落猿山（在寧遠縣）、博換水（在吉陽縣）、落澄山（在寧遠縣）、落屯嶺（在吉陽縣）、豺狽嶺

（在吉陽縣）。

古　迹

廢落屯縣（元和志：唐永徽元年(650)，置在落屯洞，因以為名。唐志：以為天寶後置）、廢延德縣（元和志）、廢吉陽縣（元和志）、廢臨川縣（元和志）、新崖州（寰宇記：即儋州也）、藤橋鎮　臨川鎮（輿地廣記）、相公亭（在城東南十五里，丁晉公謫於郡，乃建屋數椽，名相公亭以居之），盛德堂（河東裴聞義曾守昌化居於吉陽，胡澹庵題其堂曰：盛德堂，有銘）、崖州圖（昔唐・韋執誼丞相，坐堂北壁有圖，觀之乃崖州圖也），海口廟（去郡城五里，港口南岸）、惠遠廟（在南山十里）。

官　吏

裴　紹，吉陽軍守（見人物門：裴瑑）。

李德裕，唐大中末，坐貶湖州司馬，再貶崖州司戶（北夢瑣言）。

韋執誼，唐元和初，執誼貶崖州司戶，刺史李由舉請攝軍事衙推（孔平《仲績世說》云）。

盧多遜，宋開寶六年(973)，坐責崖州（容齋三筆）。

丁　謂，字公言，曾拜同中書門下平章事加司空，封晉國公，尋貶崖州司戶參軍。

呂　湛，字彥清，果州南充人。為廣西漕，而丁謂黜崖隸所部。海風三壞其居，公常檄崖州營造，眾謂公長者事（見《果州（四川）圖經》云）。

趙　鼎，宋紹興九年(1139)，與秦檜議論和戎及議宗子出閤不和，安置潮州，後移吉陽軍（中興遺史、容齋隨筆、夷堅志）。

胡　詮，宋紹興十八年(1148)，自新州移貶吉陽軍（繫年錄、容齋三筆、中興小歷）。

張伯麟，坐題太學壁，其詞語指斥當時之政，以故下獄，竄配吉陽軍（繫年錄）。

楊　煒，任明州比較務，以書賀李光，有同槽共食之議，得責萬安軍。其弟官守紹興府，亦坐死獄中。

人　物

裴　瑑，裴晉公之十四代孫，守雷州時，中原亂不能歸。紹為吉陽守，遂為吉陽人。至聞義知昌化軍，在郡凡九年而終，子：嘉瑞、嘉祥。胡澹庵題所居之堂曰：盛德堂，有堂銘（風俗形勝、趙丞相為作家譜）。

陳中孚，字中正，為萬寧令。黎賊犯城，居守有勞，擢知昌化軍。長子適為臨高尉，儋民王高叛，關閉軍城，適徑造賊壘，諭以禍福，賊乞逐去。見任郡守，以適攝郡，諸司從之，後辟知昌化。作繼美堂，謂父子相繼也（胡澹庵作記）。參政李公，自瓊移儋，與陳尤善矣。

詩——

李德裕〈望闕亭詩〉，云：

獨上江亭望帝京，鳥飛猶用半年程。

碧山也恐人歸去，百匝千遭遶郡城。

白樂天送李德裕，貶崖州詩。云：

閑園不解栽桃李，滿地唯聞種蒺藜。

萬里崖州君自去，臨行惆悵欲怨誰！

賈至送南給事，貶崖州。詩云：

嚋昔丹墀與鳳池，即今相見兩相悲。

朱崖雲夢三千里，欲別俱為慟哭時。

又詩，云：

謫宦三年尚未回，故人今日又重來。

聞道崖州一萬里，今朝須盡數千杯。

劉通道士作仙遊亭詩，贈晉公（名賢詩話）云：

屢上仙遊亭上醉，仙遊洞裏杳無人。

他時駕鶴遊滄海，回看蓬萊島上春。

丁謂到崖州，見市井蕭條。賦詩：

今到崖州事可嗟，夢中常得在京華。

程途何啻一萬里，戶口都無二百家。

夜聽孤猿啼遠樹，曉看潮浪瘴煙斜。

吏人不見中朝禮，麋鹿時時到縣衙。

丁謂詩，又云：

且作白衣菩薩觀，海邊孤絕寶陁山。

寇萊公，詩云：

傳語崖州寇司戶，人生何處不相逢。

趙鼎貶吉陽，居郡四年薨。胡澹庵之子詠詩，哭趙鼎：

閣下大書三姓字，海南惟見兩翁還。

丞相趙公在吉陽，得家書時，作此詩。云：

瓊與中原隔，自然音信疎。

天崖無去鴈，船上得回書。

趙丞相寄李參政詩，云：

海風飄蕩水雲飛，黎母山高月上遲。

千里孤光一樽酒，此情惟有故人知。

李參政送胡澹庵詩，云：

夢裏分明見黎母，生前定合到朱崖。

胡澹庵跋裴氏家譜，云：

北往長思聞喜縣，南來怕入買愁村。

區區萬里天涯路，野草荒煙正斷魂。

胡澹庵和新州端老詩，云：

平生不識瀣渤島，入海要看蓬萊山。

向來同是炎荒客，今我海南君海北。

胡澹庵〈有水不栽蓮〉詩，云：

軍中無蓮惟數十，里外通遠素有之。

四　六：聯語之屬

胡澹庵答張先生啟，曰：

相逢海上　既同是天涯人

且喜坐中　亦復有江南客

胡澹庵，云：

行八千里而馬不前　曾誦昌黎之句

牧十九年而羝不乳　幸作子卿之歸

㈥、纂修體例

宋・王象之《輿地紀勝》（凡二百卷），以南宋十六路：兩浙東路　西路、江南東路　西路、淮南東路　西路、荊湖南路　北路、京西南路、廣南東路　西路、福州路、成都府路、潼川府路、夔州路、利州路、利東路、利西路之版圖。倣范曄（蔚宗）《郡國志》條例，以行在所（臨安府）為首，而西北諸郡，亦次第編集。一切沿革，乃按寶慶以前建置為標準。

從《輿地紀勝》（正文）窺之，就當時一百六十六府、州、軍、監敘述，分府州軍縣監沿革、風俗形勝、景物、古跡、官吏、人物、仙釋、碑記、詩、四六等目。其內容豐富，尤以南宋紀事為詳，而所述沿革，大都以宋理宗寶慶三年(1227)丁亥歲為斷限。是書徵引典籍圖書大多為佚本，更可補史志缺略矣。

本《輿地紀勝》，自行在所（卷一）起，訖天水軍（二百卷）止（內缺三十一卷），計有：二十五府、三十四軍、一〇六州、一監，共府、軍、州、監一百六十六，內或有一府一軍，而分上下二卷，故與縣數不合。

是《輿地紀勝》，其卷數全缺者，計卷十三至十六（四卷）、卷五十至五十四（五卷）、卷一百三十六至一百四十四（九卷）、卷一百六十八至一百七十三（六卷）、卷一百九十三至二百（八卷），共缺凡三十二卷。至其餘各卷內之有缺頁者，則皆注明於目錄卷數之下。

按《輿地紀勝》，乃地理書之一。輿地，係指地理也。是書彙集各種地理書之長，并包舉各地名勝文墨，故名《輿地紀勝》者也。

㈦、刊版年代

南宋・王象之《輿地紀勝》（凡二百卷），考其成書之年，於南宋寧宗嘉定十四年(1221)辛巳孟夏（王象之序），唯全書撰成，約在南宋理宗寶慶三年(1227)丁亥之季秋（李𡌴序）矣。

從今海內外諸家書目資料窺之，就其知見藏板，依刊版年次，分別列著於次，以供方家查考。

宋刻本　　述古堂宋刻足本

宋鈔本　　　錢塘何氏夢華齋藏影宋鈔本

清景宋抄本　　中國：北京圖書館　存十五冊

舊鈔本（黑筆簽校）　　臺灣：國家圖書館

（存一百六十六卷　六十六冊）

中國：北平圖書館

舊抄本　　中國：上海圖書館

（缺卷十三～十六、五十～五十四、一二四～一三九、一七四、十九三～二百）

朱茮堂劉燕庭鈔本

清道光二十八年(1848)　揚州岑氏懼盈齋綠格鈔本

臺灣：國家圖書館（存一百六十八卷　六十冊）

清道光二十九年(1849)　廣陵岑氏懼盈齋刊本

（清・劉文淇校勘記五十二卷　　岑建功補缺十卷）

清咸豐五年(1855)南海伍氏校刊本　二十二冊

粵雅堂叢書本　　臺灣：國立臺灣圖書館

民國七十年(1981)　臺北市文海出版社　影印本（精二冊）

（據清咸豐五年南海伍氏校刊本）

結　語

南宋・王象之《輿地紀勝》（二百卷），其卷數全闕者：自十三至十六、五十至五十四、一百三十六至一百四十四、一百六十八至一百七十三、一百九十三至二百，共闕三十一卷（胡玉縉《四庫未收書目提要補正》卷二）。

本《輿地紀勝》，頗被後人推崇。諸如：清人阮元〈輿地紀勝刊本序〉云：「南宋人地理之書，以王氏儀父象之《輿地紀勝》為最善。……體例嚴謹，考證極其核洽，陳氏《直齋書錄解題》推重其書」耳。

清・錢大昕〈跋〉亦云：「此書所載，皆南宋疆域，非汴京一統之舊。然史志於南渡事多闕略，此所載寶慶以前沿革，詳贍分明，裨益於史書者不少。……」此書體裁，勝於祝氏《方輿勝覽》（十賀齋《養新錄》卷十四）。

按《輿地紀勝》（凡二百卷），原著佚者三十一卷，有闕葉者十七卷。清人岑建功輯《輿地紀勝補闕》（十卷）、劉文淇《輿地紀勝校勘記》（五十二卷），對於整理是書言之，具有莫大之貢獻矣。

綜合言之，王象之《輿地紀勝》（凡二百卷），乃南宋總志中最為出色者。就方志功效來說，除有"資政"與"教化"功用外，尚可為"文學"創作，提供豐富素材。緣以"方志"由來已久，郡縣有志，九域有文，寰宇有記，輿地亦有記。於是顯見，世之言地理者尚矣。至於志書內容的記載，應是無所不涵，無所不載耶。

參考文獻書目

《輿地紀勝》　二百卷　南宋・王象之撰
民國七十年(1981)　臺北市　文海出版社　精二冊
影印本（據清咸豐五年南海伍氏校刊本）
《道光　瓊州府志》　四十四卷　首一卷
清・明　誼修　張岳崧纂　道光二十一年(1841)刊本

民國五十六年(1976)　臺北市　成文出版社　精二冊
影印本（據清光緒十六年補刊本）

《道光　萬州志》　十卷　　清・胡端書修　楊士錦纂
民國三十七年(1948)　鉛印本（據清道光八年修本）

《光緒　崖州志》　二十二卷　　清・鍾元棣修　張　雋纂
一九八三年四月　廣州市　廣東人民出版社　鉛印本
（據民國三年鉛印本，重新點校橫排簡字本）

《民國　儋縣志》　十八卷　首一卷　　彭元藻修　王國憲纂
民國六十三年(1974)　臺北市　成文出版社　影印本
（據民國二十五年五月，海口市海南書局本）　精四冊

中華民國九十九年(2010)庚寅歲三月十日　核補
中華民國九十五年(2006)丙戌歲九月五日　完稿
臺北市　海南文獻史料研究室

王象之《輿地紀勝》書影

粵雅堂叢書本

五、方輿勝覽

南宋・祝穆《方輿勝覽》（凡七〇卷），乃宋代著名「地理書」之一種。夫「方輿」者，係指大地也。「勝」者，乃優美的山水或古蹟。是書詳於名勝古蹟，并多列「詩賦序記」等文類，而略於建置沿革、疆域道里、關塞險要，故以「勝覽」為名，於是合稱《方輿勝覽》耶。

海南位於廣東省極南端海中，為廣東南部之咽喉。古名珠崖、儋耳，又名瓊臺，俗稱瓊州，亦稱瓊崖，簡稱：瓊。在唐虞三代為揚越荒徼，惟春秋不見於傳，秦為象郡外域，漢屬珠崖、儋耳郡境地。

南宋・祝穆《方輿勝覽》（卷四十三）載：海外四州，亦就是瓊州（領瓊山、澄邁、文昌、臨高、樂會五縣）、吉陽軍（領寧遠縣）、昌化軍（領宜倫、感恩、昌化三縣）、萬安軍（領萬寧、陵水二縣），於今海南省境地也。

析 論

《方輿勝覽》七〇卷　南宋・祝 穆撰

宋嘉熙三年(1239)己亥（呂午序）建安祝氏刻本

中國：北京大學圖書館

宋咸淳三年(1267)丁卯（祝洙跋）建安刊本

臺灣：國家圖書館　210.1　03189

宋咸淳三年(1267)丁卯　建安祝氏刊本

臺灣：國立故宮博物院圖書文獻館　二十冊

宋咸淳三年(1267)丁卯　吳堅・劉震孫刊本

中國：北京圖書館（今名：國家圖書館）

元刻本（清・孫峻題跋）　一函七冊（存十六卷）

中國：清華大學圖書館

清文淵閣《四庫全書》本　二十四冊

臺灣：國立故宮博物院圖書文獻館

清順治元年(1644)　孔氏嶽雪樓鈔本（無呂午序）

臺灣：國家圖書館　210.1　03190

南宋・祝　穆《方輿勝覽》（七十卷），書前有嘉熙己亥呂午序，蓋成於理宗，時所記分十七路，各係所屬府州軍以下，而以行在所臨安府為首，是時中原隔絕久已不入輿圖，所述者惟限於南渡後疆域而已。

本《方輿勝覽》，於書中體例，大抵於建置沿革、疆域道里、田賦戶口、關塞險要，他志乘所詳者，皆在所略也。惟於名勝古跡，多所臚列，而詩賦序記，所載獨備，蓋為登臨題咏而設，不為考證而設，名為地誌，實則「類書」也。

然《方輿勝覽》，採摭豐贍，雖無裨於掌故，而有益於文章，摛藻掞華，恒所引用，故自宋、元以來，操觚家不廢其書焉！

㈠、知見書目

清・倪　燦《宋史藝文志補》載稱：

方輿勝覽　七十卷　　祝　穆

所載止東南十七路

明・焦　竑《國史經籍志》（卷三）：

方輿勝覽　七十卷　　祝　穆

清・黃虞稷《千頃堂書目》（卷八・補）：

方輿勝覽　七十卷　　宋・祝　穆

清・永瑢《四庫全書總目》（卷六十八・史部・地理類一）：　方輿勝覽　七十卷　　宋・祝　穆撰

兩淮鹽政採進本

清・永瑢《四庫全書總目提要》（卷六十八・史部二十四・地理類一）：

方輿勝覽　七十卷　　宋・祝　穆撰

楊家駱《四庫大辭典》（頁五五・三）：

方輿勝覽　七十卷　　宋・祝　穆撰

宋咸淳刊本　　宋刊黑口本　　宋刊殘本

路小洲有宋刊本　　振綺堂有元刊本

蔣生沐有元刊本。地理

清・于敏中《天祿琳琅書目》（卷二）

方輿勝覽　七十卷　　宋・祝　穆編

宋咸淳三年(1267)丁卯季春（祝洙跋）本

張國淦《中國古方志考》（頁一一二～一一四）：

方輿勝覽　七〇卷　　宋・祝　穆纂

宋刻本

宋嘉熙三年(1239)己亥良月望日（呂午序）

宋嘉熙三年(1239)己亥仲冬既望（祝穆序）

宋咸淳三年(1267)丁卯季春（祝洙跋）

陳光貽《稀見地方志提要》（上冊・卷首・總志）：

方輿勝覽　七〇卷　　宋・祝　穆纂

宋咸淳三年(1267)　吳堅、劉震孫刊本

中國：北京圖書館

黃　葦《中國地方志詞典》（著名方志・頁三一）：

方輿勝覽　　南宋・祝　穆撰

呂名中《南方民族古史書錄》（五代、宋・頁六一）：

方輿勝覽　七〇卷　　宋・祝　穆撰

四庫全書本　　振綺堂元刊本

孫氏平津堂宋咸淳刊本

一九八五年　上海古籍出版社　影印本

王杏根《古籍書名辭典》（宋代部分・頁一一四）：

方輿勝覽　　南宋・祝　穆撰

張林川《中國古籍書名考釋辭典》（史部・地理類・頁一二一）：　方輿勝覽　七〇卷　　宋・祝　穆撰

國立中央圖書館《善本書目》（史部・地理類・頁二五七）：　方輿勝覽　七〇卷　　宋・祝　穆撰

清孔氏嶽雪樓抄本（朱校）　八冊

新編方輿勝覽　七十卷

宋・祝　穆撰　　祝　洙增補

宋咸淳三年（丁卯）建安刊本　二十四冊

國立故宮博物院《善本書目》（上編・史部・地理類／頁八五）：　方輿勝覽　七十卷　二十四冊　　宋・祝　穆

國立故宮博物院《善本書目》（下編・史部・地理類／頁三三六）：　新編方輿勝覽　七十卷　二十冊

宋・祝　穆撰　　祝　洙增補

宋咸淳三年（丁卯）建安祝氏刊本

新編方輿勝覽（存五十四卷）　二十四冊

宋・祝　穆撰　　祝　洙增補

宋咸淳三年（丁卯）建安祝氏刊本

清華大學圖書館《館藏善本書目》（史部・地理類・頁一〇二）：　新編方輿勝覽　七十卷　　宋・祝　穆

元刻本　一函七冊

十四行二十三字，細黑口，左右雙邊，鈐「秉侯」、「書齋清供」、「豐華堂書庫寶藏印」諸印，有清・孫　峻題識。

存十六卷：卷十一、十二、十七至二十，卷二十八、二十九、三十二至三十四，卷五十、五十一、五十四至五十六。

上海古籍出版社《中國古籍善本書目》（卷十・史部／地理類一・頁七二八）：

新編方輿勝覽　七十卷　　宋・祝　穆輯

宋咸淳三年　吳堅、劉震孫刻本

宋咸淳三年　吳堅、劉震孫刻本　清・俞　誠跋

元刻本

元刻本（卷十五、二十二至二十七、三十六至五十，配清抄本）　清・丁　丙跋

元刻本　　鄧邦述跋

存三十六卷：三至八、十三至三十、四十至四十五、四十七至四十九、六十五至六十七。

元刻本　　清・孫　峻跋

存十六卷：十一至十二、十七至二十、二十八至二十九、三十二至三十四、五十至五十一、五十四至五十六。

㈡、纂修始末

按《方輿勝覽》（凡七〇卷），係南宋・祝穆纂。然呂午（新安人）〈序〉，作在南宋理宗嘉熙三年(1239)己亥良月望日。而祝穆〈自序〉，作於南宋理宗（趙貴誠，改名：趙昀）嘉熙三年(1239)己亥仲冬既望。於是顯見，全書之成，當在南宋理宗嘉熙三年(1239)己亥。

依南宋・呂午（新安人）氏，於《方輿勝覽》之〈序〉文，首云：「建陽祝穆和父，本新安人，朱文公先生之母黨也。幼從文公諸大賢游，性溫行淳，學富文贍。雅有意於是書，嘗往來閩浙江淮湖廣間，所至必窮登臨，與予有連，每相見必孜孜訪風土事，經史子集，稗官野史，金石刻，列郡志，有可採摭，必晝夜抄錄無倦色，蓋爲紀載張本也。」

末云：「……予丕視所載，辭簡而暢，事備而核，各州風物見於古今詩歌記序之佳者，率全篇登入，其事實有可拈出者，則纂輯爲儷語，附於各州之末。較之錄此而闕彼，舉略而遺全，循訛而失實，泛濫於著述而不能含咀其英華者，萬萬不侔也，信乎其爲勝覽矣。」是〈序〉，作於「嘉熙己亥良月望日」，亦就是南宋理宗嘉熙三年(1239)歲次己亥。

次據祝穆《方輿勝覽》〈自序〉云：「始予游諸公間，強予以四六之作，不過依陶公樣，初不能工也。其後稍識户牖，則酷好編輯郡志，爲嗜昌歜，予亦自莫曉其癖。所至輙借圖經，積十餘年，方輿風物，收拾略盡。出以諗予友，乃見譏曰，還如食小魚，所得不償勞。」由是顯見，十餘年來，多事倍功半，未臻其理想耶。

又云：「予恍然自失，益蒐獵古今記序詩文，與夫稗官小説之類，摘其要語以附入之，予友又喈曰天吳與彩鳳，顛倒在短褐。予復愧其破碎斷續而首末之不貫也，又益取夫鉅篇短章所不可闕者悉載，今文大書以提其綱，附注以詳其目，至三易稿而體統粗備，予友亦印可焉。」於是益顯是篇，大書以提其網，附注以詳其目，三易其稿始成。

末云：「予猶未欲以爲然也，既又攜以謁今御史呂公竹坡先生，幸不斥以狂僭，辱爲之序，走不足以當之也。然世有楊子雲，必知是編之不苟，豈直爲四六設哉，若夫網羅遺逸，啓發愚蒙，予方有望於博雅君子。」時在嘉熙已亥，仲冬既望，建安祝穆和父書。①

綜而窺之，是《方輿勝覽》之編成，經年累月，積十餘載，至三易其稿，始告完成。於書前有「嘉熙已亥」呂午序，蓋成於南宋理宗嘉熙三年(1239)歲次已亥。

㈢、纂者事略

祝穆氏，初名：丙，字：和甫，亦作：和父，歙（今安徽省歙縣）人。幼孤，與弟癸，同從朱熹受業。性行溫淳，刻意問學，以儒學昌其家。所著有《事文類聚》、《方輿勝覽》諸書，

① 嘉熙已亥，即是南宋理宗嘉熙三年(1239)歲次已亥，仲冬既望。

廣傳於世。

楊家略《四庫大辭典》（頁九二三・一）作：

《事文類聚》前集六〇卷、後集五〇卷、續集二十八卷、別集三十二卷、新集三十六卷、外集十五卷、遺集十五卷。

宋・祝穆撰，外集：元・富大用撰，遺集：祝淵撰。穆書每類，皆始以群書要語，次古今事蹟，次古今文集，略仿《藝文類聚》。大用與淵相繼增加，體例皆一無所改。……類書一

據《建寧府志》載：穆父康國，從朱子居崇安。穆少名丙，與弟癸同受業於朱子。宰執程元鳳、蔡抗，錄所著書以進，除迪功郎，為興化軍涵江書院山長。

宋・朱熹《晦庵文集》（卷九八）〈外大父祝公遺事〉云：「今唯伯舅之子康國居建之崇安，叔舅之孫回居劍之尤溪，而康國二子已總髮能讀書矣。因書以遺康國，使藏于家。」篇後自記云：「熹既敘此事，將書以遺濟之弟，未果。而濟之弟復以疾不起，其二子丙、癸相從於建陽，因書畀之。」由是觀之，此即《建寧府志》之所本也。

明・凌迪知《萬姓統譜》（卷一一一）云：「祝穆字和甫，幼孤，與弟丙（按「丙」即穆舊名，當作癸）同從朱文公授業。刻意問學，下筆傾刻數百言，以儒學昌其家。所著有《事文類聚》、《方輿勝覽》諸書。」於文中，不言其嘗出仕為山長。

宋・祝穆《方輿勝覽》（卷十三）〈興化軍學校・涵江書院〉云：「景定四年，知軍事徐直諒奏請於朝，御書今額。時祝洙為山長，併露章特薦云：「臣竊見迪功郎宜差興化軍涵江書院

山長祝洙，趨向不凡，學問有本，其祖姑實為朱熹之母，洙生也後，雖不及親炙，其父穆隱德弗仕，從朱熹於雲谷之閒，微言緒論，目染耳濡，洙在家庭，講論精密，嘗讀朱熹《四書集注》，見其間有引而不發者，遂掇諸家語錄附注於逐章之下，名曰：附錄。洙歲在丙辰，蒙恩賜進士第。於時宰執程元鳳、蔡抗嘗取其書，進呈乙覽，有旨與升擢差遣。」

於《萬姓統譜》又云：「祝洙，穆之子，第寶祐進士，景定中為涵江書院山長。」並載徐直諒薦章，與《方輿勝覽》略同，是宰執進書除迪功郎為山長者，皆穆子洙之事，而非穆也。然《建寧府志》，誤以其子洙之仕履，加之於穆，唯《四庫全書提要》，亦未能糾正。

清・于敏中《天祿琳琅書目》（卷二），敘述穆父子始末，皆不誤。其文即自《萬姓統譜》節錄（未著出處），未審《四庫全書提要》，何以不加參考也。

清・朱彝尊《經義考》（卷二五三），引胡炳文（元・靖安人，潛心朱熹之學，上遡伊洛以接洙泗，淵源無不推究，世稱：雪峰先生）曰：「洙，字安道，建安人。」於《萬姓統譜》不載其字，此可補所未詳焉！

宋・呂午（新安人）氏，於《方輿勝覽》〈序〉文，首云：「建陽，祝穆，和父，本新安人，朱文公先生之母黨也。幼從文公諸大賢游，……」時在南宋理宗嘉熙三年(1239)己亥良月望日，新安・呂午序。

㈣、主要內容

南宋・祝穆《方輿勝覽》（凡七〇卷），除呂午序、祝穆自序外，其全書內容，計分：十七路，以行在所：臨安府為首。依目錄、卷次，分別列述如次，以供方家查考。

案：據《四庫全書》補錄者，用楷黑字示別之。

浙西路　卷一至卷五　　共八州、三十九縣

臨安府（行在所）　卷一

錢塘　仁和　餘杭　臨安　富陽　於潛　新城　鹽官　昌化

平江府　卷二

吳縣　長洲　崑山　常熟　吳江　嘉定

鎮江府　卷三

丹徒　丹陽　金壇

嘉興府：嘉禾　檇李　華亭　崇德

安吉州　卷四

烏程　歸安　安吉　長興　德清　武康

（缺）

常　州：晉陵　武進　無錫　宜興

建德府　卷五

建德　淳安　桐廬　分水　遂安　壽昌

江陰軍：江陰

浙東路　卷六至卷九　　共七州、四十二縣

紹興府　卷六

會稽　山陰　嵊縣　諸暨　蕭山　餘姚　上虞　新昌

慶元府　卷七

鄞縣　奉化　定海　慈谿　象山　昌國

衢　州：西安　江山　龍遊　常山　開化

婺　州：金華　東陽　義烏　蘭溪　永康　武應　浦江

台　州　卷八

臨海　黃巖　天台　寧海　仙居

瑞安府　卷九

永嘉　瑞安　平陽　樂清

處　州：麗水　龍泉　松陽　遂昌　縉雲　青田　慶元

福建路　卷十至卷十三　　共八州、四十九縣

福　州　卷十

閩縣　侯官　連江　懷安　閩清　古田　長樂　福清

永福　長溪　福安　寧德　羅源

邵武軍：邵武　光澤　泰寧　建寧

建寧府　卷十一

建安　甌寧　建陽　浦城　崇安　政和　松溪

南劍州　卷十二

劍浦　順昌　沙縣　將樂　尤溪

泉　州：晉江　南安　同安　惠安　永春　安溪　德化

興化軍　卷十三

莆田　仙遊　興化

漳　州：龍溪　漳浦　龍巖　長泰

汀　州：長汀　寧化　上杭　武平　清流　蓮城

江東路　卷十四至卷十八　　共九州、四十三縣

建康府　卷十四

上元　江寧　句容　溧水　溧陽

太平州　卷十五

當塗　蕪湖　繁昌

寧國府：宜城　南陵　涇縣　寧國　旌德　太平

徽　州　卷十六

歙　休寧　祈門　黟　婺源　績溪

池　州：貴池　青陽　建德　銅陵　石埭　東流

南康軍　卷十七

星子　建昌　都昌

信　州　卷十八

上饒　玉山　貴溪　鉛山　弋陽　永豐

饒　州：鄱陽　餘干　浮梁　樂平　德興　安仁

康德軍：廣德　建平

江西路　卷十九至卷二十二　共十一州、五十六縣

隆興府　卷十九

南昌　新建　奉新　分寧　武寧　豐城　進賢　靖安

袁　州：宜春　分宜　萍鄉　萬載

贛　州　卷二〇

贛縣　寧都　雩都　興國　信豐　會昌　瑞金　石城

安遠　龍南

吉　州：廬陵　吉水　安福　太和　龍泉　永新　永豐

萬安

瑞　州：高安　上高　新昌

撫　州　卷二十一

臨川　崇仁　宜黃　金谿　樂安

建昌軍：南城　南豐　新城　廣昌

臨江軍（四庫全書，作：臨江府）：清江　新淦　新喻

江　州　卷二十二

德化　德安　瑞昌　湖口　彭澤

興國軍：永興　大冶　通山

南安軍：大庾　南康　上猶

湖南路　卷二十三至卷二十六　　共十州、四十一縣

潭　州　卷二十三

長沙　善化　衡山　安化　醴陵　攸縣　湘鄉　湘潭

益陽　瀏陽　湘陰　寧鄉

衡　州　卷二十四

衡陽　來陽　安仁　常寧　茶陵

道　州：營道　江華　寧遠　永明

郴　州　卷二十五

郴縣　桂陽　宜章　永興　資興　桂東

永　州：零陵　祁陽　東安

寶慶府　卷二十六

邵陽　新化

全　州：清湘　灌陽

桂陽軍：平陽　臨武　藍山

武岡軍：武岡　綏安　新寧

茶陵軍：茶陵

湖北路　卷二十七至卷三十一　　共十五州、五十二縣

江陵府　卷二十七

江陵　公安　潛江　監利　松滋　石首　松江

漢陽軍：漢陽　漢川

鄂　州　卷二十八

江夏　蒲圻　崇陽　咸寧　通城　嘉魚

壽昌軍：武昌

岳　州　卷二十九

　巴陵　平江　臨湘　華容

峽　州：夷陵　宜都　長陽　遠安

荊門軍：長林　當陽

常德府　卷三十

　武陵　桃源　龍陽　沅江

澧　州：澧陽　安鄉　石門　慈利

辰　州：沅陵　盧溪　辰溪　溆浦

沅　州　卷三十一

　盧陽　麻陽　黔陽

靖　州：永平　會同　通道

德安府：安陸　應城　孝感　雲夢

復　州：景陵　玉沙

信陽軍：信陽　羅山

京西路　卷三十二至卷三十三　　共七州、十四縣

襄陽府　卷三十二

　襄陽　穀城　宜城　南漳

隨　州：隨縣　應山

棗陽軍　卷三十三

　棗陽

郢　州：長壽　京山

均　州：武當　鄖鄉

房　州：房陵　竹山

光化軍：光化

廣東路　卷三十四至卷三十七　　共十四州、四十縣

　　廣　州　卷三十四

　　　南海　番禺　清遠　懷集　東筦　增城　新會　香山

　　肇慶府：高要　四會

　　德慶府　卷三十五

　　　端溪　瀧水

　　封　州：封川　開建

　　英德府：真陽　浛光

　　韶　州：曲江　翁源　樂昌　仁化　乳源

　　潮　州　卷三十六

　　　海陽　潮陽　揭陽

　　梅　州：程鄉

　　惠　州：歸善　博羅　海豐　河源

　　循　州　卷三十七

　　　龍川　興寧　長樂

　　連　州：桂陽　陽山　連山

　　南雄州：保昌　始興

　　南恩州：陽江　陽春

　　新　州：新興

廣西路　卷三十八至卷四十二　　共二十五州、六十二縣

　　靜江府　卷三十八

　　　臨桂　興安　靈川　陽湖　永福　修仁　理定　古縣

　　　荔浦　義寧

　　柳　州：馬平　洛容　柳城

　　鬱林州　卷三十九

南流　興業　博白
橫　州：寧浦　永定
邕　州：宜化　武綠
廉　州：合浦　石康
象　州　卷四十
陽壽　來賓　武仙
潯　州：桂平　平南
藤　州：鐔津　岑溪
梧　州：蒼梧
貴　州：鬱林
昭　州：平樂　茶城　龍平　立山
融　州：卷四十一
融水　懷遠
賓　州：嶺方　上林　遷江
慶遠府：宜山　忻城　天河　思恩　河池
賀　州：臨賀　富川　桂嶺
化　州：石龍　吳川　石城
高　州　卷四十二
電白　茂名　信宜
容　州：普寧　北流　陸川
欽　州：安遠　靈山
雷　州：海康　遂溪　徐聞
海外四州　卷四十三　　共四州、十一縣
瓊　州　卷四十三
瓊山　澄邁　文昌　臨高　樂會

吉陽軍：寧遠
昌化軍：宜倫　感恩　昌化
萬安軍：萬寧　陵水
淮東路　卷四十四至卷四十七　　共九州、二十縣
揚　州　卷四十四
江都　泰興
真　州　卷四十五
揚子　六合
通　州：靜海　海門
泰　州：海陵　如皐
淮安軍　卷四十六
山陽　鹽城　淮陰
寶應州：寶應
高郵軍：高郵　興化
滁　州　卷四十七
清流　來安　全椒
招信軍：盱眙　天長　招信
淮西路　卷四十八至五〇　　共九州、三十一縣
廬　州　卷四十八
合肥　梁縣　舒城
無為軍：無為　巢縣　廬江
安豐軍：壽春　安豐　霍邱　六安
濠　州：鍾離　定遠
和　州　卷四十九
歷陽　含山　烏江

安慶府：懷寧　桐城　宿松　望江　太湖

蘄　州：蘄春　蘄水　黃梅　廣濟　羅田

黃　州　卷五十

黃岡　黃陂　麻城

光　州：定城　固始　光山

成都府路　卷五十一至卷五十六　　共十六州、六十一縣

成都府　卷五十一

成都　華陽　郫縣　新都　新繁　溫江　雙流　廣都

靈泉

崇慶府　卷五十二

晉原　新津　江源　永康

簡　州：陽安　平泉

嘉定府：龍遊　夾江　犍為　峨嵋　洪雅

眉　州　卷五十三

眉山　彭山　丹稜　青神

隆　州：仁壽　井研　貴平　籍

彭　州　卷五十四

九隴　崇寧　濛陽

漢　州：雒陽　什邡　緜竹　德陽

綿　州：巴西　彭明　魏城　羅江　鹽泉

雅　州　卷五十五

嚴道　名山　盧山　百丈　滎經

茂　州：汶山　汶川

永康軍：導江　青城

威　州　卷五十六

保寧　通化
邛　州：臨邛　依政　安仁　大邑　蒲江　火井
黎　州：溪源
石泉軍：石泉　龍安　神泉

夔州路　卷五十七至卷六十一　　共十六州、四十一縣
夔　州　卷五十七
奉節　巫山　雲安
歸　州　卷五十八
秭歸　巴東　興山
雲安軍：雲安
大寧監：大寧
開　州　卷五十九
開江　清水
達　州：通州　巴渠　永睦　新寧　東鄉　明通
萬　州：南浦　武寧
梁山軍　卷六〇
梁山
紹慶府：彭水　黔江
重慶府：巴縣　江津　璧山
南平軍：南州　隆化
涪　州　卷六十一
涪陵　樂溫　武龍
咸淳府：臨江　墊江　豐都　南賓　龍渠
珍　州：樂源　綏陽
思　州：務州　邛水　安夷

潼川府路　卷六十二至卷六十五　　共十五州、五十六縣

瀘　州　卷六十二

　瀘川　江安　合江

潼川府：郪縣　中江　涪城　通泉　射洪　鹽亭　飛烏

　　　　銅山　東關　永泰

遂寧府　卷六十三

　小溪　蓬溪　長江　青石　遂寧

順慶府：南充　西充　相如　流溪

資　州：盤石　資陽　內江　龍水

普　州：安岳　安居　樂至

合　州　卷六十四

　石照　巴川　銅梁　漢初　赤水

紹熙府：榮德　威遠　資官　應靈

昌　州：大足　昌元　永川

渠　州：流江　隣山　隣水　大竹

敘　州　卷六十五

　宜賓　南溪　宜化　慶符

懷安軍：金水　金堂

廣安軍：渠江　岳池　新明　和溪

長寧軍：安寧

富順監（不領縣）

利州東路　卷六十六至卷六十八　　共十州、四十二縣

興元府　卷六十六

　南鄭　廉水　城固　褒城　西縣

利　州：綿谷　葭萌　昭化　嘉州

隆慶府　卷六十七

普安　陰平　梓潼　武連　普成

劍門關：劍門

閬　州：閬中　南部　新井　蒼溪　奉國　新政　西水

蓬　州　卷六十八

蓬池　儀隴　營山　良山　伏虞

巴　州：化城　難江　恩陽　曾口　通江

金　州：西城　漢陰　洵陽　石泉　平利　上津

洋　州：興道　西鄉　真符

大安軍：三泉

利州西路　卷六十九至卷七〇　　共八州、十六縣

沔　州　卷六十九

略陽　長舉

天水軍：天水

鳳　州：梁泉　兩當　河池

西和州　卷七十

長道　大潭　祐川

同慶府：同谷　栗亭

文　州：曲水

龍　州：江油　清川

階　州：福津　將利

從《四庫全書》本，就《方輿勝覽》「目錄」窺之，計分：十七路，共一九七州（府、軍、監），計七〇五縣。特作統計於次，以供方家賢達查考。

㈤、海南四州

是《方輿勝覽》，於「海外四州」（卷四十三）載：瓊州、吉陽軍、昌化軍、萬安軍，逐州（軍）分述於次，以供學者專家，暨邦人士子查考。

瓊　州：瓊山　澄邁　文昌　臨高　樂會

建置沿革

非禹貢所及，春秋所治，古揚越地，牽牛婺女之分野。漢武帝遣路博德平南越，以其地為珠崖、儋耳郡。至昭帝時凡六反，遂罷儋耳并屬珠崖。又反賈捐之建議不當擊，遂罷珠崖郡。東漢立珠崖，屬合浦郡。吳大帝於徐聞立珠崖郡，又於其地立珠官一縣，招撫竟不從化。晉省珠崖入合浦郡，尋又廢珠官。梁置崖州，又於徐聞立珠崖郡，竟不有其地。隋煬帝更置珠崖郡立十縣，又置儋耳、臨振二郡。

唐立都督府，管崖儋振三州，太宗以崖州之瓊山置瓊州，領瓊山、萬安二縣，又割崖州之臨機來屬，析置曾江（應是：曾口）、顏羅、容瓊縣，又置樂會。

皇朝（宋）平南漢，割崖州之地入瓊州，以舍城文昌澄邁來屬。後省舍城入瓊山，以儋崖振萬安四州隸瓊州，守臣提舉儋崖萬安等州，於水陸轉運事改瓊管安撫，昌化萬安吉陽三軍隸焉。政和元年陞靜海軍節度，今隸廣西經略司，領縣五，治瓊山。

案：宋徽宗（趙佶）政和元年(1111)歲次辛卯。

事　　要

郡　名：瓊管　瓊臺

在樵樓下，臨放生池，蓋置使時，以使臺得名。

風　俗：其俗朴野

郡志云：其俗朴野，若叔伯兄弟之子，不以齒序，伯之子雖少皆以兄自居，而叔之子雖耄亦為弟也。

氣　候：不甚寒熱

郡　志：夏不至熱，冬不甚寒，鄉邑多老人。

風　土：則見於東坡數語

蘇子瞻帖云：食無肉，出無車，居無屋，病無醫，冬無炭，夏無寒泉。語雖不多，已盡風土之大槩，夏無蠅蚋則可喜也。

夷人之俗（引《寰宇記》云）

生黎熟黎（引《繫年錄》云）

郡民皆服布

漢志云：郡民皆服布，如單被穿中央為貫頭。

島衣卉服

郡志：瓊無火麻，產苧麻歲四收採，閩廣專用之，常得倍利，南中所出木綿、吉布、苧蕉、麻皮，無非卉也。

以檳榔為命

瓊人云：以檳榔為命，其產於石山者最良，歲運閩廣者不知其幾，非檳榔之利，不能為此一州也。

以藷菜為糧

海南所產秔稌不足於食，乃以藷蕷為粮，雜菜作粥。蘇子瞻有云：海南藷為粮，幾米之十六。

以安石榴釀酒

崖州婦人著緦緶，以土為釜器，用匏瓢，無水人飲惟石汁，以安石榴花著釜中，經旬即成酒，其味香美，仍醉人。

賜一監書

慶歷間，提督彭次雲巡歷至此，奏請賜一監書，詔俞其請。

案：慶歷間，亦就是宋仁宗慶曆年(1041~1048)間，計八年。

多麋無虎

漢志云：多麋無虎，民有五畜，山多鹿麋。郡志：今其地無虎，而馬實繁。

形　勝：

居海中洲（引《漢書・賈損之傳》云），南極之外（引《交州記》：珠崖在大海，南極之外），南望連山（蘇子瞻〈伏波廟記〉：南望連山），如囷廩大（引《元和志》云）。

潮　候：不齊（四庫全書本，作：不同）

瓊海之潮，半月東流，半月西流，潮之大小，隨長短星，不係月之盛衰，豈不異哉（引《嶺外代答》云）。

土　產

瓊林：亦作：瓊枝，出樂會縣海岸，惟此邑有之，販者徑自取載，以往瓊人莫之用也。

椰子：無時而生，樹似檳榔，葉如鳳尾。

海漆：海南有野花如芍藥，目為倒粘子，漬以為膠，可代柿油，東坡命名。

長節竹：黎母山有水五派，流入四郡，其源有巨竹，節長不啻丈許。

知風草：叢生若蔬蔓，土人辨其葉之節有無，以知一歲之風候。

檳榔水：郡城環百里絕無水，惟烈村有石井，諸村三五十里內盡取焉。每每用葫蘆負水以歸，其人經月不盥手，每取草上露濡手，遇雨則檳榔樹下，溜水甕中雖久不壞。

五色雀：海南謂之鳳凰，久旱而見則雨。東坡詩：

仁心知憫農，常告雨霽符。回翔天壤間，何必隱此都。

紅藤簟：《北戶錄》云：方言謂之笙，亦曰：籧篨。

烏喙：亦稱：烏觜（嘴）。蘇子瞻云：余來儋耳得吠犬曰烏喙，甚猛而馴，隨余遷合浦，過澄邁泅而濟，路人皆驚。戲作此詩：長橋不肯躡，遙渡清深浦。何當寄家書，黃耳乃其祖。

山　川

瓊山：在本縣，有瓊山、白玉二村，其石皆白似玉而潤，種藷其上特美，所產檳榔其味尤佳，州以此山而得名。

郍射山：亦作：那射山，在瓊山縣，其人以射獵為生。

黎母山：《圖經》：島上四州，以黎母山為主山，特高。每日辰巳後雲霧收斂，則一峰聳翠插天，申酉間復蔽不見，此必所謂南極星芒所降之地也。

《虞衡志》云：山極高常在雲霧中，黎人自鮮識之，久晴海氣清明時，翠尖浮半空。

劉誼〈平黎記〉：故老相傳，雷攝一蛇卵在此山中，生一女號為黎婺，食山果為粮，巢林木為居，歲久致交趾之蠻過海採香，因與之結婚，子孫眾多，方開山種粮。又云：天將降雨則祥光夜見，望氣者謂極星降。又云：婺女星見此山因名黎婺，後訛呼為黎母山。

雲露山：在瓊山縣西南六十里，有三潭，俗傳蹈屋潭，上潭林木陰森人不敢近。次二潭有小石如橄欖，有竅可穿，歲旱禱雨，故名。

毗耶山：在臨高縣，有廟，每有黎人叛，則神驅蜂以禦之，官軍遂勝。

東猺山：在文昌縣，其鄉之民如猿猺，然猺婦紡績吉貝，細密瑩白。

浮邱山：郭祥正（功父）詩：

僊翁得仙二千歲，碧海變田田變海。

浮邱卻接番禺西，罇跡篙痕至今在。

銅鼓嶺：在文昌縣，俗傳民得銅鼓，乃諸葛武侯征蠻之鉦。

神應港：名白沙津，番舶所聚之地。其港不通大舟，而海岸又多風濤之虞，王帥光祖，欲直開一港以便商旅，已開而沙復合，忽颶風吹開一港尤徑，今遂名：神應港，時淳熙戊申也。

案：淳熙戊申，亦就南宋孝宗淳熙十五年(1188)歲次戊申也。

井　泉

雙泉：乃兩井相去咫尺而異味，昔東坡寓此後，紹興間，李光貶瓊州，亦居此九年，再貶昌化。

惠通泉：蘇子瞻記云：唐相李文饒好飲惠山泉，置驛以取水，有僧言，長安昊天觀井與惠山泉通，雜以它水十餘缶試之，僧獨指其一曰，此惠山泉也。文饒為罷水驛。

瓊州之東五十餘里，有三山庵，庵下有泉，味類惠山泉。東坡居士後過瓊，庵僧惟德以水餉焉。且求為名，曰：惠通泉。

卓錫泉：在州東北二十里，雲峰巍然聳拔，分兩臂並趨西南，一泉中湧，相傳景泰禪師之所卓錫也。有七仙為守其地，開山得石履藏寺中。

學　校

州學：朱元晦〈瓊州學記〉詳載

亭　軒

知樂亭：郡守韓壁建，朱元晦記。

茉莉軒：在臨高縣治，胡邦衡有題〈茉莉軒〉詩。

樓　閣

海山樓：在州城南，陳瑩中詩：

勝事荒煙久，高城觀閣宜。

均勞青瑣客，餘事海山詩。

鑒空閣：在城西五十里，金利崇福寺前瞰江流。蘇子瞻詩：

明月本自明，無心孰為境。

掛空如水鑑，寫此山河影。

吾觀大瀛海，巨浸與天永。

九州居其間，何異蛇盤鏡。

空水兩無質，相照但耿耿。

通明閣：在澄邁縣，蘇子瞻詩：

倦客愁聞歸路遙，眼明飛閣俯長橋。

貪看白鷺橫秋浦，不覺青林沒晚潮。

古　迹

鐵柱：《南海志》云：劉氏鑄鐵柱十二，築乾和殿。後柯逑取四柱植於設廳，今於城東濠水中，尚存其二，餘莫知所在。

焚艛：《平黎記》云：漢武發兵至雷州海岸，造艛舡渡兵，黎人不出降，亦無兵粮。李將軍於海岸焚舟而回，故名。

雞窠小兒：錢易《洞微志》云：李守為承旨，奉使過海至瓊，道逢一翁，自稱：楊避舉，年八十一。其父叔皆年一百二十餘，又見其祖宋卿年百九十五，次見雞窠中有小兒，出頭下視，宋卿曰：此九代祖也，不語不食，不知其年歲。

名　宦（皇朝）

蘇　軾，紹聖自惠州，再謫瓊州別駕，昌化軍安置。元符量移廉州，由澄濔北渡。

人　物

姜唐佐，字君弼，郡人也。黃門云：余兄子瞻謫居儋耳，瓊士姜唐佐遂從之遊，氣和而通，有中州士人之風。子瞻贈之一聯，曰：滄海何曾斷地脉，白袍端合破天荒。

後姜唐佐，以詩示子由，坡已下世，子由續之，云：

錦衣他日千人看，始信東坡眼目長。

題　詠

四州環一島，蘇子瞻詩云：

四州環一島，百峒蟠其中。我行西北隅，如度月半弓。

登高望中原，但見積水空。此生當安歸，四顧真途窮。

眇觀大瀛海，坐詠談天翁。安知非群仙，鈞天宴未終。

喜我歸有期，舉酒屬青童。急雨豈無意，催詩走群龍。

應笑東坡老，顏衰語徒工。久矣此妙聲，不聞蓬萊宮。

南方到海行，釋無可送使君，赴瓊州兼五州招討使，分竹雄兼使云：南方到海行，臨門雙旆引。隔嶺五州迎，猿鶴同枝宿。

蘭蕉夾道生，雲垂前騎失。山豁去帆輕，雨霧蒸秋岸。

潮濤震夜城，政閑開迴閣，欹枕島風清。

青山一髮是中原，蘇子瞻題「澄邁驛通明閣」詩：

餘生欲老海南村，帝遣巫陽招客魂。

海闊天低鶻沒處，青山一髮是中原。

茲遊奇絕冠平生，蘇子瞻過海北歸，詩：

九死南荒吾不恨，茲遊奇絕冠平生。

腳力行窮地盡州，胡邦衡題「茉莉軒」詩，云：

眼明漸見天涯驛，腳力行窮地盡州。

萬山行盡逢黎母，胡邦衡到瓊，和李參政詩：

落網從前一念斜，崖州前定復何嗟！
萬山行盡逢黎母，雙井渾疑似若耶。
行止非人十年夢，廢興有命一浮家。
此行所得誠多矣，更願從今泛北槎。

四　六：聯語之屬

其一：拜命玉宸　　又：領瓊管之一麾
分符瓊管　　涉鯨波之萬里

其二：據百蠻通道之要津
兼四國于番之重寄

其三：雙旌五馬有隆節制之權
一島四州盡入蕃宣之域

其四：鯨波萬里暫同季路之乘桴
鳳闕九重遙想子牟之馳志

其五：東坡之勉瓊士　賦詩合破於天荒
文公之訓邦民　作記願霑於聖化

吉陽軍：寧遠

建置沿革

星土分野，並同瓊州，本漢珠崖郡地。漢武帝初置珠崖、儋耳二郡，至昭帝併儋耳入珠崖。元帝用賈捐之議，遂罷珠崖郡。東漢（又稱：後漢）立珠崖縣，屬合浦郡。吳（三國時期：東吳）於徐聞縣立珠崖郡，於其地置珠官縣。晉省珠崖入合浦，梁立崖州。

隋文帝以臨振縣為洗夫人湯沐邑，煬帝置臨振郡。唐改為振州，析延德置吉陽縣，改為延德郡，復為振州。

本朝（宋）割舊崖州之地隸瓊州，改振州為崖州，又為珠崖軍，又改吉陽軍，今軍城非崖與振之古城，乃吉陽縣基也。中興以來，廢為寧遠縣，未幾復為軍，又以軍使兼知縣事。未幾依舊為軍，今隸瓊管，領縣一，治寧遠。

事　要

郡　名：朱耶　延德　珠崖

《漢武紀》（元鼎八年，《四庫全書》本，作：元鼎六年）應劭注：郡在大海之中，崖岸之邊出珠（珍珠，亦作：真珠），故名珠崖。

風　俗：

地狹民稀，《郡志》：吉陽地狹民稀，氣候不正，春常苦旱，涉夏方雨，樵牧漁獵，與黎獠錯雜，出入持弓矢，婦女不事蠶桑，止織吉貝。

多陰陽拘忌，胡邦衡云：吉陽夷俗，多陰陽拘忌，有數十年，不葬其親者。

水土無他惡，國朝（宋）盧多遜以開寶六年(973)癸酉，貶崖州。李符謂趙普曰：崖州水土無他惡。

地僻無書，李德裕〈窮愁志序〉，有云。

形　勝

西則真臘交趾，《瓊管志》：其外則烏里蘇密吉浪之洲，南與占城相對，西則真臘交趾，東則千里長沙，萬里石塘，上下渺茫，千里一色。

無復陸途，《瓊管志》：至吉陽，則海之極處，無復陸途。東西兩路，並無鋪兵，緣昌化、萬安兩界，道路不通，遞角皆由海道。

再涉鯨波，《瓊管志》：瓊去吉陽，隔越黎洞，雖有陸路，已八十年不通，赴官者以再涉鯨波為可畏，自知寨陳維翰方誘群黎。開通道路，自昌化縣，泛海三日而至軍城，阻風則月餘，若往儋耳，則無阻焉，去儋尤近。

地多高山，《郡志》：吉陽地多高山，峰巒秀拔，所以郡人間，有能自立者。

崖州為大，丁（謂）公言謫崖州，嘗問客天下州郡孰為大？客曰：京師也。公言曰：不然，朝廷宰相作崖州司戶參軍，則崖州為大也。聞者，絕倒！

《瓊管志》：海南以「南極一名邦」（尹大學士《直澄江集》云）著郡，崖州舊治在今瓊州之譚村，土人猶呼為舊崖州。

山 川

南山，在城西南十里，枕海。

黎莪山，在吉陽縣東七十里。

澄島山，《寰宇記》（北宋・樂史著）。

石舡，在南嶺之南，距海數步。長丈餘，形如船（四庫全書作：舡），旁有峻嶺，名試劍峰。

石盤，去城三十里，平如掌，周圍數丈，可坐十客，林木茂密，傍有澗水。

臨川水，在吉陽縣。

藤橋水，在吉陽縣。

堂 亭

洗兵堂，郡西過江二里。胡邦衡名，取挽天河洗甲兵之義。

相公亭，在城南十五里，地名力競田。天聖間，丁晉公謫是郡。續有旨拘於荒僻，不近人煙之處。郡乃建屋數椽，名曰：相公亭。

名　宦

李德裕，唐人，貶崖州司戶。瑣言云：德裕為寒進開路，及南遷。或有詩曰：八百孤寒齊下淚，一時南望李崖州。新繁縣有東湖，德裕為宰日所鑿，夜夢一父老曰：潛形其下幸庇之，明府富貴今鼎來。七九之年當相見於萬里外，後於土中得一蟇，徑數尺，投之水中，而德裕以六十三卒於崖州，果應七九之讖，公卒見夢於令狐綯曰：公幸哀我，使我歸葬。綯曰：衛公精爽可畏，不言禍將及，乃白於帝，得以喪還。

韋執誼，執誼自卑官常諱言嶺南州縣名、觀職方圖，每至嶺南，閉目不視，至拜相還，所坐堂北，壁有圖乃崖州也，甚惡之。永正元年，坐王叔文黨，貶崖州司戶，此雖非古崖州，因附見焉。

案：所載「永正元年」似誤（查無永正年號），應係唐順宗永貞元年(805)歲次乙酉。特註誌於次，以供方家查考。

皇　朝（宋）

丁　謂，字：公言，初字：謂之，蘇州人也。真宗既相李迪，未幾，亦拜謂同中書門下平章事，加司空，封晉國公，尋貶崖州司戶參軍。謂在朱崖凡五年，嘗以家財與士人，商販蠲其息。其人問所欲，曰：願賫家書至洛陽爾！仍戒其人，俟有中貴人至，與留守宴即投之，其人如教，留守得之，大驚！不敢折其書，遂奏之。乃謂作陳情表，假守書以達之，其表敘其受遺冊立之功，有云臣有彌天之罪，亦有彌天之功，章獻后與仁宗覽之，惻然遂徙雷州。

《歸田錄》云：丁公言貶雷州，時權臣實有力焉。後十二年，丁以秘書監召還光州致仕，時權臣出鎮許田，丁以啟謝之，其略曰：三十年門館遊，從不無事契，……。公在朱崖有詩近百篇，號《知命集》，其警句，有云：草解忘憂憂底事，花名含笑笑何人！

趙　鼎，紹興九年(1139)己未，以與秦檜議和戎及議宗子不合，貶潮州後，移吉陽軍。《中興遺史》：紹興十七年(1147)丁卯八月，趙鼎安置在海外者凡數年，秦檜降朝旨，令吉陽軍月具存亡申尚書省，鼎遣人呼其子至委之，曰：檜必欲我死也。我若不死必當誅及一家，死則汝曹無患矣！付以後事不食而死，年六十三。

《夷堅志》云：趙丞相居朱崖，桂林帥遣使臣往致酒米之饋，自雷州沿海而南，越三日方張帆，早行風力甚勁，顧見洪濤間，紅旗靡靡相逐而下，極目不斷，遠望不可審，疑為海寇，或外國兵甲、呼問舟人。舟人搖手令勿語，愁怖之色可掬，急入舟被髮持刀出蓬，背立割其舌，出血滴水中，戒臣使閉目坐舡中，凡經兩時頃聞舟人相呼曰：更生！更生！乃言曰：朝來所見，蓋巨鰌也。平生未嘗覩，所謂旗者海鰌耳，所傳吞舟魚何足道，使是鰌與吾舟相值在數里之間，身一展轉則已淪溺於鯨波中矣，吁！可畏哉！……莊子鯤鵬之說，非異言也。此說，張子思得之使臣云。

胡　銓，《繫年錄》：宋紹興十八年(1148)戊辰，自新州移貶吉陽軍，知新州張棣奏其自賦詞云：「欲駕巾車歸去，有豺狼當轍」為譏諷。

《容齋三筆》云：紹興中，胡銓竄新州，再貶吉陽，軍主張生乃右列指使遇之無狀，胡邦衡有性命之憂，朝不謀夕，是時黎酋聞邦衡名，遣子就學其居，去城三十里。嘗邀邦衡入山見軍守者。荷枷西廡下，酋指而語曰：此人貪虐已甚！吾將殺之。邦衡曰：此人固無狀，要之為一邦之主，合以告海南安撫司，不行則訟于密院，不應擅殺人，酋悟釋之，明日詣邦衡謝。

人　物

裴　瑑，子：聞義，趙丞相為作家譜。本裴晉公十四代，瑑守雷州時，中原亂不得歸，召為吉陽守，遂居吉陽焉。

題　詠

鳥飛猶用半年程，李德裕〈望亭〉詩：

獨上江亭望帝京，鳥飛猶用半年程。

碧山也恐人歸去，百匝千遭遶重城。

聞道崖州一萬里，劉道士（遁）作〈仙遊亭〉二詩贈晉公：

謫官三年尚未回，故人今日又重來。

聞道崖州一萬里，今朝須盡數千盃。

其二，又云：

屢上仙遊亭上醉，仙遊洞裏杳無人。

他時駕鶴遊滄海，同看蓬萊海上春。

公初莫曉其意，及南遷遁往見公於崖，公方悟，乃知遁異人也。與之泛舟海上而飲，公曰：今日之遊，成子之詩意也。

戶口都無三百家，丁公言到崖州，見市井蕭條。賦詩云：

今到崖州事可嗟，夢中常若在京華。

程途何啻一萬里，戶口都無三百家。

夜聽猿啼孤樹遠，曉看潮上瘴煙斜。

吏人不見中朝禮，麋鹿時時到縣衙。

人生何處不相逢，《湘山野錄》云：初，寇忠愍南貶曰丁，當秉筆謂馮相曰：欲與竄崖令，再涉鯨波如何？馮但唯唯，丁乃除擬雷州，及丁之貶也。適當馮相秉筆謂魯參曰：丁相欲貶寇於崖，嘗有鯨波之嘆，今暫屈丁公涉鯨波一巡，竟鑿崖州，時人為之語曰：　傳語崖州寇司戶，人生何處不相逢。

生前定合到朱耶，胡邦衡在新州，夢趙丞相後十五年，乃遷朱崖館丞相之舊居。李參政詩，云：

夢裏分明見黎母，生前定合到朱耶。

南來怕入買愁村，胡邦衡跋裴氏家譜，云：

北往長思聞喜縣，南來怕入買愁村。

區區萬里天涯路，野草荒煙正斷魂。

四　六：聯語之屬

聯之一，曰：朱耶古郡　　黎母名山

聯之二，曰：郡毋薄於朱耶　　民實均於赤子

聯之三，曰：惟猿猱之路莫通　　故鯨鯢之波再涉

聯之四，曰：四州環一島不異中原
大海控百蠻是為遠徼

聯之五，曰：賈捐之八百餘言足知夷俗
丁晉公三千二字備見土風

昌化軍：宜倫　感恩　昌化

建置沿革

星土分野，與珠崖同。本漢儋耳郡，以其人鏤離其耳為名。昭帝罷儋耳郡併入珠崖，自漢至陳更不得其本地。梁置崖州，隋即宜倫縣為珠崖郡，至煬帝分珠崖置儋耳郡，隋亂陷賊。

唐平蕭銑，置儋州，領義倫、昌化、感恩、富羅四縣。州城即漢儋耳郡城。初隸高州總管隸嶺南道，瓊州都督府。又分昌化

置普安縣，尋廢，割隸廣州。又隸崖州，改昌化郡，復為儋州，又置洛場縣。五代，為南漢（劉隱立，都廣州，轄嶺南）所有。

國朝（宋）平嶺南，更義倫曰：宜倫，省富羅、洛場二縣入宜倫，詔改三州為軍，而儋州賜名：昌化軍。中興以來，廢為宜倫縣隸瓊州，復為昌化軍，乃隸瓊管，今領縣三，治宜倫。

事　要

郡　名：儋耳，以其人鏤離其耳，故名。

風　俗：民服單被

《西漢志》：珠崖、儋耳郡，民所服如單被，穿中央為貫頭。男則耕稼禾稻紵麻，女子桑蠶績織。民有五畜，山多麈麖，兵則矛戈，刀木弓弩竹矢，或骨為鏃。

自初為郡縣，吏卒中，國人多侵陵之，故率數歲一反。漢元帝時，遂罷棄之（西漢志）。

數百家之聚，蘇子瞻謂葛延之曰：

儋州雖數百家之聚，州人所須取之市而足。

山　川

峻靈山，在昌化縣西北，有廟。

黎母山、黎粉山，北宋・樂　史《寰宇記》有載。

黎毗山，在宜倫縣之北六十里。

黎曉山，在宜倫縣西四十里。

毗耶山，在宜倫縣，山有獸似大蟲，俚人呼為毗耶，故名。

感勞山，在感恩縣。

黎虞山，在感恩縣東五十里。

落膊岡，在昌化縣西北二十里。

南龍江，在感恩縣。

南崖江、南湘江，在昌化縣。

延澄山（四庫全書本，作：延澄江），在感恩縣東北。

黎水，在宜倫縣東。

棊子灣，在昌化縣西北二十里，峻靈山側。有石肖如棊子，每取之，即以紙錢抛神山之下，所軍不得揀選，取畢視之，黑白相均。

清水池，在城東，四季荷花不絕。

城南池，在蘇子瞻所居之側。

溫湯，《寰宇記》：在感恩縣北七十里，夏即清冷，冬即沸熱，有患疥癬者，浴之皆愈。

井　泉

白馬井，唐咸通中，命辛、傅、李、趙四將部兵，來湳灘將過海，兵馬渴甚，有白馬嘶噉，以足跑沙，美泉湧出。

乳泉（亦作：乳泉井），蘇子瞻居儋耳天慶觀（原名：朝天宮），得泉甚甘，作〈乳泉賦〉。

相泉，趙丞相謫居吉陽，過儋耳十五里，盛暑渴甚，鑿井數尺得泉，以濟從者之渴。

堂　亭

吏隱堂，在軍治，栽花蒔竹疊石為山，李參政光命名，因賦詩云：

旋移松石成巖壑，時引笙歌入醉鄉。

吏散簾垂公事畢，清風一榻傲羲皇。

賓燕堂，李參政光云：

海南群花早發至，春時已盡獨荷花。

自四五月至窮臘，與梅菊相接雖花。……

胡邦衡詩：危亭涵風漪，盛夏秋色涼。

載酒堂，在城東南，儋耳人黎子雲之居，蘇東坡訪之，命名其堂。仍作詩，曰：……城東兩黎子，室邇人自遠。

呼我釣其池，人魚兩忘返。

使君亦命駕，恨子林塘淺。

秀香堂，在城北，陳氏北園中，李參政名之，取〈醉翁亭記〉：「野芳發而幽香，花木秀而繁陰」之義，名之「秀香堂」，李光有詩云：……

月林夜動參差影，花徑時供自在香。

沉水爇殘金鴨冷，落花飛盡綠陰涼。

神通甚愧維摩老，聊表蠻邦作醉鄉。

問漢亭，在州治後大江橋，州人築亭橋上，胡邦衡名，李參政嘗於七夕杖策登亭，賦詩云：

河畔牽牛織女星，東西相望幾千亭。

乘槎我欲機邊坐，應解停梭問姓名。

息　軒，在州城東南，天慶觀司命宮，蘇子瞻詩：

無事此靜坐，一日似兩日。若活七十年，便是百四十。

黃金幾時成，白髮日夜出。開眼三十秋，速如駒過隙。

是故東坡老，貴汝一念息。時來登此軒，日送過海席。

家山歸未得，題詩寄屋壁。

祠　廟

峻靈王廟，在昌化縣西北，峻靈山上，有巨石極為靈異，祈禱多應。蘇子瞻作〈峻靈王廟記〉，銘曰：

瓊崖千里塊海中，民夷雜居古相蒙。

方壺蓬萊此別宮，峻靈獨立秀且雄。

為帝守寶甚嚴恭，庇廕嘉穀歲屢豐。

大小逍遙遂蝦龍，鵜鶘安棲不避風。

我浮而西今復東，碑銘燁然昭無窮。

洗氏廟，在州治南，祀譙國夫人。高涼人，適馮寶，在隋時以忠義佐國，有平寇之功，封譙國夫人。

至唐武德，夫人之孫馮盎，以地降之。於宋紹興間，賜封顯應夫人廟，額曰：寧濟，人稱：寧濟廟。

蘇子瞻詩云：馮洗古烈婦，翁嫗國於茲。……廟貌空復存，
碑版漫無辭。我欲作銘誌，慰此父老思。……
我當一訪之。銅鼓葫蘆笙，歌此迎送詩。

名　宦（皇朝・宋）

裴聞義，琢之子，知昌化軍，父召為吉陽守。郡主胡邦衡題其堂，曰：盛德堂，有堂銘。

陳中孚，字中正，為萬寧令，黎賊犯城，居守有勞，擢知昌化軍。子適為臨高尉，儋耳民王高叛，適徑造賊壘，諭以禍福，賊遂乞去。後辟知昌化，有繼美堂，胡公邦衡作記。

人　物

王　霄，以貢士住辟雍，建炎間歸鄉，潛德不仕。年九十六，推為鄉先生。

王公輔，人呼：王六公，蘇子瞻雅重之。年一百單三歲，卒號：百歲翁。

名　賢

蘇　軾，紹聖四年(1097)丁丑，自惠州再責昌化，寓城南天慶觀。初軾與轍相別渡海，既登舟笑謂曰：豈所謂道不行，乘桴浮於海者耶。元祐三年(1088)戊辰，徽廟登極，量移廉州，由澄邁北渡。有「九死南荒吾不恨，茲遊奇絕冠平生。」之句

案：所載元祐三年(1088)戊辰，似有舛誤。應係宋元符三年(1100)歲次庚辰一月，徽宗（趙佶）登極。特讀勘補正之，以供方家查考。

呂公著，貶昌化司戶參軍。

任伯雨，眉山人，謫居（昌化軍）。

折彥質，自號：葆真居士。建炎間，謫居（昌化軍）。

李　光，自號：體物老人。紹興間，謫居（瓊州八年，居儋有六年）。

題　詠

莎草山城小，嚴維送李秘書往儋州，詩云：

魑魅曾為伍，蓬萊近拜郎。臣心瞻北闕，家書在南荒。

莎草山城小，毛洲海驛長。玄城知必大，寧是泛滄浪。

自古無戰場，蘇子瞻和擬古詩：

少年好遠遊，蕩志隘八荒。九夷為藩維，四海環我堂。

盧生與若士，何足期杳茫。稍喜海南州，自古無戰場。

奇峰望黎母，何異嵩與邙。飛泉瀉萬仞，舞鶴雙低昂。

分沐未入海，膏澤彌此方。芋魁倘可飽，無肉亦奚傷？

日與雕題親，蘇子瞻和，與殷晉安別（送昌化軍使張中，罷官赴闕），詩：

孤生知永棄，末路嗟長勤。久安儋耳陋，日與雕題親。

海國此奇士，官居我東鄰。空吟清詩送，不救歸裝貧。

南極多老人，李光與杜秀才，詩云：

南極多老人，及見九代孫。君生古儋耳，氣質柔且溫。

今年八十二，頗覺行步奔。白鬚映紅頰，疑是羲皇昆。

四　六：聯語之屬

聯語之一，曰：疏綍宸庭　　分符海島

聯語之二，曰：凡鏤耳以為氓　　皆銘心而感德

聯語之三，曰：維南海之小邦　　有東坡之遺跡

聯語之四，曰：民本島夷　漢代始稱於儋耳
海環郡治　坡仙嘗擬於蓬萊

聯語之五，曰：非循良則不足以分遠俗之竹符
非重厚則不足以作此邦之寶劍（鎮）

萬安軍：萬寧　陵水

建置沿革

《十道志》：萬安軍、萬安郡，與朱崖同。唐置萬安縣，星土分野並同瓊州。〈南海序〉云：海南諸國，漢武通焉，元帝棄之。唐析文昌縣，置萬安縣，并置富雲、博遼二縣，屬瓊州，尋屬崖州，又立萬安州。明皇將移理陵水，更州為萬全郡，復為萬安州。五代，為劉氏（南漢）所據（轄嶺南）。

皇朝（宋）更名為軍，移軍於陵水洞，又移於博遼。後移今處。未幾，提刑董芬奏廢軍為萬寧縣，以軍使兼知縣，隸瓊州。安撫王趯奏復為軍，今領縣二，治萬寧。

事　要

郡　名：萬全

風　俗：其俗質野

《萬州圖經》：此邦與黎蜑雜居，其俗質野而畏法，不喜為盜，牛羊被野，無敢冒認。

居多茅竹，《萬州圖經》：居多茅竹，絕少瓦屋。

信尚巫鬼，《萬州圖經》：病不服藥，信尚巫鬼。

以織貝為業，《萬州圖經》：婦媼以織貝為業，不事文繡。

服色頗異，《萬州圖經》：女人以五色布為帞，以班布為裙似袋，號曰：都籠。以班布為衫，方五尺當中開孔，但容頭入，名曰：思便，亦作：緦纏。

山　川

南山，在陵水縣南八十里。

靈山，去陵水縣三十里。

聲山，在陵水縣內。

獨州山，在城東南五十里，其峰插天。

赤龍山（亦作：赤隴山），在萬安縣東南三十里。

㳆陵山，在萬寧縣西南二里。

金牛山，《四庫全書》本作：金牛嶺，在城西北，有寶氣。

都籠水，在陵水縣東北十五里。

金仙水，在萬寧縣北三十里。

堂　亭

愛明堂，《四庫全書》本作：愛民堂，在萬安軍治。

凝香亭，在軍治。

名　宦（皇朝・宋）

湯　鷟，南劍人。以武舉守郡，南洞王利學叛，鷟平之，民為立廟。

名　賢

李　綱，建炎元年(1127)丁未，以尚書左僕射落職，自鄂移澧，自澧移萬，未及軍而還。

楊　煒，以排和議，貶居萬安。

題　詠

萬安無市井，蘇東坡〈夜坐濯足〉，詩云：

……萬安無市井，斗水寬百憂。……

……天低瘴雲重，地薄海氣浮。……

四　六：聯語之屬

聯語之一，曰：疏恩一札　　出守萬全

聯語之二，曰：漢棄其地　　唐創為州

聯語之三，曰：當海邦之窮處　　與黎蜑以雜居

聯語之四，曰：臬使騰囊嘗廢軍而為邑

帥臣奏疏復自邑而陞軍

聯語之五，曰：鳥言夷面非譯語而莫通

茅屋荊扉亦土風之甚陋

㈥、纂修體例

南宋・祝　穆《方輿勝覽》（凡七〇卷），以行在所臨安府為首，所誌限於南渡後之疆域，計分十七路：浙西路、浙東路、福建路、江東路、江西路、湖南路、湖北路、京西路、廣東路、廣西路、淮東路、淮西路、成都府路、夔州路、潼川府路、利州東路、利州西路，記載各路所屬之府、州、軍、縣事。

本《方輿勝覽》之紀事，包括：郡名、風俗、形勝、土產、山川、學館、堂院、亭臺、樓閣、軒榭、館驛、橋樑、寺觀、祠墓、古跡、名宦、人物、名賢、題詠、四六等門目。書中體例，於建置沿革，疆域道里，田賦戶口，關塞險要，大都選錄簡略。次於名勝古跡，則多所臚列。末載詩賦、序記，文所獨備矣。

祝　穆《方輿勝覽》，是時中原陷落，已不入宋版圖，其所能著述者，唯南渡後疆域。蓋其多為登臨題詠之文，而不為地方故實之稽考。致其書名雖似地志，然而體例實類書也。

從祝穆《方輿勝覽》，各卷內容（正文）觀之，大書以提其綱，附注以詳其目。其編次：首浙西，訖利州，凡十七路，每州郡分標「事要」二十門，亦可細窺其書，雖疏於考據，然採摭頗廣而豐，乃沿襲諸書之義例，係採「門目體」，亦就是「按事分目法」也。

按《方輿勝覽》，凡七十卷，分十七路。於卷四十三（海外四州）：瓊州、吉陽軍、昌化軍、萬安軍，所繫州軍及縣之事，以南宋之後為主，紹興年間最多，其紀事斷限年代，最遲止於南宋孝宗淳熙九年(1182)歲次壬寅。茲依紀事年次，分別著述於次，以供方家查考。

吉陽軍：名宦

趙鼎，……以與秦檜議和戎及議宗子，貶潮州後，移吉陽軍。《中興遺史》：紹興十七年(1147)八月，安置在海外者凡數年，秦檜降朝旨，令吉陽軍亡申尚書省，鼎遣人呼其子至委之，曰：檜必欲我死，不死必當誅及一家，死則汝曹無患矣！付以後事不食，年六十三。

胡銓，《繫年錄》：紹興十八年(1148)戊辰，自新州移貶吉陽軍，知新州張棣奏其自賦詞云：「欲駕巾車歸去，有豺狼當轍」為譏諷。

昌化軍：名賢

李光，自號：體物老人，紹興間(1131~1162)，謫居（於瓊州八年中，居儋六年）。

據《中興遺史》載云：南宋高宗紹興二十五年(1155)乙亥冬，移郴州（今湖南省）。特誌於茲，以供查考。

瓊　州：風土

生黎熟黎，據《繫年錄》云：初知瓊州定南寨，劉薦貸黎人王文滿銀香馬錢不償，文滿破定南寨，遂掠臨高澄邁二縣。紹興三十年(1160)庚辰，劉祚為瓊州安撫使擊遂之，奪其田以賜有功者以聞黎。……

瓊　州：學校・州學

朱元晦〈瓊州學記〉云：……淯熙九年，瓊管帥守長樂韓侯璧，既新其州之學，而使以圖來請記。……

案：南宋孝宗淯熙九年(1182)歲次壬寅

(七)、刊版年代

南宋・祝　穆《方輿勝覽》（凡七〇卷），書成於南宋理宗嘉熙三年(1239)歲次己亥，書前有呂午（新安人）序、祝穆（和父）自序。

清・于敏中《天祿琳琅書目》（卷二）云：「……卷首有引用文集目一卷，書首有咸淯二年六月福建轉運使司禁止痲沙書坊翻版榜文。祝穆（當作洙）跋為咸淯丁卯季春，丁卯係咸淯三年，是書當是咸淯二年開雕，成於三年。因洙重訂是書，故禁坊間翻刻舊版，洙稱先君子《方輿勝覽》，行於世者三十餘年，版老字漫，遣工新之，重整凡例，分為七十卷。」

又云：「元本拾遺，各入本州之下，新增五百餘條，並標出，是此書不盡為穆之舊矣。」於是顯示，咸淯為度宗年號。蓋祝穆原本雖成於理宗嘉熙三年(1239)己亥，然祝洙重訂本，則在度宗咸淯三年(1267)丁卯。觀書中載：景定四年(1263)癸亥，徐直諒薦洙奏章，乃是書為洙所增訂之明證矣。於修《四庫全書》提要時，既未見元（刻）本，又失去洙跋，僅據呂午之序，故以為穆在理宗時所作也。

楊守敬得其元本，並得重訂本（見《日本訪書志》卷六），知非一書，然未見洙跋。惟據改嚴溫宜忠等州為府，係在咸湻元年(1265)乙丑，去穆嘉熙三年(1239)已亥成書時三十六年，斷為後人改編，不知據薦洙奏章，已可見其成於洙手也。蓋從來作書目之人，能將本書首尾入目者鮮矣。

楊守敬氏云：「初集自浙西路起，至海外四州止。後集自淮東路、淮西兩路，續集自成都府路起，至利西路止，拾遺則自臨安府至紹熙每府州，各補數條，此蓋和父原本。其分數次開雕者，當因資費不足，隨雕隨印行，非別為起訖也。每卷標題，新編四六必用《方輿勝覽》，蓋本為備四六之用也。」楊氏並錄其兩浙轉運司榜文，榜末署嘉熙二年(1238)戊戌歲十二月，乃初刻時所給之榜，與重訂本咸湻二年(1266)丙寅，福建所給者，非一事也。

依據諸家書目資料，於今海內外各圖書館，暨文教機構庋藏者，就其知見藏板，依刊板年次，分別列著於次：

宋嘉熙三年(1239)已亥（呂午序）　建安祝氏刻本

二〇〇二年　北京大學圖書館　景印本

中國：北京大學圖書館

宋咸淳三年(1267)丁卯（祝洙跋）　建安刊本

臺灣：國家圖書館　二十四冊

宋咸淳三年(1267)丁卯　建安祝氏刊本

臺灣：國立故宮博物院　二十冊

宋咸淳三年(1267)　吳堅、劉震孫刊本

一九八五年　上海古籍出版社　影印本

　　　　中國：北京圖書館

宋咸淳三年(1267)　吳堅、劉震孫刊本　　清・俞　誠跋

　一九九一年　上海古籍出版社　影印本

宋刊黑口本　　　宋刊殘本

清孫氏平津堂宋咸淳刊本　　清路小洲有宋刊本

元刻本　　　清振綺堂有元刊本　　　蔣生沐有元刊本

元刻本　　清・丁　丙跋

　　卷十五、二十二至二十七、三十六至五十四，配清抄本

元刻本　　鄧邦本跋

　　存三十六卷：三至八、十三至三十、四十至四十五、四十七至四十九、六十五至六十七

元刻本　　清・孫　峻跋

　　存十六卷：十一至十二、十七至二十、二十八至二十九、三十二至三十四、五十至五十一、五十四至五十六

清孔氏嶽雪樓鈔本（無呂午序）

　民國七十年(1981)　臺北市　文海出版社　影印本

　　　　臺灣：國家圖書館

清兩淮鹽政採進本

清文淵閣《四庫全書》本

　民國七十二年(1983)　臺北市　臺灣商務印書館　景印本

　　　　臺灣：國立故宮博物院圖書文獻館

結　語

南宋・祝穆《方輿勝覽》（凡七〇卷），穆元本，作：前集四十三卷（季滄葦書目作：四十卷），後集七卷，續集二十卷，拾遺一卷（宋槧本，見季滄葦書目，暨楊守敬訪書志）。

按《方輿勝覽》，係成書於宋皇朝南渡之後，是時中原陝右盡陷於金（元），東劃長、淮，西割商、秦之半，以散關為界。誠非穆之意，惜不忍以國家，昔所喪失之地不載，而割讓之地，既已認訂條約，勢難背信。故其書例，示以非「一統志」之體裁者也。

然《方輿勝覽》一書，採摭豐富，雖無裨於掌故，而有益於文章，摛藻掞華，恒所引用，故自宋、元以來，操觚家不廢其書焉。窺穆是書，大抵皆供獺祭之用，則穆雖受學於朱子（熹），實是詞章之士耳。

祝穆（仲父）為成是書，曾往來於大江南北、閩廣之間，所至必「孜孜訪風土事，並廣泛搜集諸有關文獻，見當地郡志有可採摭者，必晝夜抄錄無倦色。」（呂午序）於是《方輿勝覽》，誠亦保留有南宋史實甚豐，莫失為鑽研南宋歷史、地理、方志、人文等相關學科之重要而珍貴的參考史料。

明・葉　盛《水東日記》云：元絳閔忠詩石刻在康州，《方輿勝覽》乃載在封州，又誤以為魏矼作，亦謌數字。幸真跡石刻尚存三洲巖中，則小小舛誤，亦所不免，要不害其大致之詳贍爾！

觀《方輿勝覽》之作，較晚於《輿地紀勝》，兩者之所誌，間或有雷同。然《輿地紀勝》，於今殘缺不全，而《方輿勝覽》，雖亦有殘缺，唯所記史料，實較《輿地紀勝》為多者，誠亦可相輔致用耶。

王象之《輿地紀勝》（序），末署著「嘉定辛巳孟夏」云，亦就是南宋寧宗嘉定十四年(1221)歲次辛巳之孟夏（王會均謹誌於次，以供方家賢達稽考）。

祝穆《方輿勝覽》，於清孔氏嶽雪樓鈔本（無呂午序），今影鈔本殘漏不全，幸有《四庫全書》（景印本），相互勘校補正，誠亦臻完美矣！

參考文獻書目

《方輿勝覽》 七〇卷 南宋・祝 穆撰
民國七十(1981)八月 臺北市 文海出版社 影鈔本
（據清孔氏嶽雪樓鈔本）
《道光 瓊州府志》 四十四卷 首一卷
清・明 誼修 張岳崧纂 道光二十一年(1841)修
民國五十六年(1967) 臺北市 成文出版社 影印本
（據清光緒十六年(1890)補刊本） 精裝二冊
《道光 萬州志》 一〇卷 清・胡端書修
民國三十七年(1948) 鉛印本（據清道光八年修）
《光緒 崖州志》 二十二卷 清・鍾元棣修
一九八三年四月 廣州市 廣東人民出版社 簡字本
（據民國三年鉛印本，重新點校橫排簡字鉛印本）
《民國 儋縣志》 十八卷 首一卷 周文海修

民國六十三年(1974)　臺北市　成文出版社　影印本
（據民國二十五年五月，海南書局鉛印本）

中華民國一〇〇年(2011)辛卯歲三月二十日　核補
中華民國九十五年(2006)丙戌歲十月十九日　完稿
臺北市：海南文獻史料研究室

欽定四庫全書
方輿勝覽卷四十三　宋　祝穆　撰
瓊州　瓊山　澄邁　文昌　臨高　樂會
建置沿革　非禹貢所及春秋所治古揚越地牽牛婺女之分野漢武遣路博德平南粵以其地為珠崖儋耳郡至昭帝時凡六反遂罷儋耳併屬珠崖至元帝時珠崖又反賈捐之建議不當擊遂罷珠崖郡東漢立珠崖屬合浦郡吳大帝于徐聞立珠崖郡又於其地立珠官一縣招撫竟不從化晉省珠崖入合浦尋又廢珠官梁置崖州又于徐聞立珠崖郡竟不有其地隋煬帝更置珠崖郡立十縣又置儋耳臨振二郡唐立都督府督崖儋振三州太宗以崖州之瓊山置瓊州領瓊山萬安二縣又割崖州之臨機來屬漸置

欽定四庫全書　方輿勝覽　卷四十三　一

曾江顏羅容瓊縣又置樂會縣皇朝平南漢割崖州之地入瓊州以舍城文昌澄邁來屬後省舍城入瓊山以儋崖振萬安四州隸瓊州守臣提舉儋崖萬安等州于水陸轉運事改瓊管安撫昌化萬安吉陽三軍隸焉政和元年陞靜海軍節度今隸廣西經畧司領縣五治瓊山
事要
郡名　瓊管
瓊臺　在熙樓下臨放生池蓋置使時以使臺得名
風俗　其俗朴野　郡志云云若叔伯兄弟之子不以齒序伯之子雖少皆以兄自居而叔之子雖耄亦為弟也
氣候不甚寒熱　郡志夏不至熱冬不甚寒鄉邑多老人
風土則見於東坡數語　蘇子瞻帖云食無肉出無友居無屋病無醫冬無炭夏無寒泉語雖不多已盡風土之大槩夏無蠅蚋則可喜也
夷人之俗　寰宇記夷人與城郭俗異居非譯語難辨其言不知禮法須以威服號曰生黎

祝穆《方輿勝覽》書影
清《四庫全書》本

方輿勝覽卷四十三

宋 祝穆 撰

海外四州

瓊州 瓊山 澄邁 文昌
臨高 樂會

建置沿革

非禹貢所及春秋所治古揚越地
分野漢武帝遣路博德平南越以其
地為儋耳郡至昭帝時凡六近遂罷儋耳并屬
珠崖又反賈損之建議不當擊遂罷珠崖郡東其又
浦郡吳大帝於徐聞立珠崖郡又於郡地
屬合縣招撫竟不從化晉省珠崖入合浦其唐
州又於係閒立珠崖郡竟不有郡瓊
立十縣又置儋耳臨振二置曾
太來以崖州之瓊山置州
之臨機來屬析崖山
平南漢劉瓊等
含城入安隸
萬
廢珠
隋陽帝
立郡督府
州領瓊山萬安二縣又
江顏羅容瓊縣又置樂會
之地入瓊州以舍城文昌
以儋耳振萬安四縣隸瓊州守且
州水陸特運事改瓊管安撫昌化萬安
馬政和元年陞靜海軍節度令
隸廣西經略司

事要

郡名 瓊管 郡志云 雖少皆
瓊臺 云若叔伯置使時 以凡自居凡弟之 郡志夏不而 至
沿瓊山 本撫樓 下故生 以伏臺得 子不以序伯之子 子雖老亦為弟也 不

俗朴野

氣候不甚寒熱

數語

蘇子瞻帖云食無肉出無車居無屋病無醫冬無
炭夏無寒泉語雖不多巳盡風土之大聚夏無蠅
蚋則可 宇記夷入無城郭俗異居非譯語

夷人之俗

喜也
生黎巢居漏洞
用木炭草葉為
樂男則壟首神
鐵銳而無羽女
祀神而巳長編
民疾病但求巫
錄切知瓊州定
不償太滿破足
劉作為瓊州安
海南四郡島上
難辨其言不知禮法須以盛服號曰
木皮為木以木邦為毬性好酒每醞釀
蠻藥熱則以竹箭吸之打鼓吹笙以為
杭帶人為嬰飾好弓大削竹為弦箭
人文領穿耳環病無藥餌但烹犬羊
開買八年瓊州之俗無醫緊
祝詔以方書本草給之 牟

生黎 熟黎

南寨劉為貿黎人王丈滿銀香馬錢兩
南寨遂捺臨高澄邁二縣紹興三十年
擊逐之奪其田以賜有功者以開黎
鑾也島直雷州有黎毋山諸壟環居號

風土則見於東坡

風俗其

清孔氏嶽雪樓鈔本

六、瓊州府部彙考

《瓊州府部彙考》　十二卷　　清・陳夢雷奉敕編纂

民國五十三年(1964)七月　臺北市　文星書局　影印本

(111)面(498~608)　有圖　27 公分　精裝

（古今圖書集成・第二十一冊）

按《古今圖書集成》（凡一萬卷），原名《古今圖書匯編》。於「方輿彙編・職方典」內〈瓊州府部彙考〉十二卷（卷一三七三～卷一三八四），在第二十一冊。

㈠、知見書目

何多源《中文考書指南》（頁一二一）：

（欽定）古今圖書集成　一萬卷　總目四十卷

清・聖祖敕編　　蔣廷錫等奉世宗敕重編校

民國二十三年　中華書局（據清初殿版）　影印本

8 百冊(17×28 公分)　八百元

李志鍾《中文參考用書指南》　（頁一五六）：

古今圖書集成　一萬卷

清・陳夢雷原編　　蔣廷錫奉敕編校

民國五十三年(1964)　臺北市　文星書局　一百冊

影印本（據民國二十三年中華書局影印本）

張錦郎《中文參考用書指引》（頁五一二）：

古今圖書集成　一萬卷

清・陳夢雷撰　　蔣廷錫等奉世宗敕重編校

民國五十三年　臺北市　文星書店　影印本
一〇一冊（據民國二十三年中華書局影印本）
民國六十六年　臺北市　鼎文書局亦據以影印
第一〇〇冊為索引，一〇一冊為地圖集。

陳光貽《稀見地方志提要》（頁一〇九五：古今圖書集成方志輯目）：《古今圖書集成》，原名《古今圖書匯編》，是一部最大的類書，為清康熙時陳夢雷等原輯，雍正初蔣廷錫等重輯。全書共一萬卷，目錄四十卷，分六匯編，三十二典，六千零九部，部以下又分類屬。

此書內容豐富，區分詳晰，所錄諸書，今已大都散佚。尤於方志收錄甚廣，計有一千四百三十餘種，茲經考查有六百多種散佚，六百多種中，宋以前佚志有四百五十五種、元十二種，明代及清初一百四十多種。這些散佚的方志，此書大都每種猶錄存片文隻字，於各典、部、類、屬之中，所以大有參考價值。

王會均《海南方志資料綜錄》（知見錄・頁五〇）：

〔康熙〕瓊州府部彙考　十二卷（卷一三七三至一三八四）　清・陳夢雷編纂
民國五十三年(1964)七月　臺北市　文星書局
影印本（據民國二十三年中華書局本）
(111)面(498~608)　有圖　27 公分　精裝
（古今圖書集成　第二十一冊）

㈡、敕修始末

按《古今圖書集成》，俗題蔣廷錫等奉敕撰，但事實上，從發凡起例至初稿書成，乃係陳夢雷奉敕纂修。原書題名《古今圖書彙編》，編竣告成，清聖祖（康熙）賜名《古今圖書集成》（待印）。迨清世宗（雍正）又命儒臣重加編校，在雍正初年，因陳夢雷得罪遣放邊外，未參與審校工作，改命蔣廷錫主其事。於雍正四年(1726)，校勘既竣，奉表告成。全書奉敕修至奉敕重校，自清康熙三十九年(1700)起，迄清雍正四年(1726)止，費時約二十六年矣。

依據陳夢雷《松鶴山房集》（文集・卷二）：〈進彙編啟略〉，摘述其奉敕撰之始末，以供方家參考。

首云：「雷賦命淺薄，氣質昏愚。讀書五十載，而技能無一可稱，涉獵萬餘卷，而記述無一可舉，深恐上負茲恩，惟有掇拾簡編，以類相從，仰備顧問。而我王爺聰明睿智，於講論經史之餘，賜之教誨，謂三通衍義等書，詳於政典，未及蟲魚草木之微。類函御覽諸家，但資詞藻，未及天德王道之大。必大小一貫，上下古今，類別部分，有綱有紀，勒成一書，庶足以大光聖朝文治。」是陳夢雷奉清聖祖（康熙）御命，敕撰之始也。

又云：「雷聞命踴躍，喜懼交並，自揣五十年來，無他嗜好，惟有日抱遺編，今何幸大慰所懷，不揣蚊力負山，遂以一人獨肩斯任。謹於康熙四十年十月為始，領銀僱人繕寫，蒙我王爺殿下，頒發協一堂所藏鴻編，合之雷家經史子集約計一萬五千餘卷。至此四十五年四月內，書得告成，分為彙編者六，為志三十有二，為部六千有零，凡在六含之內，鉅細畢舉，其在十三經、二十一史者，隻字不遺。其在稗史子集者，亦只刪一二，以百篇為卷，可得三千六百餘卷，若以古人卷帙較之，可得萬餘卷。雷三載之內，目營手檢，無間晨夕，幸而綱舉目張，差有條理，謹先謄目錄凡例為一冊上呈。」此乃陳夢雷奉敕撰書之始末，大略如斯也。

次據清顧悙量〈金東山（門詔）文集序〉略云：「聖祖朝，命大臣開館輯古今圖書集成，詔試輦下諸生，見先生首列，獨纂經籍，書成凡五百卷，藏之冊府，登之琬琰，以垂萬世。」此足資顯證，陳夢雷「以一人獨肩斯任」外，尚有「詔試輦下諸生」協繕之。

再據清雍正四年(1726)九月二十七日，〈御製古今圖書集成序〉，摘述其奉敕重校之始末，以供參考。

首云：「……又以為未攬其全，乃命廣羅群籍，分門別類，統為一書。成冊府之鉅觀，極圖書之大備，而卷帙浩富，任事之臣，弗克祗承，既多訛謬，每有闕遺。經歷歲時，久而未就。」

又云：「朕紹登大寶，思繼先志，特命尚書蔣廷錫等董司其事，督率在館諸臣，重加編校。窮朝夕之力，閱三載之勤，凡釐定三千餘卷，增刪數十萬言。圖繪精審，考定詳悉。書成進呈，朕覽其大凡，列為六編，析為三十二典，其部六千有餘，其卷一萬。」

復據清雍正三年(1725)十二月二十七日，蔣廷錫等上表文析觀之，亦坦認係「奉敕恭校聖祖仁皇帝欽定《古今圖書集成》告竣」而已，並非輯抑編或撰也。

蔣氏表文中略云：「承詔命以悚惶，沐恩綸而愧勵。惟圖編之薈萃，重複固多，經傳寫之再三，魯魚時見。欲以徑寸之管，遠測九天，爝火之光，徧照萬物，雖加訂正，必有漏遺。惟下竭愚衷，仰遵聖訓，幸假三年之久，寬以程期，用殫五夜之勤，繼之膏桂，補完殘闕，悉令詳明，刪定譌訛，咸歸典要，書倉泛覽，逢玉鑰之洞開，學海沿洄，幸仙山之已至。校刊既竣，奉表告成。」

綜合言之，蔣氏於花費三年，僅「補完殘闕」、「刪定譌訛」，「釐定三千餘卷，增刪數十萬言」而已。其功績實恐難與陳夢雷氏，相互論比矣。

案：《古今圖書集成》，眞正編者乃係陳夢雷氏，但一般說法是清聖祖（康熙）敕撰，蔣廷錫等奉世宗（雍正）敕重編，致物議良多。然非本篇主要論旨，恕不贅言矣。

㈢、纂編者事略

本《古今圖書集成》，係由陳夢雷奉敕纂編，蔣廷錫等奉敕審校。其事略，分著於次，以供參考。

奉敕纂編者：陳夢雷(1650~1741)氏，字省齋，閩縣（今福建省侯官縣）人。距生於清世祖順治七年（庚寅），卒於清高宗乾隆六年（辛酉）。①

陳夢雷，清・閩縣人，字則震、一字省齋。康熙進士，授編修。假歸，耿精忠叛，脅夢雷以官。夢雷託疾以稽之，精忠敗，被誣下獄，謫戍尚陽堡，十餘年釋還。雍正初復緣事被譴，卒於戍所。有《周易淺述》、《松鶴山房集》、《天一道人集》。②

① 姜亮夫《歷代人物年里碑傳綜表》　頁 619
池秀雲《歷代名人室名別號辭典》　頁 665

② 楊家駱《四庫大辭典》　頁 1109
民國五十六年(1967)　臺北市　中國辭典館復館籌備處
臧勵龢《中國人名辭典》　頁 1097
民國六十一年(1972)　臺北市　臺灣商務印書館

陳夢雷，字則震，號省齋，福建候官人。清康熙九年(1670)庚戌科蔡啟僔榜二甲（三十名）進士，授編修，以耿精忠亂，受誣下獄。後一度受知京兆，雍正初，後以事遭遣，卒於戍所。著有《周易淺述》、《松鶴山房集》、《天一道人集》、《閑止書堂集》。

陳夢雷為清初一著名學者，曾主持編輯《古今圖書集成》，並致力於地方志書纂修，康熙二十二年(1683)謫居瀋陽，纂修《盛京通志》，次年刊梓，凡三十二卷。康熙二十四年(1685)，又纂《承德縣志》，二十六卷，所分類門與《盛京通志》相同。此外還纂修《蓋平縣志》、《海城縣志》並為志書作序及小序多篇，其方志理念多表現在這些序中。③

清・錢儀吉《碑傳集》（卷四十四），楊家駱《四庫大辭典》（頁一一〇九）、臧勵龢《中國人名大辭典》（頁一〇九七）、黃葦《中國地方志詞典》（頁二七四：修志名家與方志學家），皆載有傳略。

奉敕審校者：蔣廷錫(1669~1732)氏，字南沙，號揚孫，常熟（江蘇省）縣人。生於清聖祖康熙八年（己酉），卒於清世宗雍正十年（壬子），享年六十四歲（桐陰論畫小傳）。④

蔣廷錫（陳錫弟），字揚孫，號西谷，一號南沙，清康熙舉人，賜進士，官至文華殿大學士，秉公執政，嚴剔弊端，吏無由為奸，參贊機務，縝密周詳，人不能探其崖略。少工詩，善畫花卉，多用逸筆寫生，點綴坡石，無不超絕。卒，謚：文肅。著有

③　黃　葦《中國地方志詞典》　頁 274
　　一九八六年十一月　合肥市　黃山書社

④　姜亮夫《歷代人物年里碑傳綜表》　頁 562

《尚書地理今釋》、《青桐軒》、《秋風》、《片雲諸集》。⑤

《清史稿列傳》（七十六）、《清史列傳》（卷十一）、《國朝先正事略》（卷十三）、《國朝詩人徵略》（卷十九）、《清代學者象傳》（第二冊），皆載有事略。

蔣廷錫，字酉君、號青桐居士，御史伊子。清聖祖康熙四十二年(1703)癸未科王式丹榜二甲（四名）進士，官至大學士，謚文肅。工書，善畫。未第時，與馬元馭、顧雪坡遊，以逸筆寫生，風神生動，意度堂皇，點綴坡石水口，無不超逸。間作水墨折枝窠石，以及蘭竹小品，極有韻致。又能一幅中工率間出，色墨並施，而韻生動。通籍後，矜重不苟作。嘗畫塞外花卉七十種，為官禁所寶。流傳真蹟絕少，間有之，多為馬元馭、馬逸父子代筆。著《青桐軒》、《秋風》、《片雲諸集》。卒年六十四。⑥

《蘇州府誌》、《海虞詩苑》、《海虞畫苑略》、《國（清）朝畫徵錄》、《清畫家詩史》，有傳。

㈣、主要內容

陳夢雷奉敕修《古今圖書集成》，凡一萬卷，全書分六編、三十二典，茲臚著於次，以供查考。

曆象彙編：乾象典　歲功典　曆法典　庶徵典

方輿彙編：乾輿典　職方典　山川典　邊裔典

⑤　楊家駱《四庫大辭典》　頁 786
　　臧勵龢《中國人名大辭典》　頁 1537
⑥　《中國美術家人名辭典》　頁 1359
　　民國七十六年(1987)　臺北市　文史哲出版社編印

明倫彙編：皇極典　宮闈典　官常典　家範典　交誼典
　　　　　氏族典　人事典　閨媛典
博物彙編：藝術典　神異典　禽蟲典　草木典
理學彙編：經籍典　學行典　文學典　字學典
經濟彙編：選舉典　銓衡典　食貨典　禮儀典　樂律典
　　　　　戎政典　祥刑典　考工典

典以下分部：計分：六千一百十七部，部之下又分：彙考、總論、列傳、藝文、選句、紀事、雜錄、外編、圖表、地圖、考證等十一項，每項敘述體裁如次：

彙考：事之大綱

總論：議論純正者

列傳：相關該部之名人

藝文：議論雖偏，而詞藻可採者

選句：麗詞偶句

紀事：瑣細而亦有可傳者

雜錄：有些雖屬於聖經之言，但非正論此事，僅旁引曲喻偶及之，或集部所載，而考究未真，難收於藝文者，則統入於雜錄。

外編：百家及二氏之書，所紀有荒唐難信，或寄寓譬託之詞，臆造之說，錄之則無稽，棄之又疑於掛漏者，則入於外編。

圖表：疆域、山川、禽獸、草木、器物等籍圖以顯者，則繪圖。星躔、官度、紀元等非表不能詳者，則立表。

地圖：專用於地理部份。

考證：糾正原書之舛誤。

上述部下所分細目，並非每部均有記載。其常有者，僅為：彙考、總論、藝文、紀事、雜錄，而彙考尤為編者所重視。

清・陳夢雷《古今圖書集成》（凡一萬卷），於方輿彙編・職方典〈瓊州府部彙考〉計十二卷(1373~1384)，主要內容計分：彙考、藝文、紀事、雜錄、外編等五大類。

文中彙考，包括：建置沿革、疆域（有圖、形勝附）星野、山川（水利附）、城池、關梁、公署、學校、戶口、田賦、風俗、祠廟（寺觀附）、驛遞、兵制、物產、古蹟（墳墓附）等十六目，且史料查考甚詳，殊具學術研究參考價值。

㈤、刊本年代

陳夢雷奉敕纂、蔣廷錫奉敕審校《古今圖書集成》（欽定），於清康熙四十年(1701)開纂，康熙四十五年(1706)告成（貯於武英殿）。迨清雍正初年，又命儒臣重加審校，由於陳夢雷被誣發遣邊外，改命蔣廷錫主其事，於雍正四年(1726)校勘審訂完成，費時約二十餘年。初版以武英殿聚珍銅活字刊行，計印六十四部。後又有石印大字本、鉛印扁字本及縮印本（影印本）行世。目前國內外庋藏者（公藏），依刊行藏板，就其年次，分別著列於次，以供方家查考：

清雍正六年(1728)　銅活字本

清光緒二十年(1894)　石印本　據（銅活字本）

民國二十五年(1936)　上海市　中華書局　縮印本（據銅活字石印本）

民國五十三年(1964)　臺北市　文星書局　影印本

（據上海中華書局縮印本）
臺灣：國立臺灣圖書館：RO41.7/4418 v.21
民國六十六年(1977) 臺北市 鼎文書局 影印本
（據上海中華書局縮印本）
清光緒十年(1884)圖書集成印書局 排印本（扁體鉛字）

綜觀清・陳夢雷奉敕纂編、蔣廷錫等奉敕審校《古今圖書集成》（凡一萬卷），原名《古今圖書滙編》，係屬官修性質，乃清代最大的一部類書。深具有特殊的歷史文化背景，而反映出當時社會各項實況。

就史料價值言之，於清代陳夢雷奉敕修《古成圖書集成》，其體例完備，內容豐富，乃係「中國百科全書」（實為中國固有文化寶庫），在學術研究上，殊具史料參考價值。尤以內中「方輿彙編・職方典」〈瓊州府部彙考〉（凡十二卷：卷一三七三～一三八四），其資料翔實，內容富美，門目齊備，乃係「海南方隅史」研究，必需具備之參考史料。彌足珍貴，視同瑰寶矣。

參考文獻資料

《古今圖書集成》 清・陳夢雷奉敕纂
民國五十三年(1964) 臺北市 文星書局 影印本
（據上海中華書局縮影本）第二十一冊
《中文參考用書指引》 張錦郎
民國七十二年(1983)十二月 臺北市 文史哲出版社
（增訂三版）

《海南方志資料綜錄》　王會均著

民國八十三年(1983)十二月　臺北市　文史哲出版社

欽定古今圖書集成方輿彙編職方典

第一千三百八十三卷目錄

職方典第一千三百八十三卷

瓊州府部藝文一

議罷珠厓　漢賈捐之

珠厓內屬爲郡久矣今背畔逆節而云不當擊長蠻夷之亂虧先帝功德經義何以處之捐之對曰臣幸得遭明盛之朝蒙危言之策無忌諱之患敢昧死竭卷卷臣聞堯舜聖之盛也禹入聖域而不優故孔子稱堯曰大哉韶曰盡善禹曰無間以三聖之德地方不過數千里西被流沙東漸於海朔南暨聲教迄於四海欲與聲教則治之不欲與者不彊治也故君臣歌德含氣之物各得其宜武丁成王殷周之大仁也然地東不過江黃西不過氐羌南不過蠻荊北不過朔方是以頌聲並作視聽之類咸樂其生越裳氏重九譯而獻此非兵革之所能致及其衰也南征不還齊桓救其難孔子定其文以至乎秦興兵遠攻貪外虛內務欲廣地不慮其害然地南不過閩越北不過太原而天下潰畔禍卒在於二世之末長城之歌至今未絕賴聖漢初興爲百姓請命平定天下至孝文皇帝閔中國未安偃武行文則斷獄數百民賦四十丁男三年而一事時有獻千里馬者詔曰鸞旗在前屬車在後吉行日五十里師行三十里朕乘千里之馬獨先安之於是還馬與道里費而下詔曰朕不受獻也其令四方毋求來獻當此之時逸游之樂絕奇麗之賂塞鄭衛之倡微矣夫後宮盛色則賢者隱處佞人用事則諍臣杜口而文帝不行故謚爲孝文廟稱太宗至孝武皇帝元狩六年太倉之粟紅腐而不可食都內之錢貫朽而不可校迺探平城之事錄冒

古今圖書集成

文星書店印行

清代《瓊州府部彙考》書影

欽定古今圖書集成方輿彙編職方典

第一千三百七十三卷目錄

職方典第一千三百七十三卷

瓊州府部彙考一

瓊州府建置沿革考

本府　府志

瓊在唐虞三代爲揚越荒徼秦爲越郡外境舊志秦皇略定始屬中國然秦於越置桂林南海象三郡明一統志以雷爲象郡瓊當附雷漢武帝元鼎六年平南越明年改元始以其地置珠崖儋耳二郡督於交州領縣五珠崖治在今瓊山東潭都儋耳治在儋義倫漢書注應劭曰二郡在大海中崖岸之邊產珍珠故曰珠崖或又曰以郡形在海中如珠故云儋耳者種大耳渠帥自謂王者耳尤緩下肩三寸據茂陵書五縣瑇瑁紫貝苟中至來九龍昭帝始元五年省儋耳入珠崖元帝初元三年罷珠崖郡置朱盧縣隸合浦東漢光武建武中復置珠崖縣屬合浦郡仍督於交州明帝永平十年儋耳降附出張純傳三國吳大帝赤烏五年復置珠崖郡有徐聞朱盧珠官縣隸交部蜀遙領於建寧晉因之平吳後省珠崖入合浦郡宋元嘉八年復立珠崖郡梁復就儋耳地置崖州陳因之俱統於廣州據方輿傳隋大業中改爲珠崖郡領縣十義倫感恩顏盧毗善昌化吉安延德寧遠澄邁武德隸揚州司隸刺史又析西南地置臨振郡唐高祖武德五年立崖儋振三州各領縣四崖領顏城澄邁臨機平昌儋領義倫昌化感恩富羅振領寧遠延德臨川陵水太宗貞觀元年初隸嶺南道據地里志析崖州縣及更名更顏盧爲舍城平昌爲文昌析昌化置吉安舍城置瓊山析延德置吉陽五年以崖州之瓊山置瓊州郡名始此領縣五瓊山臨機萬安富雲博遼十三年析瓊山置會口顏羅容瓊三縣而以萬安富雲博遼歸崖州高宗顯慶五年置瓊州之樂會縣龍朔二年以崖之萬安置萬安州領縣四萬安富雲博遼陵水乾封後瓊州沒山峒以臨機歸屬崖州開元元年改崖之臨機爲臨高及省舍城徙萬安州於陵水天寶間改儋振瓊三州爲郡及增置振之落屯肅宗至德二年改萬安州爲萬全郡縣亦曰萬全乾元後省儋之吉安縣增洛陽縣德宗貞元元年復移萬全治於舊地後復名萬安縣亦復曰萬安五年復瓊州置都督府以綏定其人七年省容瓊縣懿宗咸通五年於瓊山南境黎峒置忠州以辛傳李趙四將征黎置兵還遂廢五代南漢分瓊崖儋萬安四州宋太祖開寶四年平南漢五年廢崖州以其地入瓊州領縣六瓊山臨高樂會舍城澄邁文昌而以寧遠地爲崖州乃今崖州領縣二寧遠吉陽儋州領縣三義倫昌化感恩萬安州領縣二萬安陵水太宗太平興國初改儋之義倫縣爲宜倫神宗熙寧間以瓊州爲瓊管安撫司領州之屬縣廢儋崖萬安三州爲軍並領縣以隸瓊管元豐三年分屬廣南西路復儋之昌化縣及萬安之陵水鎮爲縣四年復儋之感恩縣徽宗崇寧五年復置延德縣於珠崖軍黃流白抄側浪之間大觀元年以黎母山蠻峒置鎮州尋陞爲督府賜靖海軍額倚郭置鎮寧縣及改延德縣爲軍又置倚郭縣曰通遠三年割樂會縣隸萬安軍後復屬瓊州政和元年廢鎮州以其地及靖海軍歸瓊州廢延德軍爲感恩縣隸昌化軍通遠縣爲通遠鎮隸珠崖軍六年置延德砦又以通遠鎮爲砦屬廣南西路宣和中改瓊管爲安撫都監高宗紹興初移臨高於莫村六年廢昌化萬安崖州三軍爲縣昌化就宜倫縣萬安爲萬寧縣以軍使兼知縣事珠崖爲寧遠縣及復藤橋鎮爲吉陽與陵水等縣並隸瓊州十三年復萬安後縣亦復名萬安珠崖軍以宜倫縣爲軍使十四年復昌化軍各就以屬縣還隸後改昌化爲南寧軍珠崖爲吉陽軍元世祖至元十五年改爲瓊州路安撫司隸湖廣行中書省十七年又立海北海南道宣慰司於雷領隸之二十八年改爲瓊州路軍民安撫司增瓊州定安會同二縣尋陞定安縣爲南建州

卷之二　一統志與瓊州

夫「一統志」者，簡言之，乃全國地志及人物志之總滙也。就史料價值來說，一統志之纂輯，係以各省通志，暨府、州、廳、縣志為藍本，分門別類，以繫其事。於是，就史料使用析論之，既有原志足以取資，一統志則係僅供參考而已。惟其內容所載較為翔富完備，亦有通志、府志、州縣志所莫及者，誠亦具有參考價值矣。

一統志，屬官修地方總志性質，其纂葺源流，乃淵緣於地理志（書）。肇自元代孛蘭肹修《大元大一統志》，繼有明代李賢奉敕修《大明一統志》，迄清一代，乃衍明志之餘緒，以成《大清一統志》（雍正初修本、乾隆續修本、嘉慶重修本），且體裁周備，而內容翔實富美。

按孛蘭肹奉敕修《大元大一統志》，凡一千三百卷（殘存卷冊稀少，只見殘本三十五卷）。於是「瓊州」卷帙，亦盡佚（尚待查訪）無餘，所繫郡事無從查考，殊深憾惜矣。

從修志源流窺之，各志相承相傳而構成完整性脈絡體系。然《元志》雖殘存無幾，但在文獻整體性來說，乃具有不可泯滅之價值。故乃就《大元大一統志》、《大明一統志》、《大清一統志》（三修本），分別析論於次，以供方家參考。

於各志書所著款目，除首書「目片格式」外，依次：知見書目、敕修始末、修者事略、志書內容、敕修體裁（斷限年次），暨刊版年代。

一、大元大一統志

《大元大一統志》　瓊州（佚　卷次未詳）

元・孛蘭肸　岳　鉉等奉敕修　　清袁氏貞節堂鈔本

㈠、知見書目

錢大昕《元史藝文志》（卷二）：

大元一統志　七百五十五卷　　至元二十八年

集賢大學士札馬剌丁，秘書少監虞應龍等進。

大元一統志　一千卷　　大德七年

集賢大學士孛蘭肸，昭文館大學士秘書監岳　鉉等上。

倪　燦《補遼金元藝文志》：

大元一統志　一千卷

集賢大學士孛蘭肸，昭文館大學士岳　鉉等進。

楊士奇《文淵閣書目》（卷十九）：

舊志：大元一統志　一百八十二冊

又：大元一統志　六百冊

葉　盛《菉竹堂書目》（卷六）：

大元一統志　一百一十二冊

焦　竑《國史經籍志》（卷三）：元一統志　一千卷

黃虞稷《千頃堂書目》（卷八補）：

大元一統志　一千卷　　年　卜等進

國立中央圖書館《善本書目》（頁二五七～二五八）：

大元大一統志　存五卷　二冊

元・孛蘭肸　岳　鉉等修　元至正七年杭州刊本

中國：北平圖書館

大元大一統志　存三十五卷　四冊

元・孛蘭肸、岳　鉉等修　　清袁氏貞節堂鈔本

大元大一統志　存九卷　二冊

元・孛蘭肸、岳　鉉等修

清海虞瞿氏鐵琴銅劍樓烏絲欄精鈔本　北平

張國淦《中國古方志考》（頁一一四～一二一）：

大元大一統志　一千卷　　元佚

元・札馬刺丁、虞應龍等纂

元刻殘本　　傳鈔殘本　　玄覽堂叢書殘本

札馬刺丁，西域人，見元史天文志。

呂名中《南方民族古史書錄》（頁九十七）：

元一統志　　元・孛蘭肸等撰

遼海叢書殘本　玄覽堂叢書殘本

一九六六年　中華書局　趙萬里校輯本

此書始修於元至元年間，由札馬刺丁、虞應龍纂修。其後至大德七年孛蘭肸、岳　鉉等撰成，故諸目錄書題撰人及卷數參差不一。全書告成為六百冊一千三百卷，係歷代地理總志最為宏大者，明清二代一統志皆不及。《文淵閣書目》著錄《大元一統志》有二部，一為一八二冊，一為六〇〇冊，均不載卷數。惟後者冊數與大德七年成書時同，當為足本。惜此後漸

為散佚，今殘存尚不及原書五十分之一。

美國會圖書館《中國善本書錄》（頁三二五）：

大元一統志　殘存八卷　二冊　一函

新鈔本　十行二十字

原題：「奏進集賢大學士資善大夫同知宣徽院事孛蘭肹，昭文館大學士中奉大夫秘書監臣岳鉉等上進。」

按：此本錄自瞿氏鐵琴銅劍樓鈔本，載瞿目卷十一頁五。凡存均州、房州、通安州各一卷，無卷數。又卷五百四十四至五為鄜州二卷，卷五百四十八至五十為葭州三卷，都為八卷，瞿目作七卷，誤。

又卷末有朱筆記云：「辛酉巧月中旬良士代為校訖」，則民國十年(1921)鈔校本也。

國立中央圖書館《臺灣公藏善本書目書名索引》（頁五十六）：　大元大一統志　元・孛蘭肹修

清袁氏貞節堂鈔本　中圖 257　存三十五卷

清海虞瞿氏鐵琴銅劍樓烏絲欄精鈔本

臺灣：國家圖書館 258　存九卷

黃　葦《中國地方志詞典》（頁五十四・著名方志）：

〔大元大一統志〕　元朝官修總志

陳光貽《稀見地方志提要》（卷首・總志）：

大元大一統志　一千三百卷　影抄元刊本

㈡、敕修始末

按《大元大一統志》，乃元代官修總志。緣自元世祖至元二十二年(1285)歲次乙酉開始，迨元成宗大德七年(1303)歲次癸卯成書，於元順帝至正六年(1346)歲次丙戌刊梓印行，其志共修二次。

第一次：係由集賢大學士行秘書監事札馬剌丁，暨秘書少監虞應龍纂修，自元至元二十二年(1285)歲次乙酉始修，於至元二十八年(1291)歲次辛卯書成，名《大一統志》，共七百五十五卷，藏在秘府，此初修之本也。

依據許有壬〈大一統志序〉，摘述其初修本，敕修始末於次，以供方家參考。

首云：「至元二十三年歲次丙戌，江南平而四海一者十年矣。集賢大學士中奉大夫行秘書監事札馬里鼎言，方今尺地一民，盡入版籍，宜爲書以明一統，世皇嘉納。命札馬里鼎洎奉直大夫秘書少監虞應龍等，蒐輯爲志，二十八年辛卯書成，凡七百五十五卷，名《大一統志》，藏之秘府」。是初修本敕纂始末，大略如斯也。

次云：「應龍謂比前代地理書，似爲詳備，然得失是非，安敢自斷，尚欲網羅遺佚，證其異同焉。至正六年，歲又丙戌，十二月二十一日，中書右丞相伯勒齊爾布哈率省臣奏，是書國用尤切，恐久湮失，請刻即以永於世，制可。明年丁亥二月十七日，皇上御興聖便殿，中書平章政事鐵木兒達失傳旨，命臣有任序其前」。此初修本之刊行，其始末大略如斯也。

第二次：係由集賢大學士資善大夫同知宣徽院事孛蘭肸，暨昭文館大學士中奉大夫秘書監岳　鉉等續修。於元成宗大德初年，復因集賢侍制趙忭之請重修，大德七年(1303)歲次癸卯三月書成，名《大元大一統志》，凡一千三百卷，藏於秘府，是重修之本也。

依據錢大昕《潛研堂文集》（卷二十九）〈元大一統志殘本跋〉窺之，元時《大一統志》，凡有兩本。亦就至元本（初修之本），大德本（再修之本）。其原書（初修本）迨元順帝至正六年(1346)丙戌之十二月二十一日，始刊行於杭州。於至正七年(1347)丁亥二月十七日，許有壬受詔製序，惟其文略而不逑大德重修事。似當時所刻行者，乃「至元本」，非「大德本」。按此本序文、目錄皆闕佚，其梓刊年月，卷帙次第，亦無可考矣。

㈢、修者事略

按《大元大一統志》，凡二次敕修（官修），先後費時十八年，參與修志者約五十人。其主修者，分別著逑於次，以供邦人士子參考。

第一次，奉敕主修者；札馬剌丁及虞應龍二人，其里籍、事略如次：

札馬剌丁（又名：札馬里鼎或札馬魯不），西域人。累官集賢大學士中奉大夫行秘書監事，著有《萬年歷》行世。

虞應龍，字柏心，蜀人（今四川省），累官奉直大夫秘書少監。

第二次，奉敕主修者；孛蘭肹及岳　鉉二人，其事略如次：

孛蘭肹（元史以孛蘭肹為卜蘭禧），西域人，累官集賢大學士資善大夫同知宣徽院事。

岳　鉉（又作岳　璘），字周臣，湯陰（今河南省湯陰縣）

人。累官昭文館大學士中奉大夫秘書監，諡文懿。

此外，參與修志者約五十人，其職名姓氏，依據元史《秘書監志》，所列飲食分例名單，自元世祖至元二十三年(1286)丙戌二月，迨元成宗大德五年(1301)辛丑，先後費時十八年，特依奉詔年次分別臚述於次，以供方家參考。①

元世祖至元二十三年(1286)丙戌二月，以編地理書召曲阜教授陳　儼、京兆蕭𣄔、蜀人虞應龍三人。

元世祖至元二十四年(1287)歲次丁亥，有翰林國史院編修官馮肯播。

元世祖至元二十六年(1289)己丑，教諭王　俁、王　益二人。

元世祖至元三十一年(1294)甲午，計有：編寫秀才虞應龍、方　平、宗應星、朱孟犀、管本孫、朱　謙、崔文質、余世昌、汪世榮、高季材十人。編寫于天瑞、趙孟節、周世忠三人。校正劉元晉一人。

元成宗元貞二年(1296)丙申，計有：書寫孔思逮、王　琳、趙由昌、王守貞、馮　貞五人，任中順委編《雲南圖志》。

元成宗大德三年(1299)己亥，書寫董可宗一人。

元成宗大德五年(1301)辛丑，編寫志書人員趙文煥、虞志龍、趙普顏、朱宗周、李　純、高伯椿、李天任、趙素履、歐陽普壽、梁　煥、辛　鈞、耿居仁、王彥恭、孫伯壽、蓋光祖、趙弘毅、牟應復、胡安明、魏　誼、馮　振、王時中，屈楚材、魏晉、杜　敏二十四人，著作郎趙　秋（安南志略）。

①　張國淦《中國古方志考》　頁 119
民國六十三年(1974)　臺北市　鼎文書局

㈣、主要內容

元・孛蘭肹、岳　鉉續修《大元大一統志》，凡一千三百卷。其志之內容，係以路和行省所轄府、州為綱，分建置、沿革、坊郭、鄉鎮、里至、山川、土產、風俗、形勢、古迹、宦績、人物、仙釋等類（目）。內中所引用資料，無論大江南北，大率取材於唐・李吉甫《元和郡縣圖志》、宋・樂　史《太平寰宇記》、王象之《輿地紀勝》，以及宋、元所修其他舊志。

按《大元大一統志》，自明亡佚，各方家久訪未見全帙。於今知見藏板，多係殘卷而已，內之「瓊州」紀事，亦難考其詳，殊深痛惜矣。幸獲有《聖朝混一方輿勝覽》（三卷）見存，此乃敘元代方輿勝迹之書，係用《大元大一統志》疆域為綱。由於《元一統志》久佚，考元朝疆理之制，則此篇足資徵考也。

據《聖朝混一方輿勝覽》（下卷）載云：「**海北海南道宣慰司，海北海南道宣慰廉訪司，合領五路。瓊州安撫司，領一路、三軍，左右兩江溪洞。**」是「瓊州」繫事，亦略可參覽矣。

㈤、敕修體例

按《大元大一統志》之纂修，於各州各縣史迹，乃繼承唐・李吉甫《元和郡縣圖志》，宋・樂　史《太平寰宇記》等諸書之成例。其內容採錄豐富，遠超宋代所有總志。引用資料，網羅詳盡，包括宋元所修地理志書。所記事迹，大都寺觀等古迹，多為他書所未見，而石脂、石油諸條，則增補其沈　括《夢溪筆談》之所缺，具有極高之史料價值矣。

據各家之論評，是志以內容宏富，體例周備而著稱於世，成為一統志之範本。於《元史・地理志》，亦多取材於此。後人對於《大元大一統志》評價極高，諸如：

吳　騫云：「其書於古今建置、沿革及山川、古迹、形勢、人物、風俗、土產之類，網羅極爲詳備。」

永　瑢《四庫全書總目》亦稱：「考輿地之書出自官撰者，自唐《元和郡縣志》、宋《元豐九域志》外，惟元・岳　璘（鉉）等所修《大元大一統志》最稱繁博。」

按《元一統志》，計二修。初修本，凡七百五十五卷，名《大一統志》。重修本，凡一千三百卷，名《大元大一統志》。於今存者，皆係殘本，殊深憾惜矣。

參閱諸家藏書目錄，其書名不一，疑係傳抄或著錄之誤。惟據常熟瞿風起所藏：影抄「元刊」三頁（卷六百三十四・第九頁、卷七百九十・第九頁、卷七百九十一・第一頁），板框書品之大，偉為歷代修一統志之冠。而最珍貴者，係第七百九十一卷（第一頁第一行），題書名為《大元大一統志》。於是元一統志書名，據此可以確定矣。②

㈥、刊版年代

按《大元大一統志》，凡一千三百卷。原書曾於元順帝至正六年(1346)付梓刊行，佚傳於明代。今僅有《玄覽堂叢書續集》所收殘本三十五卷，金毓黻所輯《大元大一統志》殘本十五卷，輯本四卷，趙萬里輯《元一統志》十卷，流傳於世。

②　陳光貽《稀見地方志提要》　上冊：頁 12
一九八七年八月　山東濟南　齊魯書社

元至正七年(1347)杭州刊本

中國：北平圖書館（殘存五卷　二冊）

清袁氏貞節堂鈔本（玄覽堂叢書續集）

臺灣：國家圖書館（殘存三十五卷　四冊）

民國六十八年(1979)　臺北市　正中書局　影印本

（據國家圖書館藏《玄覽堂叢書續集》袁氏貞節堂鈔本）

清海虞瞿氏鐵琴銅劍樓烏絲欄精鈔本

中國：北平圖書館（殘存九卷　二冊）

清金毓黻校《遼海叢書　第十集》　遼海書社　鋁印本

臺灣：國立臺灣師範大學（殘存三十五卷）

民國十年（1921）朱良士校　新鈔本

美國：國會圖書館（殘存八卷　二冊一函）

二、大明一統志

《大明一統志》　瓊州府（卷八十二）

明・李　賢奉敕修　　天順五年(1461)五月序　內府刊本

(28)面　有圖　27 公分　線裝

㈠、知見書目

清・永　瑢《四庫全書總目提要》（史部：地理類一・頁一四六〇）：大明一統志　九十卷　　內府藏本

明吏部尚書兼翰林院學士李　賢等奉敕撰

楊家駱《四庫大辭典》（頁一〇四三）：

明一統志　九十卷　　明・李　賢撰

是書體例，一仍元志之舊，故書名亦沿用之。

天順五年刊大字本　　宏治乙丑慎獨齋刊本

萬壽堂刊本　地理

案：宏治乙丑，係明孝宗弘治十八年(1505)歲次乙丑。

國立中央圖書館《臺灣公藏善本書目書名索引》（頁六二）：　大明一統志　九十卷　　明・李　賢等修

明天順五年內府刊本　中圖 258　七部

明弘治十八年(1505)慎獨齋刊本　中圖 259

明嘉靖三十八年歸仁齋刊本　中圖 259　四部

明萬壽堂刊本　中圖 259　史語所 63　臺大 14

明積秀堂刊本　臺北 8

日本正德三年(1713)弘章堂刊本　中圖 259

王重民《美國國會圖書館藏中國善本書目》（頁三二六）：

大明一統志　九十卷　四十冊　一木匣

明萬壽堂刊本　十行二十二字

明・李　賢等奉敕撰

大明一統志　九十卷　八十冊　八函

明內府刊本　十行二十二字

明・李　賢等奉敕撰

大明一統志　九十卷　五十一冊　六函

明嘉靖間刊本　十行二十二字

明・李　賢等奉敕撰

註：卷首職名後有：「皇明嘉靖己未歸仁齋重刊行」木記，卷末又有「大明嘉靖己未孟秋吉旦書林楊

氏歸仁齋重梓行」牌記。

大明一統志　九十卷　十六冊　四函

明萬曆間印本　十行二十二字

明・李　賢等奉敕撰

國立故宮博物院《善本舊籍總目》（地理類・頁四〇二）：

明一統志　九十卷　　明・李　賢等奉敕撰

清乾隆間寫文淵閣四庫全書本　四十八冊

國立中央圖書館《善本書目》（地理類・頁二五六）：

大明一統志　九十卷　四十冊（四部）

明・李　賢等修　　明天順五年內府刊本

大明一統志　九十卷　五十六冊

明・李　賢等修　　明天順五年內府刊本

大明一統志　存八十七卷　四十冊

明・李　賢等修　　明天順五年內府刊本

缺卷八十八至卷九十，凡三卷

大明一統志　九十卷　三十二冊　明・李　賢等修

明弘治乙丑（十八年）　慎獨書齋刊本

大明一統志　九十卷　十六冊　　明・李　賢等修

明嘉靖己未（三十八年）　歸仁齋刊本

大明一統志　九十卷　二十五冊　明・李　賢等修

明嘉靖己未(1559)　歸仁齋刊本

大明一統志　存八十卷　十八冊　明・李　賢等修

明嘉靖己未（三十八年）　歸仁齋刊本

配補萬壽堂刊本

缺卷四十八至卷五十三、卷五十九至卷六十

二，凡十卷。

大明一統志　九十卷　五十冊

明・李　賢等修　　明萬壽堂刊本

大明一統志　九十卷　三十六冊

明・李　賢等修　　明萬壽堂刊本

大明一統志　九十卷　四十八冊

明・李　賢等修　明萬壽堂刊本清初剜改重印本

大明一統志　九十卷　六十冊

明・李　賢等修　　日本正德三年弘章堂刊本

黃　葦《中國地方志詞典》（著名方志：頁六三）：

大明一統志　九十卷　　李　賢等奉敕撰修

陳光貽《稀見地方志提要》（上冊・卷首：總志・頁一九）：　大明一統志　九十卷　　明・李　賢等纂

明天順五年刊本（上海圖書館藏）

呂名中《南方民族古史書錄》（頁一〇五）：

大明一統志　九十卷　　明・李　賢等撰

嘉靖三十八年(1559)　歸仁齋重刊本　三十冊

明萬壽堂刊本　三十六冊

清印本　二十冊（北京圖書館藏）

日本東京師出林弘章堂本

王會均《海南方志資料綜錄》（總目錄：一統志・頁七）：

大明一統志　瓊州府（卷八十二）

明・李　賢奉敕修

明天順五年(1461)內府刊本

民國五十四年(1965)　臺北永和　文海出版社

影印本（據國立中央圖書館藏天順五年內府刊本）　精十冊

明弘治十八年(1505)慎獨齋刊本

明嘉靖三十八年(1559)歸仁齋刊本

明萬壽堂刊本

明萬壽堂刊清剜改重印本

明積秀堂刊本

日本正德三年(1713)弘章堂刊本

㈡、敕修始末

本《大明一統志》，乃明代官修地方總志也。係明英宗（重祚）命資政大夫吏部尚書兼翰林院學士李　賢等人敕修，於天順二年(1458)始修，累時三載，迨天順五年(1461)四月書成，凡九〇卷，謹用繕寫裝潢進呈。

明太祖洪武三年(1370)庚戌，始命魏　俊等六人，編類天下郡縣地理形勢為《大明志》，惟其書久已佚傳。後明成祖採郡縣圖經，命儒臣纂輯亦未成而中輟。迨明英宗（重祚）復辟後，乃命李　賢等人重修，於明天順五年(1461)四月，書成奏請，賜名《大明一統志》，鋟版頒行。③

依據明英宗（重祚）天順五年（辛巳）五月十六日〈御製大明一統志序〉，摘述其修志始末於次，以供方家研究參考。

首云：「朕惟我　太祖高皇帝，受天明命混一天下，薄海內外悉入版圖，蓋自唐虞三代，下及漢唐以來，一統之盛蔑以加

③　陳光貽《稀見地方志提要》　上冊：頁19

矣。顧惟覆載之內，古今已然之跡，精粗巨細皆所當知，雖歷代地志具存可考，然其間簡或脫、略詳或冗複，甚至得此失彼，舛訛殺雜，往往不能無遺憾也。」

次云：「肆我　太宗文皇帝，慨然有志於是，遂遣使徧采天下郡邑圖籍，特命儒臣大加修纂，必欲成書貽謀子孫，以嘉惠天下後世，惜乎書未就緒，而龍馭上賓。」

復云：「朕念　祖宗之志，有未成者，謹當繼述，乃命文學之臣重加編輯，俾繁簡適宜，去取惟當，務臻精要，用底全書，庶可繼成　文祖之志，用昭我朝一統之盛，而泛求約取，參極群書，三閱寒暑，乃克成編，名曰大明一統志，著其實也。」

末言：「朕於萬幾之暇，試覽閱之，則海宇之廣，古今之跡，了然盡在胸中矣。既藏之秘府，復命工鋟梓以傳，嗚呼！是書之傳也。…」末署「天順五年五月十六日」

㈢、修者事略

奉敕修《大明一統志》官員職名，共五十七員。茲分別著述於次，以供方家研究參考。

總　裁：計三人，就其事略，分著於次，以供查考

李　賢(1408~1466)氏，資政大夫吏部尚書兼翰林院學士，字原德，河南南陽府鄧州（今鄧縣）人。生於明成祖永樂六年（戊子），卒於明憲宗成化二年（丙戌），享年五十九歲。

明宣宗宣德八年(1433)癸丑科進士（曹　鼐榜第二甲），在景帝景泰初年，由文選郎中超拜吏部侍郎。英宗復位，命兼翰林學士，入直文淵閣，尋進尚書。憲宗即位，進少保，華蓋殿大學士，卒諡文達。

明英宗（重祚）天順二年（戊寅），奉勅與彭　時等纂修《明一統志》，著有：《古穰集》、《古穰雜錄》、《天順日錄》，流傳於世。

張廷玉《明史》（卷一百五十六、卷一百七十六）、孫　灝《河南通志》（卷之五十九：人物三・南陽府）、姚子琅《鄧州志》（卷之十五：人物）、楊家駱《四庫大辭典》（頁七一八）、臧勵龢《中國人名大辭典》（頁四四五）、姜亮夫《歷代人物年里碑傳綜表》（頁四一九）、黃　葦《中國地方志詞典》（頁二四八：修志名家與方志學家），載有事略。

彭　時(1416~1475)氏，中憲大夫太常寺卿兼翰林院學士，字純道、又字：宏道，安福（今江西省安福縣）人。生於明成祖永樂十四年（丙申），卒於明憲宗成化十一年（乙未），享年六十歲。（姜亮夫《歷代人物年里碑傳綜表》頁四二一）

明英宗正統十三年(1448)戊辰科進士（第一甲榜首），授編撰。明憲宗時，累官吏部尚書，文淵閣大學士，進少保。立朝三十年，持正存大體，有古大臣風，卒諡文憲。

明英宗（重祚）天順二年（戊寅），奉勅與李　賢等纂修《大明一統志》，著有：《可齋雜記》、《彭文憲集》二書，廣傳於世。

張廷玉《明史》（卷一百七十六）、王鴻緒《明史稿》（卷一百五十九）、焦竑《國朝獻徵錄》（卷十三）、《明外史》（彭　時傳）、陳　田《明詩紀事》（卷十八）、趙之謙《江西通志》（卷一四八：列傳・吉安府）、定　祥《光緒　吉安府志》（卷二十六：人物志・大臣）、楊家駱《四庫大辭典》（頁七五〇）、臧勵龢《中國人名大辭典》（頁一一五二），皆載有事略。

呂　原(1418~1462)氏，翰林院學士奉政大夫，字逢源，浙江秀水人。生於明成祖永樂十六年（戊戌），卒於明英宗天順六年（壬午），享年四十五歲。

明英宗正統七年(1442)壬戌科進士（第一甲第二名），授編修，歷左春坊大學士。於英宗（重祚）天順初年入內閣，守正持重，庶政稱理。進翰林學士，遭母喪，歸葬。以毀卒，諡文懿。有《文懿公集》，傳世。

張廷玉《明史》（卷一百七十六）、沈翼機《浙江通志》（卷一五八：人物一・名臣一）、李　培《秀水縣志》（卷六：人物志・名臣）、臧勵龢《中國人名大辭典》（頁三三九）、姜亮夫《歷代人物年里碑傳綜表》（頁四二一），載有事略。

副總裁：亦有三人，就其事略，著述於次，以供查考。

林　文(1390~1476)氏，翰林院學士奉政大夫，字恆簡，號澹軒。福建莆田人。生於明太祖洪武二十三年（庚午），卒於明憲宗成化十二年（丙申），壽年八十七歲，諡襄敏。

明宣宗宣德五年(1430)庚戌科進士（第一甲第三名），授翰林編修，累官太常寺少卿，兼翰林侍讀學士，再乞致仕歸。

明正統初年，與修宣朝實錄。其詩文體格溫淳，自成一家，縉紳推為醇儒。並善屬文、工書，題張氏手澤記，辭翰皆質勝。著有《澹軒稿》，傳世。

張廷玉《明史》（卷一百七十六：列卿紀）、《國（明）朝名賢遺墨跋》、陳壽祺《福建通志》（卷一九九：明人物・列傳）、廖必琦《莆田縣志》（卷一七：人物志・名臣傳）、楊家駱《四庫大辭典》（頁八五四）、臧勵龢《中國人名大辭典》

（頁五八二）、文史哲出版社《中國美術家人名辭典》（頁五二四），載有事略。

劉定之(1409~1469)氏，翰林院學士奉政大夫，字主靜，號呆齋，江西（吉安府）永新人。生於明成祖永樂七年（己丑），卒於明憲宗成化五年（己丑），享年六十一歲。

明英宗正統元年(1436)丙辰科進士（第一甲第三名），授編修。於憲宗時，歷官至禮部左侍郎，多所建白，卒諡文安。

劉定之，謙恭質直，擅文學，以敏博稱。所著有《易經圖釋》、《宋論》、《杏泰錄》、《呆齋集》、《文安策略》諸書，行世。

張廷玉《明史》（卷一百七十六：列卿紀）、《明外史》、趙之謙《江西通志》（卷一四八：列傳・吉安府）、定　祥《光緒　吉安府志》（卷二十六：人物志・大臣）、李　煒《永新縣志》（卷十六：人物志・列傳）、楊家駱《四庫大辭典》（頁一〇七三）、臧勵龢《中國人名大辭典》（頁一四四八）、姜亮夫《歷代人物年里碑傳綜表》（頁四一九），載有事略。

錢　溥(1408~1488)氏，翰林院侍讀學士奉直大夫，字原溥，號九峰，又號：瀛州遺叟，直隸華亭（今上海市松江縣）人。生於明成祖永樂六年（戊子），卒於明孝宗弘治元年（戊申），年八十一歲。（國立中央圖書館《明人傳記資料索引》頁八七九）

明英宗正統四年(1439)己未科進士（第二甲第二名），試薔薇露詩，稱旨，授檢討。於憲宗成化中，官至南京吏部尚書，致仕卒，諡文通。

錢　溥，擅書，小楷行、草俱工，蓋宋仲溫（克）派也。硜硜負峭骨，所乏者姿耳。著有《使交錄》、《秘閣書目》二書，傳世。

張廷玉《明史》（卷一百七十六；列卿紀）、《三吳楷法跋》、陶宗儀《書史會要》、尹繼善《江南通志》（卷一六六：人物志・文苑）、王顯曾《乾隆　華亭縣志》（卷十二：人物志・名臣傳）、楊家駱《四庫大辭典》（頁一二〇七）、臧勵龢《中國人名大辭典》（頁一六一八）、文史哲出版社《中國美術家人名辭典》（頁一四三三），載有事略。

纂　修：計有二十一人，就其里籍、事略，分別著述於次，以供方家參考。

萬　安，翰林院侍講承德郎，字循吉，四川省眉州（今眉山縣）人，明英宗正統十三年(1448)戊辰科進士（二甲、第一名）。

李　泰，翰林院侍講承德郎，字文通，順天府香河（今河北省香河縣）人，明英宗正統十三年(1448)戊辰科進士（二甲、四十五名）。

孫　賢，承德郎左春坊左中允，字舜卿，河南杞縣人，明景帝景泰五年(1454)甲戌科進士（一甲、第一名）。

劉　珝，承德郎右春坊右中允，字叔溫，山東壽光人，明英宗正統十三年(1448)戊辰科進士（三甲、三十三名）。

陳　鑑，翰林院修撰儒林郎，字貞明，江西高安人，明英宗正統十三年(1448)戊辰科進士（一甲，第二名）。

劉　吉，翰林院修撰儒林郎，直隸博野人，明英宗正統十三年(1448)戊辰科進士（二甲、二十四名）。

童　緣，翰林院修撰儒林郎，浙江錢塘人，明景帝景泰二年(1451)辛未科進士（二甲、七十二名）。

黎　淳，翰林院修撰儒林郎，字太樸，湖廣華容（今湖南省華容縣）人，明英宗（重祚）天順元年(1457)丁丑科進士（一甲、第一名）。

牛　綸，儒林郎左春坊左贊善，順天府涿州（今河北涿縣）人，明景帝景泰五年(1454)甲戌科進士（二甲、五十二名）。

王　僎，翰林院編修文林郎，字廷貴，直隸武進（今江蘇省武進縣）人，明景帝景泰二年(1451)辛未科進士（一甲、第三名）。

戚　瀾，翰林院編修文林郎，浙江餘姚人，明景帝景泰二年(1451)辛未科進士（二甲、第三名）。

徐　溥，翰林院編修兼司經局校書文林郎，字時用，直隸宜興（今江蘇省宜興縣）人，明景帝景泰五年(1454)甲戌科進士（一甲、第二名）。

李　本，翰林院編修文林郎，四川富順人，明英宗正統十三年(1448)戊辰科進士（三甲、二十四名）。

丘　濬，翰林院編修文林郎，字仲深，廣東瓊山（今海南瓊山縣）人，明景帝景泰五年(1454)甲戌科進士（二甲、第一名）。

彭　華，翰林院編修文林郎，字彥實，江西安福人，明景帝景泰五年(1454)甲戌科進士（二甲、二十一名）。

尹　直，翰林院編修文林郎，字正言，江西泰和人，明景帝景泰五年(1454)甲戌科進士（二甲、九十四名）。

徐　瓊，翰林院編修文林郎，字時庸，江西金谿人，明英宗（重祚）天順元年(1457)丁丑科進士（一甲、第二名）。

陳秉中，翰林院編修文林郎，浙江烏程人，明英宗（重祚）天順元年(1457)丁丑科進士（一甲、第三名）。

楊守陳，翰林院編修文林郎，字維新，浙江鄞縣人，明景帝景泰二年(1451)辛未科進士（二甲、五十四名）。

邢　讓，翰林院檢討徵仕郎，字遜之，山西襄陵人，明英宗正統十三年(1448)戊辰科進士（三甲、第八名）。

張　業，翰林院檢討徵仕郎，江西安福人，明景帝景泰二年(1451)辛未科進士（三甲、第八名）。

催　纂：計二人，分述於次，以供方家查考。

馬　麟，從仕郎中書舍人。

韓　定，徵仕郎中書舍人。

謄　錄：計二十八人，列著於次，以供查考。

夏　衡，通議大夫太常寺卿。

余　謙，中憲大夫順天府府丞。

王叔安，奉政大夫禮部郎中。

陳　綱，奉直大夫禮部員外郎。

淩耀宗，奉直大夫禮部員外郎。

林　章，奉直大夫禮部員外郎。

葉　玟，奉訓大夫禮部員外郎。

何　暹，奉訓大夫禮部員外郎。

謝　宇，徵仕郎中書舍人。

曹　冕，徵仕郎中書舍人。

溫　良，徵仕郎中書舍人。

劉　洪，從仕郎中書舍人。

黃　清，從仕郎中書舍人。

焦　瑀，從仕郎中書舍人。

淩　暉，從仕郎中書舍人。

王　暕，從仕郎中書舍人。

李　惠，登仕佐郎鴻臚寺序班。

陳　福，登仕佐郎鴻臚寺序班。

蔚　瑄，登仕佐郎鴻臚寺序班。

周　璟，登仕佐郎鴻臚寺序班。

吳　震，登仕佐郎鴻臚寺序班。

陳　經，登仕佐郎鴻臚寺序班。

王　禮，登仕佐郎鴻臚寺序班。

門　升，將仕佐郎鴻臚寺序班。

劉　詢，將仕佐郎鴻臚寺序班。

梁　俊，將仕佐郎鴻臚寺序班。

毛　顯，將仕佐郎鴻臚寺序班。

姜立綱，翰林院秀才。

㈣、主要內容

李　賢奉敕修《大明一統志》，其篇目，首列京師、南京、中都三京，暨山西、山東、河南、陝西、浙江、江西、湖廣、四川、福建、廣東、廣西、雲南、貴州十三布政司，末迄外夷。此本內述及嘉靖、隆慶時建置，蓋後人已有所續入，而不盡為天順之舊也。

本《大明一統志》凡九十卷，其中卷八十二之內容，包括：廉州、雷州、瓊州三府（隸廣東布政司）。於瓊州府（東至海岸四百九十里、西至海岸四百一十里、南至海岸一千一百三十里、北至海岸一十里。自府治至南京六千四十五里、至京師九千四百九十里）之繫事（朝代紀年），計分二十目，依次：建置沿革、郡名、形勝、風俗、山川、土產、公署、學校、書院、宮室、關梁、寺觀、祠廟、陵墓、古蹟、名宦、流寓、人物、列女、仙釋等目。

㈤、敕修體例

按《大明一統志》，是志之義例，仍沿襲《大元大一統志》，以天順時兩京、十三布政司分區，每府、州、縣分建置沿革、郡名、形勝、風俗，以及古蹟、人物等十數目，而殿以「外夷」各國。

是志取材簡略，卷帙不及《元志》三分之一。且係出眾手所裁，書中引用古事，錯訛牴牾，疏謬尤甚，極為顧炎武《日知錄》所譏。然亦保存其不少明代資料，對當時各地方志修葺與發展，具有一定推動作用矣。

永　瑢《四庫全書》雖採入是志，惟〈提要〉云：「**此書之舛略，本無可采，特是職方圖籍，爲國之常經。歷朝俱有成編，不容至明而獨缺，故仍錄存，以備一代之掌故焉。**」

依《大明一統志》（卷八十二）內容，於瓊州府分目析觀，是志敕修義例，係採「門目體」，亦就「按事分目法」。然所繫瓊州府事，以建置沿革、山川、宮室三目最詳，其紀事斷限年代，列著於次，以供參考。

人物：本朝（明）唐　舟，永樂甲申進士，初授江西新建知縣，未三年陞按察司僉事。王克義，永樂丙戌進士，授崇仁知縣。大臣薦才，有博學宏詞等語。

名宦：本朝（明）徐　鑑，永樂中知瓊州府，在任廉靜寡欲，孜孜愛民，有古循吏風，惠政興行，一郡治安。

案：明成祖（朱棣）在位二十二年，自永樂元年(1403)歲次癸未，迨永樂二十二年(1424)歲次甲辰。

綜考上著紀事斷限年次，其永樂甲申（二年）係西元一四〇四年，永樂丙戌（四年）為西元一四〇六年。永樂中，當在西元一四〇三年至一四二四年間。特諸證於茲，以供方家查考。

㈥、刊版年代

按《大明一統志》，係明英宗（重祚）命李　賢等人敕修，始於天順二年(1458)，書成於天順五年(1461)奏進。於今國內外知見藏板，依其刊版年代，分著於次，以供查索。

明天順五年(1461)內府刊本　中圖　258　北平

民國五十四年(1965)　臺北永和　文海出版社　影印本

（據國立中央圖書館藏，天順五年內府刊本）　精十冊

臺灣：國立臺灣圖書館　666/4077　V•10

明弘治十八年(1505)慎獨齋刊本　臺灣：國家圖書館 259

明嘉靖三十八年(1559)歸仁齋刊本　臺灣：國家圖書館 259

明萬壽堂刊本　中圖　259　臺大　14　史語所

明萬壽堂刊清初剜改重印本

明積秀堂刊本　臺灣：國立臺灣圖書館　480/18（和）

日本正德三年(1713)弘章堂刊本　臺灣：國家圖書館 259

綜觀於上二志，除孛蘭肹奉敕修《大元大一統志》（凡一千三百卷中，於殘存三十五卷，〈瓊州府〉卷帙盡佚，殊為憾惜）外，於李　賢奉敕修《大明一統志》（凡九十卷，其中卷八十二內），所繫〈瓊州府〉事，內容簡明，門目略備，對海南地方志之影響，至深且鉅矣。

就修志淵源言之，蓋《大元大一統志》，淵承唐、宋兩代總志成例。而《大明一統志》，乃依《大元大一統志》之舊例。其《大清一統志》，則衍《大明一統志》之餘緒以成書。於是顯見，各志互淵相承，俾構成完整性脈胳體系也。

就史料內容言之，各一統志屬官修性質，實具其特殊的歷史背景，並反映出當代社會實況。於《大明一統志》，乃沿《大元大一統志》之舊，以京師、南京及各布政司所統之府為分卷標準，每府之分目，亦略如元一統志，計增：郡名、公署、學校、書院、宮室、關梁、寺觀、陵墓、祠廟等目，但無坊郭、鄉鎮及里至，蓋有所分合省併，而小有異同者也。其門目雖較〈元志〉為備，然內容遠不及〈元志〉富美（顧炎武《日知錄》，頗譏其編次之疏舛）。④

就文獻價值言之，於元、明二志在史學（方志）上，實具有極高的史料價值。尤於《大元大一統志》，雖殘存三十五卷，〈瓊州府〉卷冊盡佚，誠屬憾惜矣。惟其內容宏富，體例周備，著名於世，而成為「一統志」範本。而《大明一統志》，其取材簡略，卷帙莫及「元志」三分之一，且出眾手所裁，書中引用古事，舛訛疏謬頗多，極為顧炎武《日知錄》所譏。惟亦保存不少明代史料，尤以卷八十二內中〈瓊州府〉事，其史料齊實，內容亦豐，門目完備，實係研究明代海南方隅史，必需具備的珍貴史料。

④　高志彬《臺灣方志解題》㈠　頁 9
　　載於臺灣文獻書目解題（第一種　方志類㈠）
　　民國七十六年(1987)十一月　臺北市　國立中央圖書館臺灣分館

【郡名】珠崖漢名瓊山唐名瓊筦同上

【形勝】海中洲居廣袤千里漢書賈捐之傳郡在大海之中漢紀應劭註郡在大海之中崖岸之邊出真珠故曰珠崖珠崖如囷廩大唐元和志珠崖如囷廩大與徐聞對渡北風舉帆一日夕可至南望連山若有若無宋蘇軾伏波廟記四郡一島瓊管志四郡各占島之一隅蘇軾詩四州環一島如度月半弓潮候不同同上江浙欽廉之潮皆有定候瓊海之潮半月東流半月西流潮之大小隨長短星不係月之盛衰中盤黎峒同上瓊郡周圍二千餘里中盤黎峒有黎母山諸蠻環居號黎人去省地遠不供賦役者號生黎耕作省地者號熟黎黎人之外州縣始是前瞰清河後連碧海郡志多高山大林王士熈崖州江亭記

【風俗】以檳榔為命以諸葉為糧瓊管志醞酒不用麴蘗寰宇記有木曰嚴樹擣其皮葉浸以清水以粳釀和之或取石榴花葉和釀醞之數日成酒能醉人衣冠禮樂

李賢《大明一統志》書影

明天順五年內府刊本

（臺灣國家圖書館藏板）

三、大清一統志

夫《大清一統志》者，乃清代官修地方總志也。清一代，先後計修三次，茲分別著述於次，以供研究參考。

第一次：自清聖祖（玄燁）康熙二十五年(1686)歲次丙寅，奉敕纂修，清高宗乾隆八年(1743)癸亥書成，共三百四十二卷。於清乾隆九年(1744)甲子，武英殿刻本（初修本）。

第二次：自清高宗（弘曆）乾隆二十九年(1764)歲次甲申，奉敕續修，迨清高宗乾隆四十九年(1784)甲辰完成，共五百卷。於清乾隆五十四年(1789)己酉，四庫寫本（續修本）。

第三次：自清仁宗（顒琰）嘉慶十六年(1811)歲次辛未，奉敕重修，迄清宣宗道光二十二年(1842)壬寅結束，進呈寫本（重修本），共五百六十卷。

按《大清一統志》，於初修、續修、重修三本，皆有〈瓊州府〉繫事，而初修本列於卷二八六（一卷）、續修本列於卷三五〇（一卷）、重修本列於卷四五二及四五三（二卷）。就其文獻資料，分別著論於次，敬祈方家教正。

雍正初修本

《雍正　大清一統志》　瓊州府（卷二八六）

清・蔣廷錫等奉敕纂修　　乾隆九年(1744)　武英殿刻本

(45)頁（雙面）　有表　25.5 公分　線裝

㈠、知見書目

國立中央圖書館《善本書目》（頁四二）：

大清一統志　三百五十六卷　　清・蔣廷錫奉敕編

清乾隆九年殿刊本　　史語所 424　　故宮 71

王重民《美國國會圖書館藏中國善本書目》（頁三三七）：

大清一統志　殘　不分卷　八冊　一函

鈔本　十行二十字

不著撰人，僅存江南五冊、四川三冊，前後不相銜接，卷內記事至雍正十一年，文字與乾隆八年本不盡同。

案：何紹基〈恭擬增修一統志御敘〉云：「聖祖仁皇帝始命纂修《一統志》，世宗憲皇帝重加編纂，至高宗純皇帝御極之八年始成」，然則此即雍正重編本矣。

國立故宮博物院《善本舊籍總目》（史部：地理類・頁四〇二）：　大清一統志　三百五十六卷

清・陳悳華等奉敕撰

清乾隆九年武英殿刊本　一百〇八冊

陳光貽《稀見地方志提要》（上冊：卷首・總志・頁四十一）：　大清一統志　三百五十六卷　　清・陳德華等纂

清道光二十九年陽湖薛子瑜據乾隆九年刊本、活字排印本（上海圖書館藏）

案：大清一統志（初修本），於清乾隆五年(1740)十一月完稿，凡三百五十六卷。乾隆八年(1743)陳悳華等上表進呈，九年(1744)刊行。陳光貽著此志：清

・陳德華等纂，亦就陳悳華也。

王會均《海南方志資料綜錄》（總目錄：一統志・頁八）：

〔雍正〕初修大清一統志　瓊州府（卷二八六）

清・蔣廷錫等奉敕纂修

清乾隆九年(1744)武英殿刻本（一〇八冊）

臺灣：國立故宮博物院（原係清景陽宮舊藏）

清道光二十九年(1849)陽湖薛子瑜活字排印本（未見藏版）

清光緒年間杭州竹簡齋石印本（未見藏版）

㈡、敕修始末

按《雍正　大清一統志》初修本，緣自清康熙十一年(1672)壬子，禮部議復保和殿大學士衛周祚疏云：「各省通志宜修，請敕下直隸各省督撫，纂輯成書，總發翰林院，彙爲大清一統志。」是乃清廷議修〈一統志〉之始。聖祖（玄燁）時命直省各督撫，聘集宿儒名賢，接古續今，纂輯通志，以備〈一統志〉纂修之採葺。於康熙二十二年(1683)癸亥歲春，禮部奉旨檄催天下，各直省通志限定三月成書。同時又詔天下郡縣，各進其志書。一時直省暨府州廳縣，紛紛纂輯志書，寫以呈部。迨康熙二十五年(1686)丙寅三月，聖祖（仁皇帝）正式敕令纂修〈一統志〉。惜因卷帙浩繁，終康熙朝，猶未能成書，殊以為憾矣。

清雍正三年(1725)歲次乙巳，世宗（胤禛）命翰林院重纂〈一統志〉。雍正六年(1728)戊申歲十一月，〈一統志〉總裁官大學士蔣廷錫以各省志書，於清代名宦人物，既多缺略，即須采錄，又莫無冒濫。因奏請：「諭各該督撫，將本省名宦、鄉賢、孝

子、節婦，一應事實，詳細查核，無闕無濫，於一年内，保送到館，以便細加核實，詳慎增載。」

世宗（憲皇帝）因命直省督撫，將本省通志重加修輯。其後畿輔、廣東、福建、貴州等十六省，皆曾重輯通志（永瑢《四庫全書總目》著錄）。

由於〈一統志〉之纂輯，亦次第告竣，係清高宗（弘曆）乾隆五年(1740)庚申歲十一月，全稿完成，凡三五六卷。於乾隆八年(1743)歲次癸亥，由總裁陳悳華等上表進呈，次年(1744)甲子刊行。是乃《大清一統志》之初修本，其敕修始末，大略如斯矣。⑤

㈢、修者事略

按《大清一統志》初修本，自清康熙二十五年（丙寅）奉敕纂修，中經清世宗（憲皇帝）雍正朝，迨清乾隆五年（庚申）初稿始成，前後費時幾達六十年之久。

清高宗乾隆八年（癸亥）十一月二十八日，奉旨開載纂修諸臣職名，計監理一人、總裁九人、纂修一百一十三人（係翰林院編修）。所列職名皆雍正、乾隆二朝在館者，於康熙朝預修者不與焉。就其事略，分著於次，以供查考。

監理：弘晝(1711~1770)，姓愛新覺羅氏，室名：稽古齋，滿洲人。生於清聖祖康熙五十年（辛卯）十一月二十七日，於清高宗乾隆三十五年（庚寅）七月薨，享年六十歲，謚曰：恭。

和碩和親王（亦稱：和恭親王）弘晝，世宗（胤禛）第五

⑤ 《大清世宗憲（雍正）皇帝實錄》㈡ 卷七十五：頁23
民國五十七年(1968)九月 臺北市 華文書局（影印本）

子，清雍正十一年(1733)封和親王。於十三年(1735)設辦理苗疆事務處，命高宗（弘曆）與弘晝領其事。清高宗乾隆間，預議政，弘晝少驕抗，上每優容之，嘗監試八旗子弟於正大光明殿。其性復奢侈，世宗雍邸舊貲，上悉賜之，故富於他王。好言喪禮，嘗手訂喪儀，坐庭際，使家人祭奠哀泣，岸然飲啖以為樂。

《清史稿校註》（冊十・卷二二七・列傳七：頁七八四四），載有事略。

總　裁：計九人，其里籍、事略，分著於次，以供參考。

蔣廷錫(1669~1732)，字南沙、號揚孫，常熟（江蘇省）縣人。生於清聖祖康熙八年（己酉），卒於清世宗雍正十年（壬子），享年六十四歲（桐陰論畫小傳）。⑥

蔣廷錫（陳錫弟），清康熙舉人，賜進士，官至文華殿大學士，秉公執政，嚴剔弊端，吏無由為奸，參贊機務，縝密周詳，人不能探其崖略。少工詩，善畫花卉，多用逸筆寫生，點綴坡石，無不超絕，卒諡文肅。著有《尚書地理今釋》、《青桐軒》、《秋風》、《片雲》諸集。

《清史稿列傳》（七十六）、《清史列傳》（卷十一）、《國朝先正事略》（卷十三）、《國朝詩人徵略》（卷十九）、《清代學者象傳》（第二冊），皆載有事略。⑦

⑥　姜亮夫《歷代人物年里碑傳綜表》　頁 562
　　民國七十四年(1985)二月　臺北市　文史哲出版社

⑦　楊家駱《四庫大辭典》　頁 786
　　民國五十六年(1967)四月　臺北市　中國辭典館復館籌備處
　　臧勵龢《中國人名大辭典》　頁 1537
　　民國六十一年(1972)四月（臺五版）　臺北市　臺灣商務印書館

蔣廷錫，伊（御史）子。清聖祖康熙四十二年(1703)癸未科進士（二甲），官至大學士。工書、善畫。未第時，與馬元馭、顧雪坡遊，以逸筆寫生，風神生動，意度堂皇，點綴坡石水口，無不超逸。間作水墨折枝窠石，以及蘭竹小品，極有韻致。又能一幅中工率間出，色墨並施，而神韻生動。通籍後，矜重不苟作。嘗畫塞外花卉七十種，為官禁所寶。流傳真蹟絕少，間有之，多為馬元馭、馬逸父子代筆。著青桐軒、秋風、片雲諸集。卒年六十四，諡文肅。

《蘇州府誌》、《海虞詩苑》、《海虞畫苑略》、《國（清）朝畫徵錄》、《清畫家詩史》，有傳。⑧

案：蔣廷錫，字揚孫、酉君，號西谷、南沙、南河，室名：青桐軒、青桐閣，世稱：青桐居士。

吳士玉，字荊山，號映劍，室名：蘭藻堂，江南（江蘇省）吳縣人。為諸生時，即以文名天下。清聖祖康熙四十五年(1706)丙戌科進士（二甲二名）及第，累官禮部尚書。好扶植人倫，與徐乾學、韓　菼，均以宏獎為己任，卒諡文恪，著有《映劍集》。⑨

尹繼善《乾隆　江南通志》（卷一六五・人物志：文苑）、李銘皖《光緒　蘇州府志》（卷八十二・人物九）、吳秀之《民國　吳縣志》（卷六十六下・列傳四），載有傳略。

任蘭枝(1677~1746)，字香谷，一字隨齋，號見南，室名：南樓，江南（江蘇省）溧陽縣人。生於清聖祖康熙十六年（丁

⑧　文史哲出版社《中國美術家人名辭典》　頁 1359
民國七十六年(1987)五月　臺北市　文史哲出版社

⑨　臧勵龢《中國人名大辭典》　頁 306

巳），卒於清高宗乾隆十一年（丙寅），享壽七十歲（碑傳集：卷二十五）。⑩

清康熙五十二年(1713)癸巳恩科進士（一甲二名），授編修。於世宗雍正年間，累擢內閣學士兼禮部侍郎，宣諭安南。清高宗乾隆間，授禮部尚書。蘭枝自登六卿，在禮部且十年，凡吉凶賓嘉之事，皆所總治。少喜為詩，工古文辭，著有：《南樓文集》、《詩集》。⑪

《清史列傳》（卷十九：大臣畫一傳檔正編十六）、李景峰《嘉慶　溧陽縣志》（卷十一：人物志・宦績），刊有傳略。

陳悳華（亦作德華），字雲倬，號錦堂、月溪，室名：葵錦堂，直隸安州（河北省安新縣）人。清世宗雍正二年(1724)甲辰科進士（一甲一名，俗稱：狀元），授編修。遷侍讀學士，提督廣東肇高學政，旋調廣韶學，遭母喪歸。未終制，召充一統志館副總裁官，纂成此志（清高宗乾隆八年進呈）。

陳德華後累遷官至兵部尚書，因弟德正為陝西按察使，讞獄施用酷刑論罪。以德華既知弟事非，是當奏聞，乃為隱匿，非大臣體，降為侍郎。又以議處江西總兵高琦違例奪職。後復起為左副都御史，上書房行走，以督諸皇子課。清高宗乾隆二十三年(1758)擢禮部尚書，於二十九年(1764)致仕，卒年八十三歲。⑫

> 案：楊廷福、楊同甫編《清人室名別稱字號索引》（下冊・頁一四三九）、陳光貽《稀見地方志提要》（上冊・頁四一），作陳德華。

⑩ 姜亮夫《歷代人物年里碑傳綜表》　頁 567

⑪ 臧勵龢《中國人名大辭典》　頁 227

⑫ 陳光貽《稀見地方志提要》　上冊：頁 41~42

《清史列傳》（卷十七:大臣畫一傳檔正編十四），載有傳略。

阿克敦(1685~1756)，滿洲人。生於清聖祖康熙二十四年（乙丑），卒於清高宗乾隆二十一年（丙子），享壽七十二歲（參見《阿文勤公（阿克敦）年譜》，不著撰人）。⑬

阿克敦，姓章嘉氏，字沖和，一字立恒，別稱恒巖，室名：德蔭堂，滿洲正白旗人。清聖祖康熙四十八年(1709)己丑科進士（二甲八名，作滿洲正藍旗人），清高宗乾隆間官至太子太保，協辦大學士。與年羹堯同舉進士，羹堯欲援為助，謝不往。厄魯特強盛時，久為邊患，奉使直入其部落，反覆詰難，息兵定議，功最鉅。卒諡文勤，著有《德蔭堂集》。⑭

《清史列傳》（卷十六：大臣畫一傳檔正編十三）、《滿名臣傳》（卷三十五），載有傳略。

鄧鍾岳，字東長，號悔廬，室名：寒香閣，山東聊城人。清聖祖康熙六十年(1721)辛丑科進士（一甲一名，俗稱：榜首，亦就狀元，作山東東昌衛人），官至禮部左侍郎，著有《知非錄》、《寒香閣詩集》。⑮

王國棟，奉天府（遼寧省）鑲紅旗（漢軍）人。清聖祖康熙五十二年(1713)癸巳恩科進士（三甲一〇七名）。授庶吉士，充會試同考官，任河南學政，遷光祿寺卿，擢湖南巡撫、江蘇巡撫、浙江巡撫，累官至刑部右侍郎。《滿名臣傳》（卷三十一），載有傳略。

⑬　姜亮夫《歷代人物年里碑傳綜表》　頁 573

⑭　臧勵龢《中國人名大辭典》　頁 617

⑮　臧勵龢《中國人名大辭典》　頁 1553

德　齡，姓鈕祜祿氏，滿洲鑲黃旗人。清聖祖康熙五十四年(1715)乙未科進士（三甲一七名），累官湖北巡撫。清世宗雍正中，赴西寧總理青海番人事務。於清高宗乾隆間，官至盛京禮部侍郎。⑯《滿名臣傳》（卷四十三），載有傳略。

方　苞(1668~1749)，字靈皋，桐城（安徽省）人。生於清聖祖康熙七年（戊申），卒於清高宗乾隆十四年（己巳），享壽八十二歲（學者稱：望溪先生，碑傳集卷二十五、鮚琦亭集）。⑰

案：方苞，桐城人（寄籍上元），字鳳九，號望溪、靈皋，室名：抗希堂，世稱：望溪先生。

方苞（方舟弟），康熙進士，累官禮部侍郎，以事落職者再。論學以宋儒為宗，其說經皆推衍程朱之學，尤致力於春秋三禮。文學韓歐，嚴於義法，非闡道翼教，有關人心風化者不苟作，為桐城派之初祖。所著有《周官辨》、《周官集註》、《周官析疑》、《春秋通論》、《春秋直解》、《禮記析疑》、《喪禮或問》、《儀禮析疑》、《春秋比事目錄》、《左傳義法舉要》、《刪定管子荀子史記註》、《補正離騷正義》、《刪定通志堂宋元經解》、《望溪文集》。⑱

方苞，清著名散文家，在文學上是桐城派創始人。論文提倡：義法，所作散文，多為經說及書、序、碑、傳之風，立論大抵本程、朱學說。於方志學亦有研究，曾闡發方志理論，在《與一統志館諸翰林書》中，闡明修志主張，指出：一、體例要統

⑯　臧勵龢《中國人名大辭典》　頁 1497

⑰　姜亮夫《歷代人物年里碑傳綜表》　頁 561

⑱　臧勵龢《中國人名大辭典》　頁 61

一，「體例不一，猶農之無畔也。」志書出於眾手，如「各執斧斤，任其目巧，而無規矩繩墨以一之」。二、要由博返約，提倡簡明。三、資料要可靠，要求作艱苦細致之校勘工作。其修志主張，對後世修志，有一定影響。⑲

方苞少時下筆為文即工，與兄舟、同邑戴名世共相切磋。康熙五十年(1711)以名世《南山集》文字之獄，牽連論死，李光地力救之，得免。康熙頗知其文學，命入直南書房，為武英殿總裁，擢南閣學士，尋充一統志總裁，清文穎、三禮義疏副總裁，乾隆時擢至禮部侍郎，因事落職，卒於家。

其文章嚴於義法，非闡道翼教有關人倫風化不苟作，凡所涉筆，皆有六籍之精華，嘗謂古文不可入語錄中語，六朝藻麗語，漢賦中板重字法，詩歌中雋語，南北史佻巧語，此法一立，學者宗之，為桐城派初祖。所作步趨歸有光，上規史漢、下倣韓歐，不肯少軼於規矩之外，故大體清淡簡遠，謹約有度，而雄偉博大之處，則有未逮。論學以宋儒為宗，皆推衍程朱之學，尤致力於春秋三禮，尚有《春秋直解》、《喪禮或問》、《考工記析疑》、《左傳義法舉要》、《刪定管子荀子》、《史記註補》、《離騷正義》、《刪定通志堂宋元經解》、《周官集註》、《儀禮析疑》、《禮記析疑》、《周官辨》、《春秋通論》、《春秋比事目錄》、《望溪集》、《四書文》等著。⑳

《清史稿列傳》（卷七十七）、《清史列傳》（卷十九）、《國朝先正事略》（卷十四）、《文獻徵存錄》（卷四）、

⑲　黃葦《中國地方志詞典》　頁274~275
　　一九八六年十一月　安徽　合肥　黃山書社
⑳　楊家駱《四庫大辭典》　頁53

《碑傳集》（卷二十五）、《國朝學案小識》（卷七）、《漢名臣傳》（冊四・卷二十五）、何紹基《安徽通志》（人物志：名賢・卷一百七十七）、朱拙存《中國歷代名人傳》（下集：頁一六三五），皆載有傳。

案：楊家駱《四庫大辭典》、臧勵龢《中國人名大辭典》、黃葦《中國地方志詞典》，均作「方苞：康熙進士」，何紹基《光緒　安徽通志》（選舉志），作「康熙丙戌科王雲錦榜進士：方苞（母疾歸未廷試）」。經證諸《明清歷科進士題名碑錄》：「康熙四十五年(1706)丙戌科王雲錦榜」，各甲進士，並無方苞，殊爲置疑，尚待方家查考。

㈣、主要內容

按《雍正　大清一統志》（初修本），凡三百五十六卷。而〈瓊州府〉列於卷二百八十六，其主要內容，除〈瓊州府圖〉置於廣東統部內，暨〈瓊州府表〉冠於卷之首外，計分：瓊州府（疆域）、分野、建置沿革、形勢、風俗、城池、學校、戶口、田賦、山川、古蹟、關隘、津梁、堤堰、陵墓、祠廟、寺觀、名宦、人物、流寓、列女、仙釋、土產等二十三目。

瓊州府圖：置於廣東統部內。

瓊州府表：冠於卷首，計分：兩漢、三國、晉、宋、齊梁陳、隋、唐、五代、宋、元、明（十一欄），依府、州縣，分列之。

瓊州府，明洪武二年(1369)復州，三年(1370)升府，屬廣東布政司。

疆域：瓊州府在布政使司西南一千七百里，自府治至京師九千七百一十五里，實詳紀廣袤（四距八至）之里數。

分野：天文牛女分野，星紀之次。

建置沿革：瓊州府，禹貢揚州西南徼外地，……明洪武初為瓊州，十四年(1381)升為府，屬廣東布政使司。本朝因之，領州三、縣十（分列圉界、沿革）

案：明洪武三年(1370)，廣東衛指揮僉事孫安（浙江人）奏請：升瓊州爲府，首由宋希賢擢知瓊州府事。是謂……十四年(1381)升爲府，似有誤，特補正之。

形勢：簡引〈漢賈捐之傳〉（八字）、《水經注》（十字）、《宋瓊管志》（十六字），數句文字。

風俗：僅引《漢・賈捐之傳》、《寰宇記》、《宋瓊管志》、《輿地紀勝》、《明・邱　濬賦》，五段十二句，共六十一字。

城池：列瓊州府城，暨三州九縣城，並記建修始末及年次。

學校：除府學、州學、縣學外，尚有：東坡、桐墩、零春等書院，並紀位置及建修年次。

戶口：原額人丁十萬九千三百四十八。
又滋生人丁四百八十四。

田賦：田地山塘共二萬九千四十二頃六畝三分零。
額徵地丁銀八萬七千二百七十二兩三錢九分零。
米九千六百八十九石五斗二升三合零。
屯田一百五十七頃一十五畝五分五釐零。
額徵米三千八百十七石一斗九合零。

山川：是本列山六十七、嶺五十八、峰二、岡二、巖一、洞

二、谷一、嶼一、墩一、石二、石盤一、石鼓一、黎峒（計分：生黎、熟黎）凡一一九九（村峒）、海（府境在海島中）、江十三、河四、水十五、溪八、港十、湖一、潭五、澗一、洲一、灣二、池三、泉十、溫泉五、井四。並記各山川距州縣里數，其內容詳備富美。

古蹟：列引故郡二、故城十二、廢州二、廢縣十六、樓二、閣二、堂八、亭九、臺四、軒一、故居三、書屋一、菴一、村二、洞一、欄一。各誌方位，或距州縣里數，抑注證。

關隘：列引巡司十、鎮二、衛一、所三、寨四、營四、城一、鹽場一、市一、柵一、驛一。

津梁：分列橋十三、渡三，各記方位、里數、建修、注考。

堤堰：列著堤二、陂七、渠一、塘四、溝二，並紀方位、里數、建修、注考。

陵墓：分載宋・趙鼎墓，元・荊王子墓，明・唐舟墓、邱濬墓、邢宥墓、馮顒墓、唐胄墓、海瑞墓、王弘誨墓。

祠廟：列載廟六、祠四、寺一，各紀方位、里數、注考。

寺觀：臚著普明寺、永慶寺、永興寺、天寧寺、三山庵、三清觀。

名宦：計錄二十五人，包括：漢二人、三國（吳）二人、唐一人、宋四人、明十三人、本朝（清）三人，分著各人里籍、事略。

人物：計錄二十五人，包括：宋四人、元一人、明二十人，乃瓊邑先賢，各載有事略。

流寓：計錄七人，包括：唐一人、宋六人，謫遷瓊州，載有事略。

列女：計錄二十二人，包括：漢二人、唐一人、元五人，明八人、本朝（清）五人，乃瓊邑孝悌節烈者，載有事蹟。

仙釋：宋·白玉蟾一人，里籍、事略俱輯。

土產：瓊州出產：金、銀、珠、玳瑁、蜜臘、布、鹽、木、藤、檳榔、椰子、棋子、香、海漆、瓊枝、波羅蜜果、藥，並加說明。

此外，於「廣東統部」（卷二七四）內，所列之圖（廣東全圖）、表（廣東省表）、建置沿革、職官（此門係載文、武職官制）、名宦（諸如：唐代宋慶禮、李復、杜佑，元・范梈，明代瞿俊、周延、商大節、俞大猷、王鳴鶴，本朝（清）、林嗣環、朱弘祚）等，因係統括一省，致相關〈瓊州府〉者亦在其中（尤以「職官」門內所載官制，於〈瓊州府〉卷內，並無此門），宜參覽之。

(五)、敕修體例

蔣廷錫等奉敕纂修《雍正　大清一統志》（初修本），其修志體例，係仿元、明二志，首列京師，次為直隸、盛京、各省、外藩屬國、朝貢諸國，自京畿達於四裔。其目次，係按志成時之疆理制也。

初修本，於每省先冠表、圖，次以統部總敘一省大要，分門有疆域、分野、建置沿革、形勢、職官、戶口、田賦、名宦等目，皆統括一省者。

諸府、廳、直隸州，又各立一表，所屬諸縣系之。計分：疆域、分野、建置沿革、形勢、風俗、城池、學校、戶口、田賦、山川、古蹟、關隘、津梁、隄堰、陵墓、祠廟、寺觀、名宦、人物、流寓、列女、仙釋、土產等二十三門，有者繫之，無者闕之。

依《雍正　大清一統志》（卷二八六）內容，於瓊州府分目窺之，是志（初修本）敕修義例，係採「門目體」，亦就「按事分目法」也。然所繫瓊州府事，則以建置沿革、山川、古蹟、人物四目，較為詳備而富美。然志成於清高宗乾隆八年(1743)癸亥，惟〈瓊州府〉繫事，以雍正朝較詳，其斷限年代，最遲止於清世宗雍正十一年(1733)癸丑，舉例著述於次，以供查考。

山川：黎峒，……本朝德威所至，黎人向化，雍正八年，瓊山、定安、陵水、崖州諸生黎二千九百四十六人，相率願入版圖。……

關隘：水尾巡司，在瓊山縣水尾汛，本朝雍正八年設。……
青寧巡司，在定安縣西馬羅市，……雍正八年，改設太平汛。……
薄沙巡司，在儋州西南八十里。明洪武中置安海巡司，本朝雍正八年移置薄沙汛。……
寶停巡司，在萬州黎地寶停汛，本朝雍正八年設。……
樂安巡司，在崖州樂安汛，舊名抱歲巡司，在州西七十里，雍正八年改設。

城池：感恩縣城，周三百五十五丈，門三。明正統中築，本朝康熙中修，雍正十一年又修。

㈥、刊版年代

按《雍正　大清一統志》初修本，清高宗乾隆五年(1740)庚申十一月完稿。乾隆八年(1743)癸亥，由總裁陳悳華上表進呈。於乾隆九年(1744)甲子，武英殿付梓刊行。

案：一般著錄皆作乾隆八年，此據《高宗實錄》

武英殿刻本，前有清高宗（弘曆）御製序、陳悳華上表、職名、總目、目錄，無凡例。原刻本，白口、上魚尾，左右雙邊，每半葉十行，行二十一字。瓊州府表四葉，文凡四十一葉。書高二十五・五公分、寬十七・二公分，版框高二十二・三公分、寬十五・三公分。仿宋體字，注為雙行。各卷之首行及版心，大題「大清一統志」。

初修本，雖有梨梓，唯流傳欠廣，罕見藏板，於今國內外知見（公藏）者，分迻於次，以供查考。

清乾隆九年(1744)武英殿刻本

臺灣：國立故宮博物院 71

（原係清・景陽宮舊藏，線裝一〇八冊）

中央研究院史語研究所 424

清道光二十九年(1849)陽湖薛子瑜活字排印本

中國：上海圖書館（未見藏板）

清光緒年間杭州竹簡齋石印本（未見藏板）

據張元濟〈嘉慶重修一統志跋〉云：「汪穰卿筆記斥杭州竹簡齋縮印康熙修本，變亂卷第。」

案：臺灣總督府圖書館，原藏清光緒丁酉（二十三年）杭州竹簡齋石印《大清一統志五百卷》，係乾隆續修本，未悉竹簡齋曾有石印初修、續修二種，抑汪穰卿筆記有誤，尚待方家查考。

鈔　本（不分卷）　　美國：國會圖書館

（殘存一函八冊：江南五冊，四川三冊）

流寓唐李德裕趙郡人宣宗朝白敏中排之累貶崖
州司戶亥年卒懿宗朝復贈左僕射
宋蘇軾眉山人紹聖間連貶瓊州別駕居昌化軍
僦官房有司不可乃寓城東天慶觀結屋
以居儋人運甓畚土助之獨與幼子過
著書爲樂時時從父老遊若將終身任伯雨眉
山人徽宗朝居諫省半歲所上一百八疏曲端鎮戎
人崇寧黨禍作屢徙昌化軍三年釋歸
炎中兀朮窺江淮張浚議出師端曰宜訓兵秣馬
俟之浚不悅罷端兵柄與祠再責海州團練使萬
州安置趙鼎聞喜人以故相謫吉陽軍三年潛居深
處門人故吏不敢通問惟廣西帥張宗
元時饋醪米秦檜聞之命本軍月具存亡狀鼎乃
自書墓中石記鄉里及除拜歲月又書銘旌云身
騎箕尾歸天上氣作山上虞人紹興中以忝
河壯本朝遂不食死李光知政事斥秦檜懷奸
誤國連謫瓊州安置居八年移昌化軍怡然自胡
適年踰八十精力不衰亭臺扁詠多出其手
廬陵人高宗朝以樞密院編修疏請斬秦檜王
銓倫編管新州後新州守張棣訐銓與客倡酹謗

雍正《大清一統志》書影

（清乾隆九年武英殿刻本）

乾隆續修本

《乾隆　大清一統志》　瓊州府（卷三五〇）

清・和珅等奉敕續修　乾隆五十四年(1789)　四庫全書寫本
(27)面　有圖表　27 公分　線裝

㈠、知見書目

永　瑢《四庫全書總目提要》（史部：地理類一・頁一四六〇）：　大清一統志　五百卷　　乾隆二十九年奉敕撰

楊家駱《四庫大辭典》（頁六六七）：

大清一統志　五百卷　　清乾隆撰

是書每省皆先立統部，冠以圖表，分為七門，其諸府及直隸州又各立一表，所屬諸縣系焉。各分二十一門，共成三百四十二卷，而外藩及朝貢諸國別附錄焉。

石印本、殿刊本、常州活字板本　地理

國立中央圖書館《臺灣公藏善本書目書名索引》（頁八〇）：　大清一統志　四百二十八卷

清乾隆二十九年敕撰　　清文淵閣四庫全書本

臺灣：國立故宮博物院 86

國立故宮博物院《善本舊籍總目》（史部：地理類・頁四〇三）：　大清一統志　四百二十四卷　清乾隆二十九年敕編

清乾隆間寫文淵閣四庫全書本　一百五十二冊

國立中央圖書館《善本書目》（頁四十二）：

大清一統志　五百卷　　清・和　珅等奉敕撰

清乾隆二十九年敕撰

清光緒二十三年杭州竹簡齋石刊本

臺灣：國立臺灣圖書館 80（不全）

國立臺灣師範大學 55

清光緒二十七年上海寶善齋石印本

臺灣：國立臺灣大學（文）116

清光緒二十八年上海寶善齋石印本

臺灣：中央研究院史語所 424

大清一統志　四百二十四卷

清光緒十三年杭州竹簡齋石印本

臺灣：東海大學 41

清光緒二十八年上海寶善齋石印本

臺灣：國家圖書館 31

王會均《海南方志資料綜錄》（總目錄：一統志・頁九）：

〔乾隆〕續修大清一統志　瓊州府（卷三五〇）

清・和　珅等奉敕纂修

清乾隆二十九年(1764)奉敕續修

清乾隆五十年(1785)進呈（未刊）

清乾隆五十四年(1789)　四庫全書寫本

民國七十四年(1985)臺灣商務印書館　影印本

（據故宮藏文淵閣四庫全書寫本）

清光緒二十三年(1897)杭州竹簡齋石印本

清光緒二十七年(1901)上海寶善齋石印本

清光緒二十八年(1902)上海寶善齋石印本

㈡、敕修始末

清高宗（弘曆）乾隆二十九年(1764)歲次甲申，御史曹學閔奏：「西域新疆請增入一統志，並志（初修本）成後各省添設裁併府廳州縣，詳悉續修刊刻，……」是即〈一統志〉續修本之緣起也。

按清乾隆二十年(1755)歲次乙亥，平定伊犁，拓地二萬餘里。而府州縣之分併改隸，與職官之增減移駐，亦多與舊制有異（參見《欽定四庫全書提要》頁 1460）。於是，御史曹學閔氏，奏請續修耶。

據清乾隆二十九年十一月初一日上諭，略云：「第念一統志，自纂修竣事以來，迄今又二十餘載，不獨郡邑增汰，沿革隨時理宜一一彙訂。且其中記載體例，徵引詳略，亦多未協。其尤甚者，順天人物門內，竟將國朝諸王載入，於事理更屬紕繆。諸王事績，自載八旗通志，原不得與隸……」

又云：「若其他考稽失實，與凡掛漏冗複者，諒均在所不免，亟應重加纂輯，以成全書。……此時特就已成之書（係指各省通志）酌加釐覈，……可即令方略館，按照各條釐訂纂輯，一併纂出稿本，悉照《續文獻通考》例，隨繕隨進，候朕裁定。」於是窺之，〈一統志〉續修之旨趣，顯矣。

一統志之續修，係由「方略館」史臣所從事，自乾隆二十九年十一月奉敕纂輯，隨成隨進，迨乾隆五十年(1785)乙巳十二月始告竣，由和珅領銜上表進呈，未刊。於乾隆五十四年(1789)己酉，紀昀等校呈收入《四庫全書》。纂修期間，高宗（純皇帝）於史臣進呈之〈一統志〉稿，多能認真審閱，反復推敲，且每有意見，必亦有諭示。

誠如乾隆四十七年(1782)上諭：「昨閱進呈一統志內，國朝松江府人物，止載王頊齡、王鴻緒諸人，而不載張照，其意或因張照從前辦理貴州苗疆，曾經獲罪，因而此次纂辦一統志，竟將伊姓氏、里居，概從刪削，殊屬非是。」於是「所有此次進呈之一統志，即將張照官秩出處事迹，一并載入。其各省志或有似此者，纂修諸臣皆宜查明奏聞補入，並通諭中外知之」之諭。㉑

㈢、修者事略

乾隆《大清一統志》之續修，係由「方略館」史臣纂輯，大學士和珅等領銜上表進呈。惟進呈表內未列「職名」（尚待方家查考），謹就和珅之事略，著述於次，以供參考。

和　珅，姓鈕祜祿氏，字致齋，室名：嘉樂堂，十笏園、綠野亭，滿洲正紅旗人。清乾隆末官大學士，為高宗（弘曆）所寵任，弄權黷貨，吏治大壞，釀成川楚教匪之禍。

清仁宗（顒琰）嘉慶中為王念孫等糾參，奪職下獄，賜自盡，籍其家。

臧勵龢《中國人名大辭典》（頁五五〇・一），載有傳略。

案：《大清一統志》（續修本）告成奏表，署銜「經筵講官太子太保領侍衛內大臣文華殿大學士文淵閣提舉管理吏户等部事務正白旗滿洲都統步軍統領一等男」和珅等謹奏。

㉑　《大清高宗純（乾隆）皇帝實錄》㈧　卷一千一百四十九：頁 15~17　民國五十七年(1968)九月　臺北市　華文書局（影印本）

㈣、主要內容

按《乾隆　大清一統志》（續修本），凡五百卷。〈瓊州府〉列於卷三百五十，其主要內容，除〈瓊州府圖〉暨〈瓊州府表〉冠於卷之首外，正文計分二十四門，著述於次，以供參考。

瓊州府圖：冠於卷之首（乙幀、分二葉）

瓊州府表：計四葉，分：兩漢、三國吳、晉、宋、齊梁陳、隋、唐、五代、宋、元、明（十一欄）。並依府、州縣，分列之。

瓊州府，明洪武二年(1369）復州，三年(1370)升府，屬廣東布政司。

疆域：瓊州府在廣東省治西南一千七百里，……自府治至京師九千七百一十五里。並詳載廣袤（四距八至）之里數。

分野：天文牛女分野，星紀之次

建置沿革：「禹貢揚州西南徼外地，……明洪武初為瓊州，十四年(1381)升為府，屬廣東布政使司。

本朝因之，屬廣東省，領州三縣十。分誌州縣之圉界，建置沿革。

案：瓊州府表，作：三年(1370)升府，是謂……十四年(1381)升爲府，似有誤，特置疑於次，并補正之（見「初修本」案）。

形勢：仍引漢〈賈捐之傳〉（八字），酈道元《水經注》（十字）、宋《瓊管志》（十六字）。

風俗：仍引漢〈賈捐之傳〉（十三字）、樂史《太平寰宇記》（十四字）、宋《瓊管志》（十字）、王象之《輿地紀勝》（四字）、明〈邱濬賦〉（二〇字）。

城池：分紀瓊州府城，暨三州九縣城之建修始末及年次。

學校：除府學、州學、縣學外，尚有「瓊臺書院」（內含：東坡書院、奇甸書院、同文書院、桐墩書院、石湖書院、粟泉書院、零春書院）。分紀建修始末及年次，於府州縣學各誌入學名額。

戶口：原額人丁十一萬八千八百四十八，又滋生人丁三千四百八十六。

田賦：田地山塘共二萬九千九百七十頃二十五畝八分零。額徵地丁銀八萬五百七十兩三錢九分零。米九千九百七十七石六斗五升八合零。

屯田一百七十八頃一十二畝五分五釐零。額徵米三千八百十一石一斗九合零。

山川：是〈續修本〉列：山七十、嶺五十、峰二、岡二、巖一、洞二、谷一、嶼一、墩一、石二、石盤一、石鼓一、黎峒（內分：生黎、熟黎）凡一二一九（村峒）、海（府境在海島中）、江十三、河四、水十五、溪八、港十一、湖一、潭五、澗一、洲一、灣二、池三、泉十一、溫泉五、井四，並分記各山川所在方位，距州縣里數及事蹟。

古蹟：分誌故郡二、故城十二、廢州二、廢縣十六、樓二、閣二、堂八、亭九、臺四、軒一、故居三、書屋一、菴一、村二、洞一、欄一，並紀方位，距州縣里數、事證。

關隘：分紀鎮十三、衛一、所三、寨四、營四、城一、鹽場一、市一、柵一、驛一。

津梁：列誌橋十四、渡三，並紀方位、長度、建修始末、注考。

堤堰：列著堤二、陂九、渠一、塘四、溝二、圩壩一，分紀位置、里數、建修始末、注考。

陵墓：列紀宋・趙鼎墓，元・荊王子墓，明・唐舟墓、邱濬墓、邢宥墓、馮顒墓、唐冑墓、海瑞墓、王宏誨墓。

寺廟：分載廟六、祠四、寺一，並紀方位、里數、注考。

寺觀：列著普明寺、永慶寺、永興寺、天寧寺、三山庵、三清觀。並紀方位、里數、修建始末、注考。

名宦：計錄二十七人，包括：漢二人、三國（吳）二人、唐一人、宋四人、明十五人、本朝（清）三人，分著里籍、事略。

人物：計錄二十五人，包括：宋四人、元一人、明二十人，乃瓊邑先賢，各載有事略。

流寓：計錄七人，包括：唐一人、宋六人，載有事略。

列女：計錄二十七人，包括：漢二人、唐一人、元五人、明十三人、本朝（清）六人，載有事蹟。

仙釋：只錄宋・白玉蟾一人，年籍、事略。

土產：金、銀、珠、玳瑁、蜜臘、布、鹽、木、藤、檳榔、椰子、棋子、香、海漆、瓊枝、波羅蜜果、藥，並附說明。

此外，於「廣東統部」（卷三三八）內，所列之圖（廣東全圖）、表、建置沿革、職官（此門僅載官制）、名宦（參見〈初修本〉列舉姓氏）等門（目），因係統括一省，致有關瓊州者亦在其中（尤以「職官」門所載官制，瓊州府卷內，並無此門），宜加參閱之。

㈤、敕修體例

和珅等奉敕續修《乾隆　大清一統志》（續修本），其纂修體裁，乃仿〈初修本〉成例，其門目仍舊，惟體例加詳。編次首列：京師、直隸統部（十一府、六州）、盛京、興京（盛京統部二府、暨吉林、黑龍江）、次江蘇統部（八府、三州、一廳）、安徽統部（八府、四州）、山西統部（九府、十州，暨歸化城六廳）、山東統部（十府、二州）、河南統部（九府、四州）、陝西統部（七府、五州）、甘肅統部（九府、六州）、浙江統部（十一府）、江西統部（十三府、一州）、湖北統部（十府）、湖南統部（九府、四州）、四川統部（十一府、九州、四廳、暨阿爾古、美諾）、福建統部（十府、二州）、廣東統部（十府、三州）、廣西統部（十一府、一州）、雲南統部（十四府、四州、三廳）、貴州統部（十三府）、新舊藩蒙古統部（舊藩蒙古二十五部、五十一旗，新藩蒙古五部）、西藏、西域新疆統部（西域新疆十四部、新疆藩屬十三部）、朝貢諸國（二十八國）。

按〈續修本〉，於廣東統部，先冠以圖、表，次列門目：疆域、分野、建置沿革、形勢、職官、戶口、田賦、名宦，皆統括一省者也。其諸府及直隸州，亦各先冠以圖、表（所屬諸縣系焉），門分：疆域、分野、建置沿革、形勢、風俗、城池、學校、戶口、田賦、山川、古蹟、關隘、津梁、堤堰、陵墓、寺廟、寺觀、名宦、人物、流寓、列女、仙釋、土產等二十三目。

就《乾隆　大清一統志》（卷三五〇）內容，於〈瓊州府〉分目窺之，其志（續修本）敕修義例，仍採「門目體」，亦就「按事分目法」。然所繫瓊州府事，係以建置沿革、山川、古蹟三目，較為詳備而富美。其斷限年代，於「關隘」：和舍鎮，在臨高縣北二十里，明洪武中置博鋪港巡司，本朝雍正十二年(1734)改名和舍。

唯據〈凡例〉（第一條）載稱：「前統志成於乾隆八年，厥後輿圖，曰廓、戶口，曰蕃、田賦，曰殷、府州縣建置分併，及人官物土之盛，曰著謹確稽部院寺監，並各直省來冊詳載，以昭一德同風久道化成之至治，其各項冊檔以四十九年送核者為斷。」於是顯見，此志（續修本）係以清乾隆四十九年(1784)甲辰為其斷限年代。

㈥、刊版年代

依清《高宗（弘曆）實錄》載，《大清一統志》續修本，於清高宗乾隆五十年(1785)乙巳歲十二月完稿（按一般著錄皆作乾隆四十九年成書），和坤領銜上表進呈，未刊。迨乾隆五十四年(1789)歲次己酉正月，紀昀等校呈，收入《四庫全書》，前有清高宗上諭、和珅上表、凡例、目錄、暨〈四庫全書書前提要〉。民國七十四年(1985)，臺北市、臺灣商務印書館，據國立故宮博物院藏，文淵閣《四庫全書》本影印（二葉合一面縮印），列《景印文淵閣四庫全書》第四七四～四八三冊（瓊州府刊在第四八二冊）。

是「文淵閣四庫全書寫本」，白口，上魚尾，四週雙邊。每半葉八行，每行二十一字。瓊州府圖二葉，表八葉，文凡一〇八葉。綱目大字，內文雙行小字。各卷首行及欄心大題《欽定四庫全書》，於各卷次行暨欄心魚尾下小題《欽定大清一統志》。

按清光緒二十三年(1897)丁酉夏杭州竹簡齋石印《大清一統志》（五百卷），書高二〇公分、寬十三公分，板框高十七公分、寬十一公分。白口、上魚尾，四週單邊。於書前〈欽定四庫全書提要〉（每半葉十二行、行三十字）、〈清高宗上諭〉（每半葉十行、行二十二字）、〈凡例〉及〈和珅上表〉（每半葉二十行、行四十二字），〈瓊州府〉（圖一葉、表七葉、文二十一葉）。各卷之首行暨版心，大題《大清一統志》。

於今臺灣國立臺灣圖書館（前身臺灣省立臺北圖書館）珍藏乙部（分類號：A667/4714），係日據時期臺灣總督府圖書館之舊藏也。線裝，六〇冊，首冊書名頁蓋有四章，上方中「臨時臺灣舊慣調查會第貳部之印」（三・三公分、隸字、陽文）、左邊中「臺灣總督府圖書」（五公分、篆字、陽文），左下方「臺灣總督府圖書館藏」（五公分、篆字、陽文）方章各乙枚，右下方「大正六年二月十九日臺灣總督府民政部ヨリ保管轉換」（長五・四公分、寬一・四公分，楷字、陽文）長方章乙枚。於書名頁背面，署著「光緒丁酉夏杭州竹簡齋石印」（楷字、二行）。在〈欽定四庫全書提要〉頁，首三行下方角「臺灣省立臺北圖書館藏書章」（二・三公分、小篆、陽文）小方章乙枚。另末葉（卷九・順天府六），下中邊有「臺灣省立臺北圖書館藏書」（長三・五公分、寬一・五公分，篆字、陽文）橢圓形章乙枚。

清光緒二十七年(1901)辛丑，又有上海寶善齋石印本，卷分五百。據張元濟〈嘉慶重修一統志跋〉云:「上海鴻寶齋續印乾隆重修五百卷本，余友陶蘭泉嘗以故宮寫本四庫本與之對勘，謂其沿四庫總目之訛，強析原卷以充厥數。」

案：所云「鴻寶齋」與「寶善齋」，未審是否係同本，尚待方家查考

按《大清一統志》續修本，於今國內外知見（庋藏）者，就其年次，分著於次，以供查考。

清乾隆五十四年(1789)四庫全書本

臺灣：國立故宮博物院圖書文獻館 86

民國七十四年(1985)　臺北市：臺灣商務印書館　影印本

（據故宮藏文淵閣四庫全書本）

臺灣：國立臺灣圖書館　082/4800 V.4

清乾隆四十九年(1784)敕修　清乾隆間紫格鈔本

臺灣：國家圖書館 261

（存新疆統部，十二卷、四冊）

清光緒一十三年(1887)杭州竹簡齋石印本

臺灣：東海大學 41

清光緒二十三年(1897)杭州竹簡齋石印本

臺灣：國立臺灣師範大學 55

國立臺灣圖書館 A667/4714

清光緒二十七年(1901)上海寶善齋石印本

臺灣：國立臺灣大學文學院 116

清光緒二十八年(1902)上海寶善齋石印本

臺灣：國家圖書館 31　中央研究院史語所 424

資羽逃亡元澤力行清丈定為料則民復業者千餘家卒於官著南崖集四卷皆在官時為民請命

所作楊廷潮州人瓊鎮左營千總嘗征逆賊王之錦力戰陣亡

人物宋姜唐佐字公弼瓊山人從蘇軾學軾重其才崇寧初以鄉薦隨過汝陽郡蘇軾亦

謂其氣和而言遜有中州士人之風王霄字霞舉儋州人年七十餘始應貢辟雍三年歸送不

出李光以宿學稱之年至九十六眾推為鄉先生陳應元字景仁瓊山人七歲能屬文登

紹定進士初秤徐聞應宜倫令爭改番禺李昴英徐清叟童桃李曾伯交章薦之辟僉雷州攝儋州

所至有聲學行政事為瓊士最謝明瓊山人宋末與謝富冉安國黃之傑並從安撫趙與珞拒

元兵於白沙口被執不屈而死元蔡微字希元居萬寧後遷瓊山通經史善文辭充攝郡學

欽定四庫全書　欽定大清一統志　卷三百五十　四十六

元末兵起逆縛隱蔡瓊海方輿志明莫宣贊定安人元末文昌縣陳子瑚據城宣贊率

鄉兵併力戰守合境以全洪武初詔書獎諭八年永嘉侯朱亮祖征五指山宣贊建議開十字路會

黎賊突出奮臂擊之中流矢卒太祖嘉之敕祀鄉賢唐誼方名進以字行瓊山人篤學力行

元末累辟不就洪武初舉經明行修授郡訓導永樂間請老歸時年九十門有祖植古榕鄉里稱榕

樹公張騰鷲崖州人洪武初又為海寇所擄騰鷲率鄉勇奮之手刃數賊竟遇害唐舟

字汝濟瓊山人永樂進士知新建縣治尚簡易仁宗時為監察御史疏論內侍陷黃本固等數事風

節凜然丹心事光明與人無纖毫吝成劉應中外餘三十年家無擔石儲年八十二卒鄉議高之

林茂森字良才臨高人少孤事母孝甘貧力學永樂中以舉人選武宣教諭勤以課士後以

母老辭歸著有方輿儒林一覽行世薛遠字繼遠瓊山人正統中進士以戶部郎歲遷南京督

餉大同並著能聲以工部侍郎塞開封決河且行縣卯改戶部督兩廣兵餉成化中為南京兵部尚

書江直誠言官勤之罷去邢宥字克寬文昌人正統中進士擢監察御史景泰初治王振黨擬

贊運通州糧以貢宣府有能聲出按福建遷東河南風裁肅然一時歷台州蘇州知府當官廉介後

以僉都御史巡撫應天兼理兩浙鹽政考察屬吏奏黜不職者七十餘人居數歲引疾歸邱濬

字仲深瓊山人景泰進士授編修時南海衛官軍苦速調天順七年濬奏請專防海黎賊乞上嘉納

之成化二年晉侍講與修英宗實錄義講于經筵死當著其與謀濬曰已已之變微少保國事不知

所終武臣扶怨誣之安可狗也眾乃止歷晉禮部侍郎掌國子監祭酒撰大學士衍義補一百十卷

欽定四庫全書　欽定大清一統志　卷三百五十　四十七

孝宗立表上之晉禮部尚書弘治四年晉文淵閣大學士參預機務上疏請崇獎改年七十餘卒於

官贈太傅謚文莊博極羣書尤熟典故性剛直與人論政必反覆辨難生平痛抑詭行之士嘗論

朱子家禮最得崇本敦實之意作朱子學的二十篇入仕四十餘年家無贏餘正德中賜祠於鄉

榮瑄瓊山人天順中與兄瑒扶母避賊將見獲瑒謂瑄曰並死無益吾以死衛母汝急去瑄從

之賊將殺其母瑒回首吾母願相從遂陷賊中後瑒為官軍所執將刑瑄跪至曰兄以母故陷賊今

母老將兄為命願代死遂見釋王佐字汝學臨高人正統中舉人成化初授高州府同知後改

邵武臨江二府同知所至清廉慈愛始終如一自少至老手不釋卷所著有雞肋集經集目集原

教為瓊臺外紀庚申錄珠崖錄馮顒字有孚瓊山人弘治中進士授戶部主事官符封符蛇蛇

乾隆《大清一統志》書影

（清文淵閣四庫全書景本）

乾隆《大清一統志》書影

杭州竹簡齋石印本

嘉慶重修本

《嘉慶　大清一統志》　瓊州府二卷（卷四五二～四五三）

清・穆彰阿等奉敕重修　　道光二十二年(1842)進呈寫本

(56)頁（雙面）　有圖表　26 分分　線裝

㈠、知見書目

國立中央圖書館《善本書目》（頁四十二）：

（嘉慶重修）大清一統志　五百六十卷

清・和坤等纂　　穆彰阿等修

民國五十三年(1964)　臺北縣　藝文印書館影印本

臺灣：國立臺灣大學 116

民國五十八年臺北市中國文獻出版社影印本

臺灣：國立臺灣大學 116

呂名中《南方民族古史書錄》（頁一九五）：

大清一統志　五百六十卷

清・乾隆年間陳德華等奉敕撰

嘉慶年間穆彰阿等補纂

民國二十三年影印內府鈔本

四部叢刊續編本　　上海涵芬樓影印本

王會均《海南方志資料綜錄》（總目錄：一統志・頁九～十）：　〔嘉慶〕重修大清一統志　瓊州府二卷

（卷四五二～卷四五三）

清・穆彰阿等奉敕纂修

清道光二十二年(1842)十二月進呈寫本
（原寫本藏於國史館，未刊）
民國二十三年(1934)上海涵芬樓景印本
（據清史館藏進呈寫本，列《四部叢刊》續編・史部）
民國五十五年(1966)臺灣商務印書館影印本
（據《四部叢刊》本，以二葉合為一面縮印為十六開本，精裝十冊，附索引一冊）
民國五十三年(1964)臺北縣藝文印書館影印本
民國五十八年(1969)臺北中國文獻出版社影印本

㈡、敕修始末

清仁宗（顒琰）嘉慶十六年(1811)歲次辛未，穆彰阿奉請將《大清一統志》，移交「經方略館」補纂，以卷帙浩繁，而館臣又另有常行功課，迨清宣宗（旻寧）道光二十二年(1842)壬寅十二月，始寫定上摺奉聞，所上呈之本，共五百六十卷，又凡例、目錄二卷。其繫事上起清開國之初，增輯至嘉慶二十五年(1820)庚辰，是乃《大清一統志》重修本，惟未付梓，殊為憾惜矣。

迄民國二十三年(1934)歲次甲戌四月，上海涵芬樓，乃據清史館藏進呈寫本景印，題名：《嘉慶重修一統志》（收入《四部叢刊・續編》發行）也。

清道光二十二年(1842)壬寅十二月二十二日〈御製大清一統志序〉略云：「……皇考仁宗睿皇帝，命史館重修未及告蕆，爰洎朕躬荷神器，付託之重。……」

又云：「皇祖　皇考所以因時順地變通斟酌者，日不輟書，使非及時編定，俾舊典有所承，而後事有所起，朕實愧且懼焉。茲全書告成，沿述於開國之初，增輯至嘉慶二十有五年，爲卷五百有六十，非務爲繁富，以侈示後嗣也。……」

清道光二十二年二月，國史館總裁大學士穆彰阿等奏稱：「爲接纂《大清一統志》全書告成，恭摺奏聞請旨事，竊臣館於嘉慶十六年『經方略館』，奏請將《大清一統志》移交補纂，臣等現已督飭在館各員，將全書纂輯繕校完竣，共五百六十卷，凡例、目錄二卷。陸續恭進伏思，纂輯《大清一統志》卷帙浩煩，與臣館常行功課不同。……」是《大清一統志》重修本，其纂輯之始末，大略如斯矣。

㈢、修者事略

按《嘉慶　大清一統志》（重修）進呈本內，未列修志「職名」。然其領銜上奏者，國史館總裁（大學士）穆彰阿。依據摺中所奏，獲知參與纂修者，係「經方略館」史臣，除穆彰阿為總裁外，先後有提調總纂官潘錫恩、總纂纂修官廖鴻荃等。而校勘官計有：宗稷辰、賀式韓、沈維鐈三員。其里籍、事略，分述於次，以供參考。

總　裁：穆彰阿，姓郭佳氏，字耕珊、子樸，號鶴舫，室名：澄懷書屋。滿洲鑲藍旗人。清宣宗道光年間，官至文華殿大學士，管戶部，當國十餘年，權傾一時。大學士王鼎自河防歸，以穆彰阿欺君誤國，服毒自盡，遺疏劾之。穆彰阿使人以危言怵其子，竟不得上。粵中禁煙之役，英艦進迫江寧，求取甚苛，宣宗（旻寧）憤甚，穆彰阿力言宜和，議乃定。文宗（奕詝）即位，首黜之。

《清史列傳》（卷四十：大臣傳續編五）、臧勵龢《中國人名大辭典》（頁一六〇〇），載有事略。

提調總纂官：潘錫恩，字芸閣，室名：求是齋，安徽涇縣人。清仁宗嘉慶十六年(1811)辛未科進士（二甲三十五名），由編修累官南河河道總督。宣防修築，務權緩急，先後任事十載，無河患，清淮士民，稱頌不衰。卒，諡文慎。祀鄉賢祠

何紹基《光緒　安徽通志》（卷一九〇・人物志：宦績十三），臧勵龢《中國人名大辭典》（頁一五二一），載有事略。

總纂纂修官：廖鴻荃，本名：金城，字斯和、又字應禮，號鈺夫，福建閩縣（閩侯）人。清仁宗嘉慶十四年(1809)己巳恩科進士（一甲二名），於清宣宗道光年間，累官工部尚書。時議改河道，朝命鴻荃往勘，請仍堵築浸口，挽歸故道，尋坐事奪職，再起官太常寺卿，卒諡文恪。

陳衍《民國　閩候縣志》（卷之九：列傳五下）、臧勵龢《中國人名大辭典》（頁一三五五），皆載有事略。

校勘官：依奏摺所列，計三人。除宗稷辰、賀式韓外，餘沈維鈺，其里籍及事略未詳，尚待方家查考。

宗稷辰，字迪甫、滌甫，號滌樓，室名：躬恥齋、杕杜齋、五弗措室，世稱：越峴山人，浙江會稽（今紹興縣），又作上元人。清宣宗道光年間舉人，累官山東運河道。為學探之六經，證之先儒，驗之身心，不自炫襮。著有《躬恥齋集》。

臧勵龢《中國人名大辭典》（頁五六〇），載有事略。

賀式韓，字卓吾，室名：綠蘋馨館，湖北蒲圻人。

沈維鈺，里籍及事略，未詳。

此外，《嘉慶　大清一統志》（重修）進呈本，於每卷之

後，均列有纂輯、覆輯及校、覆校者之「職名」。其《瓊州府》（二卷），係由協修官許應藻纂、總纂官廖鴻藻覆輯、校對官周維新（卷四五二）、丁泰（卷四五三）校。其事略，分述於次，以供參考。

協修官：許應藻，雲南臨安府石屏州（今石屏縣）人。清仁宗嘉慶二十五年(1820)庚辰科進士（二甲十一名）。

總纂官：廖鴻藻，字應祉，號儀卿，福建閩縣（今閩侯縣）人。清仁宗嘉慶十四年(1809)己巳恩科進士（二甲四十五名），由編修出為江西糧道，以病乞歸，隱於棋酒。

陳衍《民國　閩侯縣志》（卷之九：列傳五下），有事略。

校對官：計二人，其里籍、事略，分述於次，以供參考。

周維新（卷四五二），河南信陽府光州（今潢川縣）人。清仁宗嘉慶二十二年(1817)丁丑科進士（三甲一二七名），援咸安宮教習。清宣宗道光八年(1828)戊子、道光十五年(1835)乙未，山東、福建同考官，後任福建邵武府建寧縣知縣，遷山東昌邑縣。

丁　泰（卷四五三）：字禮安，號卯橋、又號叔雨，室名：菽廬、丁中翰、仙赤廬，浙江嘉興府平湖縣人。清仁宗嘉慶二十二年(1817)丁丑科進士（二甲五〇名），官內閣中書。著有《仙赤廬詩集》、《禮記隨筆》，行世。

清・許瑤光修《光緒　嘉興府志》（卷五十九・文苑），臧勵龢《中國人名大辭典》（頁四），載有事略。

(四)、主要內容

按《嘉慶　大清一統志》（重修本），凡五百六〇卷。〈瓊州府〉二卷（列於卷四五二、四五三），其主要內容，除〈瓊州府圖〉，暨〈瓊州府表〉冠於卷四五二之首外，正文計分二十三門，分著於次，以供參考。

瓊州府圖：乙幀，冠於卷四五二之首。

瓊州府表：計六葉，分「兩漢、三國、晉、宋、齊梁陳、隋、唐、五代、宋、元、明」十一欄。依府、州縣，分列之。

瓊州府，明洪武元年改府，二年降州，三年仍升府，屬廣東布政司。

疆域：未著「疆域」之名，實記〈瓊州府〉四距八至之里數耶。

分野：天文牛女分野，星紀之次。

建置沿革：首紀禹貢揚州西南徼外地，……明洪武元年(1368)改瓊州府，二年降為州，三年仍升為府，屬廣東布政使司。本朝因之，屬廣東省。領州三、縣十。次分誌各州、縣之圉界，建置沿革。

形勢：仍紀《漢書・賈損之傳》（八字）、《水經注》（十字）、《宋瓊管志》（十六字）。

風俗：引〈漢・賈捐之傳〉（二句十三字）、《寰宇記》（三句十四字）、《宋瓊管志》（二句十字）、《輿地紀勝》（一句四字）、〈明・邱濬賦〉（四句二十字）。

城池：首紀：瓊州府城，次紀：澄邁縣城、定安縣城、文昌縣城、會同縣城、樂會縣城、臨高縣城、儋州城、昌化縣城、萬州城、陵水縣城、崖州城、感恩縣城之建修始末及年次。

學校：除「瓊州府學」、暨三州十縣學外，尚有：瓊臺、蘇泉、桐墩、尚友、居丁、蔚文、端山、溫泉、臨江、雙溪、萬安、順湖等書院，暨南關、南離、東門、古儋等義學。分紀建修始末及年次，於府州縣學各誌入學名額。

案：舊志載石湖書院（在瓊山縣西，明嘉靖中建）、零春書院（在儋州東，宋建），今並廢，謹附記。

戶口：原額人丁十萬九千三百四十八，今滋生男婦大小共一百三十二萬四千六十八名口。又屯民男婦共五萬九千一百九十三名口。

田賦：田地山塘共二萬九千九百八十二頃二十七畝四分有奇，額徵地丁正雜銀七萬八千四百八十五兩四錢八分四釐。遇閏加徵銀一千七百二十九兩一錢七分九釐，米一萬三千二百八石九斗六升九合六勺。

屯田共一百七十頃九畝八分有奇，額徵屯米三千七十三石二斗一升二合二勺。

山川：是本，計列：山七十、嶺五十、峰二、岡二、巖一、洞三、谷一、嶼一、墩一、石二、石盤一、石鼓一、黎峒（內分：生黎、熟黎）凡一一九九（村峒）、海（府境在海島中），江十三、河四、水十五、湖一、溪八、港十一、潭五、澗一、灣二、洲一、池三、泉十一、溫泉五、井四，並分紀所在方位，距州縣里數及事蹟。

古蹟：分誌故城十二、故郡二、廢州二、廢縣十六、城一、村二、故居三、樓二、閣二、堂八、亭九、臺四、軒

一、書屋一、庵一、欄一，並紀方位、距州縣里數、注考。

關隘：分紀巡司十一、鎮二、衛一、所四、營四、寨三、柵一、鹽場一、驛一、市一。並誌位置、距州縣里數、事考。

案：**臨高縣東有三村馬裊鹽場、文昌縣東有陳村樂會鹽場、儋州西有頓博蘭馨鹽場、昌化縣南有馬嶺鹽場、萬州東南有新安鹽場，俱明洪武中置，今裁。**

津梁：橋有十四、渡三，並紀所在方位、長度、建修始末、事考。

隄堰：隄二、陂九、塘四、渠一、溝二、圩岸一，分紀位置、里數、建修始末、注考。

陵墓：分載宋·趙鼎墓，元·荊王子墓，明·馮容墓、唐胄墓、唐舟墓、邱濬墓、海瑞墓，王宏誨墓、邢宥墓。

案：**是本作：馮容墓，於初修本、續修本，皆作：馮顒墓，特補正之。**

祠廟：列誌昭忠詞、海公祠、靈山祠、昆耶神祠、東坡祠、五賢祠、伏波廟、南宮廟、天妃廟、誠敬夫人廟、峻靈王廟、海口廟，並紀方位、里數、建修始末、注考。

寺觀：載有普明寺、永慶寺、永興寺、天安寺、三清觀、三山庵，分紀方位、里數、建修始末、注考。

名宦：共錄三十六人，包括：漢二人、三國（吳）二人、唐一人、宋四人、明十五人、本朝（清）十二人，分著里藉、事略。

人物：共錄三十四人，包括：宋四人，元一人、明二十人、本朝（清）九人，乃瓊邑先賢，分紀事略。

流寓：計錄七人，包括：唐一人、宋六人，分紀里籍、事略。

列女：共錄五十六人，包括：漢二人、唐一人、元五人、明十三人、本朝（清）三十五人，載有事蹟。

仙釋：祇載宋・白玉蟾一人，里籍、事略。

土產：金、銀、珠、玳瑁、蜜蠟、布、鹽、木、藤、檳榔、椰子、棋子、香、海漆、瓊枝、波羅蜜果、藥，並分紀注考。

此外，於「廣東統部」（卷四四〇）內，所列之圖（廣東全圖）、表、建置沿革、職官（祇載官制）、名宦（諸如：唐・宋慶禮、李復、杜佑，元・范梈，明・瞿俊、周延、商大節、俞大猷、王鳴鶴，本朝（清）・林嗣環、石琳、朱宏祚）等，因係統括一省，致有關瓊州者亦在其中（尤以「職官」門內所載官制，瓊州府卷內，並無此門），宜加參閱。

㈤、修志體裁

穆彰阿等奉敕重修《嘉慶　大清一統志》（重修本）之體裁，乃參仿〈續修本〉之舊例。其編次：首京師、次直隸統部（十一府、六州）、盛京統部（興京・二府、吉林、黑龍江）、江蘇統部（八府、二州、一廳）、安徽統部（八府、五州）、山西統部（九府、十州、歸化城六廳）、山東統部（十府、二州）、河南統部（九府、四州）、陝西統部（七府、五州）、甘肅統部（九府、六州）、浙江統部（十一府、一廳）、江西統部

（十三府、一州）、湖北統部（十府、一州）、湖南統部（九府、四州、四廳）、四川統部（十二府、八州、六廳）、福建統部（十府、二州）、廣東統部（九府、四州、二廳）、廣西統部（十一府、一州）、雲南統部（十七府、一州、四廳）、貴州統部（十二府、一州、三廳）、新疆統部（自伊黎至和闐，新舊三十藩部）、烏里雅蘇台統部（統轄：烏里雅蘇台、庫倫、科布多）、蒙古統部（自內扎薩克察哈爾至喀爾喀、青海、西藏諸境，外藩各部），外域朝貢諸國。

按是志（重修本），於廣東統部，先冠以圖、表，次列門目：疆域、分野、建置沿革、形勢、職官、戶口、田賦、稅課、名宦，皆統括一省者也。

於〈瓊州府〉，亦先冠以圖、表（所屬州縣系之），門分：疆域、分野、建置沿革、形勢、風俗、城池、學校、戶口、田賦、山川、古蹟、關隘、津梁、隄堰、陵墓、祠廟、寺觀、名宦、人物、流寓、列女、仙釋、土產等二十三目。

就《嘉慶　大清一統志》（卷四五二、四五三）二卷內容，於〈瓊州府〉分目窺之，此重修本敕修體裁，仍循舊例，採用「門目體」，亦就「按事分目法」。然所繫〈瓊州府〉事，則以建置沿革、山川、古蹟、名宦、人物、列女，較為翔實而富美。

依據《嘉慶　大清一統志》（重修本）之〈凡例〉（一、七、十一、十二、十四、十六）諸條文明載，其斷限年代，於清仁宗嘉慶二十五年(1820)歲次庚辰止。就以〈瓊州府〉紀事，著述於次，以供查考。

學校（卷四五二）：臨高縣學，在縣治東，明洪武三年建重建，雍正七年修，乾隆六十年、嘉慶二十一年重修。本朝康熙四十二年，入學額數十二名。

列女（卷四五三）：張元峻妻黃氏，定安人，夫亡守節，嘉慶五年旌。同邑，莫紹宗妻葉氏，嘉慶二十五年旌。

㈥、刊版年代

按《嘉慶　大清一統志》（重修本），清宣宗道光二十二年(1842)歲次壬寅十二月全書告成，穆彰阿上摺奏聞。進呈寫本，原藏於清史館，遜清之世，未及付梓。

民國十六、七年(1927~8)間，上海涵芬樓，據「清史館」藏進呈寫本攝照，於二十三年(1934)景印行世，題名《嘉慶重修一統志》，收入《四部叢刊》（續編・史部），三十二開本（高二〇公分、寬一三・二公分），線裝二百冊（瓊州府刊於一七〇冊），另附索引十冊。

民國五十五年(1966)丙午，臺灣商務印書館，據《四部叢刊》本，以二葉合為一面，縮印為十六開本（高二十六公分、寬一十八・五公分），精裝十冊（瓊州府刊在第九冊），附索引一冊，單獨發行。

是《嘉慶重修一統志》，進呈寫本（前有：清宣宗（旻寧）御製序、穆彰阿奏摺、凡例、目錄），白口，上魚尾，四週雙邊。每半葉十行、每行二十一字。〈瓊州府〉圖乙葉、表六葉、文二卷（四五二卷：二十五葉、四五三卷：二十三葉）。綱目大字，內文雙行小字。各卷首行暨欄心，大題《大清一統志》。

清・穆彰阿奉敕纂修《嘉慶一統志》（重修本），於今國內外圖書館或文教機構知見（公藏）者，依藏板年代，臚著於次，以供查考。

清道光二十二年(1842)進呈寫本（藏於國史館，未刊）

中國：故宮博物院

民國二十三年(1934)　上海涵芬樓　景印本

（據清史館藏進呈寫本，列《四部叢刊》（續編・史部）三十二開本

臺灣：國立故宮博物院圖書文獻館

民國五十五年(1966)　臺北市　臺灣商務印書館　影印本

（據《四部叢刊》本，以二葉合為一面，縮印為十六開本，精裝十冊，附索引一冊）

臺灣：國立臺灣圖館館　R667/2607-2

民國五十三年(1964)　臺北縣　藝文印書館　影印本

臺灣：國立臺灣大學（總館、研圖）116

民國五十八年(1969)　臺北市　中國文獻出版社　影印本

臺灣：國立臺灣大學（研圖）116

國立臺灣圖書館　A667/2607-3

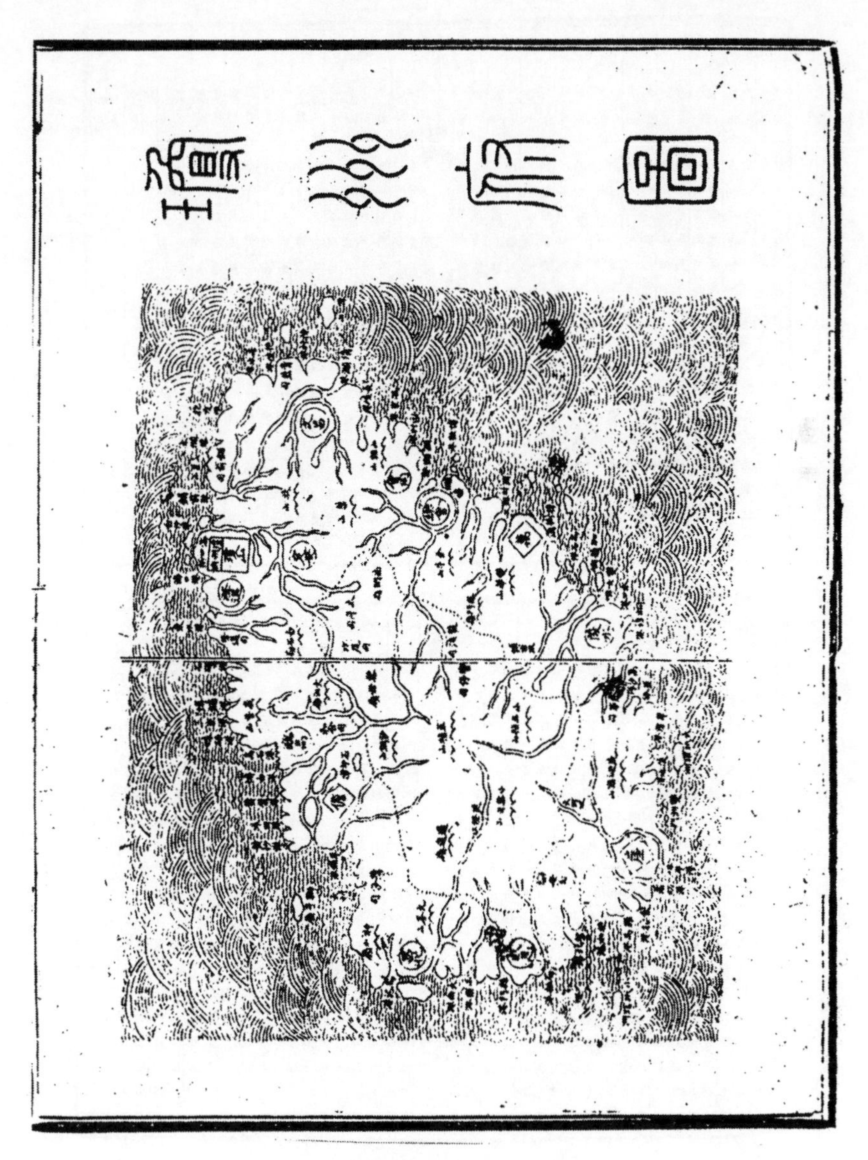

嘉慶《大清一統志》書影

（上海涵芬樓景印本）

大清一統志

瓊州府

古蹟 舍城故城 在瓊山縣東南元和志隋大業六年
平儋耳置崖州治舍城縣新唐志以舍城水爲名
寰宇記開寶五年廢崖州以舍城縣屬瓊州本漢
瑇瑁縣地九域志熙寧四年省入瓊山輿地紀勝
引圖經序云去瓊州三十里有古崖州城又引瓊
管志云在今瓊州南之瞫都土人猶呼爲舊崖州
府志舊州在今縣南四十里濱江築城引小溪爲
濠遺址尚存按寰宇記云舊崖州在瓊州東北二百六十里疑誤 瓊山故城 在今瓊山
縣志元和志本漢瑇瑁縣地唐貞觀五年置瓊山
縣屬瓊州以縣西六里瓊山得名寰宇記瓊州理
瓊山縣開寶四年平南越割崖州之地屬瓊州舊
志故址在今縣南六十里宋熙寧四年始移今治
按漢瑇瑁縣無考舊志合浦郡有毒質
縣疑即瑇瑁蓋昔有瑇崖入合浦也 澄邁故
城 寰宇記在舊崖州西九十里漢苟中縣地隋置
澄邁縣以界內邁山爲名輿地紀勝引圖經云
舊縣治在澄邁村後移今治明統志在府城西六
十里按九域志云縣在州西五十五里縣志云
澄邁山四面環繞縣治宅焉元燬於寇明洪武
三年仍相舊址建設成化中郎浦以縣治海濱欲
議遷徙未果輿地紀勝云後移今治府志無確據今
縣治在府西六十里與九域志所載相近疑即今
治 定安故城 在今定安縣東南明統志在府城南
八十里本唐宋瓊山縣地通志元至
元三十年元帥朱斌平黎明年置縣治在今縣
東南南資都新寨天曆二年升南建州移治
瓊牙鄉即今治明洪武二年改南建州王
官子廷金爲亂壽勤平之因廢州復爲縣 文昌
故城 在今文昌縣北唐置寰宇記在舊崖州東南
一百四十里通志故縣在今縣北何泰都潭
步村元至順二年移 會同故城 在今會同縣西北
於九山都即今治縣志本樂會縣
峒地元至元二十八年克吟滿蘇平黎始割樂會
西北境置縣治在今縣西北永安都烏石嶺皇慶

大清一統志 瓊州府 一

元年爲王官王高所攘徙於城山即今治又有故
址在儋東南太平都斗斗村克吟蒲蘇舊作湖
里言思今譯改 樂會故城 在今樂會縣北宋史地理志樂
會縣唐置環以黎峒寄治南管
九域志在瓊州東南一百餘里輿地紀勝引瓊管
志云黎人屢攻破縣遷徙不一今現治南管村通
志唐縣治黎黑村在今會同縣東元至元二十四
年徙調瀨村在今會同縣東南大德六年王文河
之亂又徙舊泉渡南即今治 臨機故城 在臨高縣東南唐置開元初更名臨高輿地
紀勝縣初治英邱紹興初遷於莫村府
志有臨機村在臨高縣東即廢郡海邊 昌化故城
在今昌化縣東南元和志舊州昌化縣本漢至來
縣地隋大業六年置寰宇記在儋州西南一百八
十里明統志在州南一百九十里有千戶所在縣
北十里洪武二十五年建正統六年徙縣治千戶
所通志隋縣在今縣東南十五里舊縣村石基猶
存宋移治今縣南十里南北二江間洲中明初數
羅水患正統間移治千戶所 萬安故城 在萬州北
即今治其漢至宋縣無考 本漢紫貝

大清一統志 二

縣地唐置萬安縣爲萬安州治宋熙寧六年廢州爲
軍九域志北至瓊州三百八十五里西南至朱崖
軍三百九十五里輿地紀勝大觀三年移軍於陵
水峒又移於客寨後移今處通志唐治通化都在
今州北今名舊州宋移今治 陵水故城 在今陵水縣東北隋置九域志在萬安軍西南
一百七十里明統志在萬州城南六十里又有南山
守禦千戶所在縣西南通志唐初縣治陵水峒博
吉李村在今縣東北元和還南山頭皇慶間遷籠
頭村海連復又遷港門明洪武間築城正統間遷
建於南山所即今治 感恩故城 即今感恩縣治元和志本漢九龍縣隋大業六年改名感
恩取感恩水爲名寰宇記縣東至儋州二百二十
五里九域志在昌化軍西南二百七十九里明統
志在崖州西北二百二十里通志故縣治中和鄉
萬歷九年以其地近海多沙淤移治縣東大雅坡
復以廢壞移還今治 珠崖故郡 在瓊山縣漢書地理志自徐聞南入海得大
洲方千里元鼎六年略以爲珠崖儋耳郡應劭注
郡在大海中崖岸之間出真珠故曰珠崖臣瓚注

嘉慶《大清一統志》書影

（上海涵芬樓景印本）

徵引典籍

按《大清一統志》初、續、重修三本，於〈瓊州府〉繫事，間有：建置沿革、形勢、風俗、學校、山川、古蹟、關隘、津梁、陵墓、祠廟（續修本作寺廟）、寺觀、土產等十二門，引注文獻典籍頗多，茲仿四部分類法，概略分述於次，以供查考。

㈠、經　部

水經注：北魏・酈道元注，於形勢、山川、古蹟三門，皆有注引。

㈡、史　部

《大清一統志》初、續、重修三本，於〈瓊州府〉繫事中，徵引史書極多，就其類屬，分著於次，以供查考。

史地之屬

史記：漢・司馬遷撰，於祠廟門，引注。

漢書地理志：古蹟門，廣引。

後漢書：宋（南朝）・范曄撰，於祠廟門引。

後漢志：即晉・司馬彪撰《續漢書》，於古蹟門引。

漢書賈捐之傳：於形勢、風俗、古蹟，三門引。

三國吳志：晉・陳壽撰《三國志》，於古蹟門引。

晉書地理志：於古蹟門引。

晉志：此書名待考，於古蹟門引。

宋史地理志：古蹟、土產二門，引注。

宋書郡州志：於古蹟門引。

隋書地理志：山川、古蹟二門，引注。

唐書地理志：古蹟、土產二門引。

舊唐書地理志：於古蹟門引。

新唐書：宋・歐陽修、宋祁撰，於初、重修本作：新唐志，古蹟門引注。

元帝本紀：於古蹟（珠崖故郡）門引。

太平寰宇記：宋・樂史撰，於風俗、山川、古蹟、土產四門，廣引。

輿地紀勝：宋・王象之撰，於風俗、山川、古蹟、津梁、祠廟（續修本作寺廟）、寺觀、土產七門，廣泛徵引。

輿地考：似係明・程道生《輿地圖考》，於初、續修二本，關隘門引。

方志之屬：包括：地理志、一統志、專志、通志、府志、州志、縣志。

元和志：唐・李吉甫撰《元和郡縣志》之簡稱，於山川、古蹟二門引。

九域志：宋・王存撰《元豐九域志》之簡稱，於山川、古蹟二門引。

明統志：明・李賢奉敕修《大明一統志》簡稱，於山川、古蹟、津梁、陵墓、祠廟、土產六門，廣引。

桂海虞衡志：宋・范成大撰，於山川門廣引。

瓊管志：宋人撰，於今未見傳本。形勢、風俗、古蹟三門，皆有引注。

通志：未指所據傳本，於山川、古蹟，二門引。

新通志：未知所指係何傳本，《大清一統志》重修本作通志，於山川一門，廣泛引注。

府志：未審所指何本，於山川、古蹟二門引。

舊志：未知所指何本，於山川、古蹟二門引，重修本學校門，增引。

縣志：係指《澄邁縣志》，唯未知何本。於古蹟門引，重修本在山川門亦引。

縣志：係指《文昌縣志》，唯未知何本。《大清一統志》續、重修本，於山川門引。

感恩縣志：未知所指何本。於山川門，三修本俱引。

新志：係指《瓊山縣志》，唯未知何本。於山川門，三修本俱引。

縣志：係指《會同縣志》，唯未知所指傳本。於古蹟（會同故城）門，三修本俱引。

林如楚圖說：於山川（黎峒）門引。

政書之屬

文獻通考：元・馬端臨撰，於古蹟門引。

漢書賈捐之諫伐珠崖疏：於建置沿革門引。

冊說：亦作舊志，其「冊」所指未詳。初、續修本，於山川門引注。

㈢、雜　文

蘇軾峻靈王廟碑記：於山川門（峻靈山）引。

蘇軾乳泉賦：於山川（乳泉）門引。

明・邱濬賦：於風俗門，引四句、二十字。

劉誼平黎記：於山川門（五指山），略注。

應劭注：於古蹟（珠崖故郡）門，略注。

臣瓚注：於古蹟（珠崖故郡）門，引《茂陵書》。

此外，《大清一統志》，各修本於〈瓊州府〉卷中，除上述十二門注引書外，尚有十二門未注資料來源，其所據當係「部院寺監及省之來冊」（凡例：第一條），暨通志、府志、州縣志之屬也。內中戶口、田賦二門，應係根據「部院寺監之案冊」。於城池、學校、古蹟、關隘、津梁、堤堰、陵墓、祠廟、寺觀、人物、列女之類，或據省、府所採之冊，抑據通志、府志摘錄而成。

綜合析論

按《大清一統志》，凡三次敕修。於今國內外圖書館，暨文教機構所知見（公藏）者，計有：〔雍正〕初修本、〔乾隆〕續修本、〔嘉慶〕重修本三種。其藏板有「寫本」、「鈔本」、「刻本」、「石印本」、「影印本」，內以「寫本」、「刻本」，殊為珍貴，視同瑰寶。

就修志源流言之，夫〈一統志〉，屬官修地方總志性質。其纂葺源流，乃淵緣於地理志，以及地理書。肇自元代孛蘭肹修《大元大一統志》（凡一千三百卷），繼有明代李賢奉敕修《大明一統志》（凡九十卷），迨清一代，乃衍明志之餘緒，以成《大清一統志》（雍正初修本、乾隆續修本、嘉慶重修本）。於文獻整體性來說，各志相承相傳，構成完整的脈絡體系。

按《大元大一統志》，係仿唐・李吉甫《元和郡縣圖志》、宋・樂史《太平寰宇記》、王象之《輿地紀勝》之成例。大別為一中書省，十行中書省，每省分路或府，路府下有屬州，大都以一州為一卷，其事蹟多者，或分為二、三卷。每州之分目，凡十：建置沿革、坊郭鄉鎮、里至、山川、土產、風俗形勝、古蹟、宦蹟、人物、仙釋。其所據資料，除《元和郡縣圖志》、《太平寰宇記》、《元豐九域志》、《輿地紀勝》，暨宋元所修之地方志乘外，又詔各行省撰送圖冊，以作採輯之用。網羅極富，正文殊詳，復取古今地理各書，互參稽考，而細注其下。

蓋《大明一統志》（凡九十卷），考其義例，仍沿元志之舊，以直隸：京師、南京，暨各布政使司所統之府為分卷標準，每府之分目，略如元一統志，新增：郡名、公署、學校、書院、宮室、關梁、寺觀、祠廟、陵墓、流寓、列女，惟無坊郭鄉鎮及里至，然有所分合省併，而小有異同者也。其門目雖較元志為備，唯內容遠不逮元志翔實富美，極為顧炎武《日知錄》所譏「編次疏舛」矣。

夫《大清一統志》（凡三修），考其體例門目，亦仿元、明二志。首列京師，次直隸、盛京、各省、外藩屬國、朝貢諸國，自京畿而達四裔。其目次，按志成時之疆理制也。於每省先冠圖、表，次以統部總敘一省大要，分目為疆域、分野、建置沿革、形勢、職官、戶口、田賦、稅課（重修本新增，初修本、續修本，無此門）、名宦，皆統括一省者。而諸府、廳、直隸州，除各立圖（初修本各府廳州圖，則統列於省）、表（所屬諸縣系之）外，計分：疆域、分野、建置沿革、形勢、風俗、城池、學校、戶口、田賦、山川、古蹟、關隘、津梁、隄堰、陵墓、祠廟、寺觀、名宦、人物、流寓、列女、仙釋、土產等二十三門（目），有者繫之，無者闕之。其門目雖較元、明一統志為周備，內容亦較明志為詳富，然仍不逮元志也。

按《大清一統志》纂輯之資料，亦如元、明二志，除依據部院寺監之造冊備纂外，又詔各直省纂輯通志，更令府廳州縣各進其志書，以為採葺之資，是乃元、明二代，纂修一統志之舊例。清代康熙、雍正二朝，各省府廳州縣，修志風尚鼎盛，蓋與敕修《大清一統志》有直接關聯性也。而《廣東通志》康熙修本（金光祖纂修）、雍正修本（郝玉麟監修），暨牛天宿修《康熙　瓊郡志》、賈　棠纂《康熙　瓊州府志》，皆係為備一統志採葺而奉檄纂修者。然張岳崧纂《道光　瓊州府志》，於《大清一統志》，有切郡事者，皆紀載焉。

就敕修體例言之，按《大清一統志》，計有：〔雍正〕初修本、〔乾隆〕續修本、〔嘉慶〕重修本，無論從各省統部、或諸府、廳、直隸州繫事細窺，其敕修體例，係採「門目體」，亦就「按事分目法」。除〈初修本〉外，其〈續修本〉、〈重修本〉，載有「凡例」，以著述其纂輯之大要也。

陳悳華奉敕修《大清一統志》（雍正初修本），所輯資料，係以清世宗雍正十一年(1733）歲次癸丑，為其斷限年代。唯〈瓊州府〉紀事，最遲亦為雍正十一年(1733)癸丑。

初修本，分省十八，依次：江蘇、安徽、山西、山東、河南、陝西、甘肅、浙江、江西、湖北、湖南、四川、福建、廣東、廣西、雲南、貴州、新疆，統府州縣一千六百有奇。蒙古各外藩部屬國五十有七，朝貢諸國亦有三十一矣。

和珅奉敕修《大清一統志》（乾隆續修本），增輯資料，以清高宗乾隆四十九年(1784)歲次甲辰為斷。其「凡例」計一十七條，有新增補釐訂者，摘著條列於次：

㈠、河工海塘事宜，補列年諭旨，及督撫、河臣奏疏所陳，節載於各直省河海條下。

㈡、直省新葺之城池、學校，並海嶽、江河、神廟暨諸寺觀之奉勅建修及賜名者，一一據冊甄載。

㈢、直省名宦人物，前志有未備者，並確查史傳增入。八旗大臣中職任封疆，政績懋著者，載入各省名宦中。至比來物故之文武大臣中，有治行彰顯曾經奉旨褒嘉入祀賢良昭忠祠者，俱查國史一併載入。

㈣、前明忠烈諸臣，於乾隆四十一年(1776)奉旨賜諡，其姓名、事蹟未入前志者，俱照褒忠錄詳查載入。

㈤、直省孝順、節烈，疊年以來奉旨旌獎，均查冊載入。每縣以最先一人大書為綱，餘以次類注其下。

㈥、山川古蹟，向有承訛襲謬不察者，疊經皇上（高宗）指正，審辨訛舛，茲恭遵改纂。並歷敘舊文，加案語聲明於次。

㈦、志內山川次第，以東西、南北、東南、東北、西南、西北為序。援引各書，俱於每卷首見之條，增列著書人姓名，以便考覽。其有前志考證未的、字句未醇及疏略者，逐一校訂改補，以期無缺無漏。

穆彰阿奉敕修《大清一統志》（嘉慶重修本），其繫事之斷限年代，迨清仁宗嘉慶二十五年(1820)歲次庚辰。此本係以續修本補纂而成，然纂輯方式亦與前志略有差別，依據「凡例」所載，約有下列數端，摘述於次，以供參考。

㈠、府廳州縣有升（如縣升州、廳升府）、降（如府降州、州降縣）、分（如一府中析數縣益他府、一縣中割一隅益彼縣）、合（如原係二縣、今併為一）者，府與直隸州廳，自立專部，即於「建置沿革」門敘清源流，及升降分合年分。其各州縣，除於所轄府州下詳載外，仍於本條兼注。

㈡、續志「學校」門，各學之下，以一書院為綱，餘用小注，未免有統屬軒輊之分，茲仍照乾隆八年前志平列。至各府廳州縣入學額數，除定額照舊纂入外，其有增裁者，據各省來冊分別記載。

㈢、舊志統部，「田賦」後不立鹽課、關稅專條。今增「稅課」一門，列於各統部「田賦」之後。

㈣、職官有增設、裁汰者，於本條下注明：舊若干缺、某年裁幾缺。舊若干缺，某年增幾缺。本無是缺而新設者，注明某年新設。亦有既裁而復設者，注明某年裁、某年復設，移駐亦然。以類相從，旁注於下，若無類可歸，則於相近之官下注明。

㈤、山川、古蹟、關隘等，續志以四正、四隅為序，每致重複混淆，今悉照乾隆八年前志，按東、東南，南、西南，西、西北，北、東北為序，地勢相近，條理較為分明。

㈥、名宦，凡統轄全省及轄數府者，載入統部。知府以下曁武職等官，專管一郡一邑者，分載各府部。間有一人而各省俱載者，止就本省本任政績紀錄，不牽敘別省別任之事，以清眉目。至「名宦」、「人物」二門，有一人而彼此互見者「名宦」撮舉政績，「人物」歷序生平，自不重複。

就志書內容言之，夫《大清一統志》初修、續修、重修三本，皆有〈瓊州府〉。初修本列於卷二八六，續修本列於卷三五〇，重修本列於卷四五二、四五三（二卷）。茲按門目析述各修本之內容，並作比較於次，以供參考。

圖：三本所收之圖，皆不相同。初修本圖置於廣東統部，似

與《古今圖書集成》〈瓊州府圖〉類同。續修本圖分二葉，山嶺較詳。重修本圖合一葉，山川備注。

表：兩漢、三國（續修本：三國吳）、晉、唐、五代、宋、元欄，三本相同。

宋（南朝）欄，初修、重修二本空白，續修本記「元嘉八年，復立珠崖郡」。明代欄，初修、續修二本同，皆記「瓊州府，洪武二年復州，三年升府，屬廣東布政司。」重修本記為「瓊州府，洪武元年改府，二年降州，三年仍升府，屬廣東布政司。」

案：此外，三州十縣，亦各有說明。

疆域：三本內容相同，僅初修本「在布政司西南」，續修、重修二本皆作「在廣東省治西南」。

分野：三本同作「天文牛女分野，星紀之次。」

建置沿革：初修本記「明洪武初為瓊州，十四年升為府，屬廣東布政使司。本朝因之，領州三、縣十。」

續修本增四字「……本朝因之，屬廣東省，領州三縣十。」（二本所記十四年升為府，與表所記不同。）

重修本改正「明洪武元年改瓊州府，二年降為州，三年仍升為府……」（與表相同）。

形勢：三本同，唯續修本《水經注》前加「酈道元」。

風俗：三本同，續修本於《太平寰宇記》增「樂史」、《輿地紀勝》增「王象之」，皆係著者姓氏。

城池：三本列府城、州縣城同。惟紀事、注考，各本略異。

學校：三本所列府學、州縣學同，續修本增學額，重修本又各增乾隆年間之修建年次。

初修本：原列東坡、奇甸、同文、桐墩、石湖、粟泉、零春書院。

續修本：增瓊臺書院，謹附記各州縣並設有義學社學。

重修本：刪東坡、奇甸、同文、石湖、零春書院，改粟泉為蘇泉書院，增尚友、居丁、蔚文、端山、溫泉、臨江、雙溪、萬安、順湖書院，南關、南離、東門、古儋義學。

戶口：三本不同。原額人丁數，初修、重修本相同，續修本增多。滋生人丁數，初修本：滋丁四百八十四、續修本：滋丁三千四百八十六、重修本：滋生男婦大小共一百三十二萬四千六十八名口，又屯民男婦共五萬九千一百九十三名口。

田賦：三本以斷限年代不同，致列紀數亦異。重修本，遇閏加徵銀一千七百二十九兩一錢七分九釐。禾一萬三千二百八石九斗六升九合六勺。

山川：初修本：列山六十七、嶺五十八、峰二、岡二、巖一、洞二、谷一、嶼一、墩一、石二、石盤一、石鼓一、黎峒（村峒）凡一一九九（重修本亦同）、海（府境在海島中）一條，江十三、河四、水十五、溪八、港十、湖一、潭五、澗一、洲一、灣二、池三、泉十、溫泉五、井四。

續修、重修二本，計增：山，三條（會同縣：瑞山、臨高縣：郎倫山、峨香山），大雅山（初修、重修本在感恩縣東十里，續修本在崖州西東十里）。且續修本山之列條順序、略與初、重修二本有異。黎峒（總數），初修、重修二本凡一一九九村峒，續修本凡一二一九村峒（儋州二二九，初修、重修二本同為二〇九村峒）。

續修、重修二本，於瓊山縣，又增：海口港、惠通泉各一條。

古蹟：三本列序不同，初修、續修二本，首故郡、次故城，重修本係按故城、故郡之序。於珠崖故郡，初修、續修本作元封元年(110B.C)，重修本作元鼎六年(111B.C)。另重修本刪逸賢洞一條（在崖州西北十里）。

關隘：三本大同小異。初修本，巡司十、鎮二。續修本，以巡司改鎮（十二），又增龍滾鎮一條。重修本，仍沿巡司（十一）、鎮（二）制。於寶停汛巡司，雍正八年置屬萬州，乾隆三年改屬陵水縣。

所三、寨四、城一，初修、續修本同。重修本改海口寨為海口所，又刪郎勇城一條。

津梁：初修、續修二本，臨江橋（在臨高縣東門外，舊名：太平橋）條，重修本改文瀾橋（嘉慶二十二年）。續修、重修二本，又增平政橋條。

堤堰：續修本增都陂、埋鷺陂二條，重修本刪都陂而增柳根陂。續修、重修二本，同增桑茂圩壤（重修本作桑茂圩岸）條。

陵墓：三本同，明・馮顒墓，重修本作明・馮容墓。

祠廟：續修本作寺廟，改東坡寺稱東坡祠，並增昭忠祠一條。

寺觀：三本相同，天寧寺條，重修本作天安寺。

名宦：初修本，原錄二十五人，包括：漢二人、三國（吳）二人、唐一人、宋四人、明十三人、本朝（清）三人。

續修本，於明・王直（作王伯貞）、徐鑑（作黃瓊），二本姓名雖異，唯里籍、事略同。又增林邦達、李多見等，共二十七人。

重修本，於本朝（清）增錄：何澄、李宏名、劉承謨、張萬言、賈棠、林文英、俞參陞、張光祖、徐濬等，共三十六人。

案：依據《瓊州府志》，於明・知府，並無王直、黃瓊（各府志作黃瓚，臨川人）。然初修、重修二本錄王直，續修本錄黃瓊，其里籍事略（王直與王伯貞，黃瓊與徐鑑）三本，暨《瓊州府志》所載相同。特置疑於茲，以待方家稽考。

人物：初修、續修二本同，共錄二十五人（宋四人、元一人、明二十人）。重修本增：本朝（清）林運鑑、王宗佑、鄭存禮、莫謩、林朱密、吳位和、張日珉、王一聖、林春榮等九人。

流寓：三本同錄七人。唐・李德裕，宋・蘇軾（東坡）、任伯雨、曲端、趙鼎、李光、胡銓。

列女：初修本，原錄二十二人。續修本，增錄明・五人。重修本，再增錄清・二十九人。

仙釋：三本同，衹錄宋・白玉蟾一人。

土產：三本相同，共錄十七種。

此外，《大清一統志》中，除專卷載〈瓊州府〉事外，於

〈廣東統部〉（初修本卷二七四、續修本卷三三八、重修本卷四四一）內，所列之圖（廣東全圖）、表（建置沿革）、職官（係載官制）、名宦（諸如：李復、杜佑、范柠、瞿俊、陶諧、周延、俞大猷、王鳴鶴、佟養甲、林嗣環、朱宏祚、石琳）等，因係統括一省，致有關〈瓊州府〉者，亦在其中（尤以「職官」門內所載官制，於〈瓊州府〉卷內，並無此門），宜參覽之。

綜觀之，《大清一統志》（各修本）體裁，仍受《禹貢》、《職方》、歷代正史地理志，暨唐、宋以來地理總志之影響，而略有變通，先分省編次，每省統部亦先冠圖、表，繼以總敘，次以府、直隸廳、州分卷，然後分目紀事，井然有序矣。

按《大清一統志》，參修者多係當朝著名宿儒。兼以康熙、雍正、乾隆、嘉慶、道光五朝皇帝，極為重視而直接御導，是故《大清一統志》，無論是初修本、或續修本、抑重修本，其內容豐富，體例周備，考證精審，核校嚴謹，係清代較為完善而富美之地方總志，深具有史料價值也。

夫《大清一統志》，於每次開館修《一統志》，清廷皆頒檄地方纂修志書，以備《一統志》采擇。於是遜清一代，修志風尚鼎盛，促進中國地方志之蓬勃發展。而海南修志風尚蔚成，亦深受影響而有助益焉。

就文獻典籍言之，《大清一統志》屬官修性質，乃全國性地方總志，實具有特殊的歷史背景，而反映出當年社會實況，殊具學術研究參考價值。尤於各修本中〈瓊州府〉紀事，其資料翔實，內容富美，門目周備，實係研究清代海南方隅史，不可或缺的珍貴史料。

參考文獻資料

《大元大一統志》（殘存三十五卷）　　元・孛蘭肹奉敕修
　民國六十八年(1979)　臺北市　正中書局　影印本
　（據國家圖書館藏《玄覽堂叢書續集》袁氏貞節堂鈔本）
《大明一統志》瓊州府（卷八十二）　　明・李　賢奉敕修
　民五十四年(1965)八月　臺北永和　文海出版社　影印本
　（據國立中央圖書館藏：天順五年內府刊本）
《雍正　大清一統志》（初修本）　　清・蔣廷錫奉敕修
　清乾隆九年(1744)　武英殿刻本（卷二八六：瓊州府）
《乾隆　大清一統志》（續修本）　　清・和　珅奉敕修
　清乾隆五十四年(1789)四庫全書寫本（卷三五〇：瓊州府）
《嘉慶　大清一統志》（重修本）　　清・穆彰阿奉敕修
　清道光二十二年(1842)進呈寫本
　　（卷四五二、四五三：瓊州府）
《明清進士題名碑錄索引》　　文史哲出版社
　民國七十一年(1982)七月　臺北市　文史哲出版社　精三冊
《清人室名別稱字號索引》　　楊廷福　楊同甫
　民國七十八年(1989)十一月　臺北市　文史哲出版社　精二冊
《海南方志資料綜錄》　　王會均
　民國八十三年(1994)十月　臺北市　文史哲出版社

中華民國八十四年(1995)歲次乙亥十月十日　脫稿
中華民國八十五年(1996)歲次丙子元旦夜　修訂稿
臺北市：海南文獻史料研究室

卷之三　瓊州府志

夫「府志」者，方志類別之一種，係指舊時以府為對象，記載其特定空間範圍內之政治、經濟、軍事、文化、社會、人物、異聞諸方面情況之志書也。

瓊州府之建置，緣自唐德宗貞元五年(789)己巳，嶺南節度使李復，奏置瓊州都督府，隸屬於嶺南西道。中經宋、元、明、清四代，建制名稱迭有變更，隸屬亦略有不同。然府乃省以下，縣以上之一級行政區劃，其最高長官為知府。而府志之纂修，亦多由府之一級官吏（知府），主持修輯。

按《瓊州府志》，無論何種修本，所繫皆係瓊郡歷代重要史事，其內容詳略或有差異，臚著門目間有不同。惟從〈海南方隅史〉研究角度言之，實係不可缺少之珍貴史料，殊具學術研究參考價值矣。

本卷係以《瓊州府志》為範疇，主要內容，計分：修志源流、待訪志書（晉代修本、宋代修本、元代修本、明代修本、清代修本）、明正德修本（唐志）、萬曆修本（戴志）、清康熙修本（牛志）、康熙修本（賈志）、乾隆修本（蕭志）、道光修本（張志），暨綜合析論等九大部分。

案：待訪志書，依其性質，概分：傳錄（二種）、圖經（三種）、外紀（一種）、志稿（九種）。

於文中各志書著述款目，依次：書名、作者、知見書目、纂者事略，案語或稽考。

一、修志源流

海南本漢珠崖、儋耳二郡境地、三國屬東吳（孫權），五代為南漢（劉隱）統轄。明洪武三年(1370)庚戌，陞瓊州為府，屬廣東布政使司。清因襲明制，於府外設按察司副使兼提學，後改雷瓊兵備道（瓊崖道），隸廣東省。

瓊州府志書纂修，其源流久遠，載諸史籍，具有徵信稽考者，首推晉代蓋泓纂《珠崖傳》（一卷），最早記於《晉書經籍志》，亦係「瓊州府」志書纂修之始。

迨宋、元二代，雖有志書繼續刊行，惟因年代久遠，志牒大都湮沒佚傳，罕見藏板，誠屬憾惜。目前廣為流傳者，多係明清所纂修之《瓊州府志》，然以編修年代遞有先後，其刊本各異，則各志內容亦多不同。民國以還，相關「海南文獻」之刊行，亦屢見不鮮，但難使吾人追源溯本，爰以歷代編修之志乘，就其個人所識，著論其纂葺源流於次，以供研究參考。

海南之有志，溯自晉代蓋泓纂《珠崖傳》始，於宋一代，則有《瓊州圖經》（佚名）、《瓊管圖經》（趙汝廈纂）、《瓊管志》（義太初序）、《瓊臺志》（佚名）等四種。迨元順帝至正年間，府學蔡微纂修《瓊海方輿志》（府治：瓊山縣屬）一書。

至明一代，於武宗（朱厚照）正德十六年(1521)，上官崇修、唐冑纂《瓊臺志》。神宗（朱翊鈞）萬曆年間，先有周希賢修《瓊州府志》，繼有戴熺　歐陽璨修、蔡光前等纂《瓊州府志》，計三次纂修。並有鄭廷鵠著《瓊志稿》，王佐著《瓊臺外紀》，暨《珠崖錄》等三種，除《正德　瓊臺志》，暨《萬曆瓊州府志》外，餘者鮮見藏板，恐已佚傳，誠屬憾惜矣。

迄清一代，各朝頒詔各省開館修志，極為鼎盛風行。於清聖祖（玄燁）康熙十五年(1676)，牛天宿修、朱子虛纂《瓊郡志》，是乃初修「清康熙本」（牛志）。至康熙四十五年(1706)，焦映漢修、賈棠纂《瓊州府志》（重修），俗稱「康熙修本」（賈志），與牛志纂修時間，相距三十年。

清高宗（弘曆）乾隆三十九年(1774)，蕭應植修、陳景塤纂《瓊州府志》（續修），俗稱「乾隆修本」（蕭志），與賈志修輯時間，相距六十有八年。是志編纂有簡要「沿革表」，在歷代《瓊州府志》中，首屬創舉（簡明嚴謹），且係後人續修府志者之藍本。

清宣宗（旻寧）道光三年(1823)至五年(1825)間，呂子班於知府任內，纂修《瓊州府志稿》，惟未付梓，亦未見稿本，誠屬憾惜。迨道光二十一年(1841)，明誼修、張岳崧纂《瓊州府志》（續修），俗稱「道光修本」（張志），與蕭志編修時間，相距六十七年。張志較「清修本」各府志中，內容詳備而富美，洵屬歷代府志之佼皋。於德宗（載湉）光緒十六年(1890)，由瓊州府知府林隆斌，據其補刊。是「補刊本」，雖無前人纂修之功，惟對後世續修獻力亦偉，殊具相當價值。

民國肇立，於《瓊州府志》，迄無重修或續修，但有重印本，相繼出版。茲依刊行年代，分別臚著於次，以供方家查考。

民國十二年(1923)，海口市海南書局鉛印本，係根據清光緒十六年(1890)林隆斌「補刊本」重印。

民國五十年(1961)間，臺北市海南同鄉會，依據鄉人雲大選

（香泉書室）珍藏，海南書局「鉛印本」（民國十二年刊行），再行影印五百部（每部五大冊　線裝），以廣流傳。

民國五十六年(1967)間，臺北市成文出版社，依據清道光二十一年(1841)修，光緒十六年(1890)補刊本，再行影印出版，並列為（中國方志叢書：華南地方　第四十七號），每部（套）精裝二大冊(1036)面，乃目前流傳最廣之影印本。

二、待訪志書

海南古名珠崖，又名瓊臺，亦稱瓊州，或稱瓊崖，簡稱瓊。原屬廣東省政府（第九區），後改置：海南特別行政區（直隸行政院），今稱：海南省。

瓊州府志書之纂修，考其修志源流，見載於文獻典籍，而有史料足資稽考者，緣自晉·蓋泓纂《珠崖傳》（一卷）肇始，中經宋、元、明、清四代，所葺志書頗多。由於年代久遠，間被水漬或蠹蝕所害，抑遭兵燹或火災焚燬，致藏板湮沒，原本佚傳（待訪）者頗多，殊深憾惜矣。

是「待訪志書」，所蒐集資料，包括：古方志、傳錄、圖徑（說）、外紀、志略（稿）等。於文中各志書，仍仿中國編目規則，並參考標準書目基本格式著錄，期使綱目簡明有序，以表示系統化。其款目依次：志書名（卷數）、纂修人、刊版年、輯本、案語、引據資料。其最主要之論旨，在各志之知見書目、修（纂）者事略（佚名或未詳者，尚待方家查考）、修志年考等項。爰就晉、宋、元、明、清五代，依其修本年代，分別臚著於次，以供邦人士子，暨學術界研究參考。

（晉代修本）

《珠崖傳》一卷　　晉・蓋　泓纂

金谿王氏《漢唐地理書鈔》輯本　　晉佚

案：漢置珠崖郡，唐崖州珠崖郡，宋瓊州瓊山郡，元乾寧軍民安撫司，明清瓊州府，府治瓊山縣。

㈠、知見書目

按晉・蓋　泓纂《珠崖傳》一書，載於文獻史料者，據張國淦《中國古方志考》（頁六二〇），暨相關資料，綜著於次，以供查考。

唐・徐　堅等奉敕撰《初學記》（卷八）：引《珠崖傳》

唐・長孫無忌《隋書經籍志》（卷二）：

珠崖傳　一卷　　偽燕聘晉使蓋　泓撰

宋・李　昉奉敕撰《太平御覽》（果部）：

《珠崖傳》曰：果有龍眼。

又〈珠崖故事〉曰：珠崖果有餘甘。

清・丁國鈞《補晉書藝文志》（卷二）：

蓋　泓《珠崖傳》　一卷

清・文廷式《補晉書藝文志》（卷二）：

蓋　泓《珠崖傳》　一卷

清・秦榮光《補晉書藝文志》（卷二）：

《珠崖傳》　一卷　　偽燕聘晉使蓋　泓撰

清・黃逢元《補晉書藝文志》（卷二）：

《珠崖傳》　一卷　　偽燕聘晉使蓋　泓撰

清・吳士鑑《補晉書經籍志》（卷六）：

《珠崖傳》　一卷　　偽燕聘晉使蓋　泓撰

清・章宗源《隋書經籍志考證》（卷六）：

《珠崖傳》　一卷　　偽燕聘晉使蓋　泓撰

清・姚振宗《隋書經籍志考證》（卷二十一）：

《珠崖傳》　一卷

偽燕聘晉使蓋　泓撰，蓋泓始末未詳。

清・阮　元《道光　廣東通志》（卷一百九十三・藝文略五）：　珠崖傳　一卷　　偽燕蓋　宏撰

隋志：偽燕聘晉使蓋　宏撰

張國淦《中國古方志考》（頁六二〇）：

珠崖傳　一卷　　晉・蓋　泓纂

金谿王氏《漢唐地理書鈔》輯本　　晉佚

呂名中《南方民族古史書錄》（頁三〇）：

朱崖傳　一卷

《隋志》著錄為：偽燕聘晉使蓋　泓撰

《漢唐地理書鈔》有輯文

邢益森《海南鄉情攬勝》（寶島風姿錄・續集二・頁九十四）：　珠崖傳　一卷　　蓋　泓東晉（燕）修　失

附註：《補晉書・藝文志二》存書目

王會均《海南方志資料綜錄》（總目錄・頁三十五）：

珠崖傳　一卷　　晉・蓋　泓纂

金谿王氏《漢唐地理書鈔》輯本　　晉佚

㈡、纂者事略

蓋　泓，晉人。仕燕偽聘晉使，著有《珠崖傳一卷》。

臧勵龢《中國人名大辭典》（頁一三七七），有載。

（宋代修本）

《瓊州圖經》　　宋·佚　名纂

蒲圻張氏《大典》輯本　　宋佚

案：《圖經》序：去州三十里，有古崖州城（見《輿地紀勝》卷一百二十四：瓊州·古蹟引）。

宋·王象之《輿地紀勝》（卷一百二十四）：

瓊　州，古蹟（古崖州城），縣沿革（澄邁縣），風俗形勝（取三斗器），景物上（瓊臺、瓊山、白玉、蜑家）、景物下（黎母山）、古蹟（廢忠州），引《圖經》七條。

宋·李　光《莊簡集輯本》（卷十六）：

瓊州雙泉記，引《圖經》一條

案：參見《大典輯本》

清·阮　元《道光　廣東通志》（卷一百九十二·藝文略四）：　瓊州圖經　　宋　人纂（未詳姓氏）　　佚

見《輿地紀勝》

張國淦《中國古方志考》（頁六二一）：

（瓊州）圖經　　宋佚　　蒲圻張氏大典輯本

呂名中《南方民族古史書錄》（頁九十三）：

瓊州圖經　　宋·不著撰人姓名

蒲圻張氏《大典輯本》輯一條

邢益森《海南鄉情攬勝》（寶島風姿錄・續集二・頁九十四）：　瓊州圖經　宋修　失

附注：《輿地紀勝》、《永樂大典》有引文

王會均《海南方志資料綜錄》（總目錄・頁三十六）：

瓊州圖經　宋　人纂

蒲圻張氏《大典》輯本　宋佚

《瓊管圖經》十六卷　宋・趙汝廈纂　宋佚

案：宋・王象之《輿地紀勝》：瓊州沿革，皇朝以瓊州守臣提舉儋、崖、萬安等州水陸轉運使，後罷轉運，改瓊管安撫都監。

㈠、知見書目

元・托克托等撰《宋史・藝文志》（卷二）：

趙汝廈《瓊管圖經》　十六卷

明・黃　佐纂《嘉靖　廣東通志》（卷四十二）：

瓊管圖經　十六卷　宋・趙汝廈修　今亡

清・阮　元修《道光　廣東通志》（卷一百九十二・藝文略四）：　瓊管圖經　十六卷　宋・趙汝廈撰　佚

見　宋志

張國淦《中國古方志考》（頁六二一）：

瓊管圖經　十六卷　宋・趙汝廈纂　宋佚

呂名中《南方民族古史書錄》（頁九十三）：

瓊管圖經　十六卷　宋・趙汝廈撰

《宋史・藝文志》著錄

邢益森《海南鄉情攬勝》（寶島風姿錄・續集二・頁九十四）：　瓊管圖經　十六卷　宋・趙汝廈　失

附注：《宋史・藝文志二》存書目

王會均《海南方志資料綜錄》（總目錄・頁三十六）：

瓊管圖經　十六卷　宋・趙汝廈纂

宋　本（年次未詳）　宋佚

㈡、纂者事略

趙汝廈，里籍、事略未詳，有待方家查考

《瓊管志》　宋・佚　名纂　義太初序　宋佚

王象之《輿地紀勝》，引《瓊管志》三十條。

㈠、知見書目

宋・王象之《輿地紀勝》（卷一百二十四）：

瓊州：碑記，《瓊管志》義太初序。

明・李　賢《大明一統志》（卷八十二）：

瓊州府：形勝、風俗，引《瓊管志》四條。

清・阮　元《道光　廣東通志》（卷一百九十二・藝文略四）：　瓊管志　宋　人纂（未詳名氏）　宋佚

《輿地紀勝》云：義太初序

陳劍流《海南簡史》（頁七十九）：

瓊莞志（卷數未詳）　宋・趙　廈撰

嘉定中刊行（見廣東通志・藝文志）

案：陳著是志係宋・趙　廈撰，於南宋寧宗嘉定年中刊行，恐有舛誤，尚待方家查考。

趙　廈，字材老，古汴人。南宋嘉定初年任管師，重修郡學，撥新庄學田，遷東坡、澹庵二祠。

唐　胄《正德　瓊臺志》（卷三十六・名德）有載。

案：宋神宗熙寧年間，以瓊州爲瓊管安撫司，領儋、崖、萬三軍，置管師統領海南地。

清・張岳崧《道光　瓊州府志》（卷之二十三・職官志・文職上）著載：趙　廈於嘉定中任瓊州知事

張國淦《中國古方志考》（頁六二一）：

瓊管志　　宋・義太初纂　　宋佚

案：張著此志，係義太初纂，有待方家查考。

呂名中《南方民族古史書錄》（頁九十三）：

瓊管志　　宋・義太初序

《輿地紀勝》（卷一二四），引此書稱「義太初序」，未著撰人。

《紀勝》引此書共三十條。

《明一統志》（卷八十二），引此書四條。

邢益森《海南鄉情攬勝》（寶島風姿錄・續集二・頁九十四）：　瓊管志　　宋・義太初序　　失

附注：《輿地紀勝》、《阮通志》存書目

王會均《海南方志資料綜錄》（總目錄・頁二十）：

瓊管志　　宋　人纂　　義太初序

宋　本（年次未詳）　　宋佚

㈡、序者事略

義太初，字仲遠，自號：冰壺，宋・道州（今湖南省道縣）

人。先以詞賦名，尋舍去，宗濂溪之學。周必大、朱　熹皆與之游，屢表其能。於南宋孝宗淳熙五年(1178)戊戌科登進士第，歷官：知高、瓊二州、俱斐聲。著有：《冰壺詩》、《易集注》、《文集》，祀鄉賢。

清・曾國荃《光緒　湖南通志》（卷一百六十三・人物志四・宋二），臧勵龢《中國人名大辭典》（頁一二九五・二），有傳略。

《瓊臺志》　　宋　人纂　　蒲圻張氏大典輯本　　宋佚

按《大典輯本》，據《大典》載：六模（瓊州南湖、瓊州西湖）、九真（蔭潭村）、十八陽（尊賢堂），引《瓊臺志》四條。

張國淦《中國古方志考》（頁六二一）：

瓊臺志　　宋佚　　蒲圻張氏大典輯本

案：《輿地紀勝》：瓊州沿革，以兼轉運使，故號「瓊臺」。

呂名中《南方民族古史書錄》（頁九十二）：

瓊臺志　　宋・不著撰人姓名

蒲圻張氏《大典輯本》輯四條

邢益森《海南鄉情攬勝》（寶島風姿錄・續集二・頁九十四）：　瓊臺志　　宋　本　失

附注：《永樂大典》有引文

王會均《海南方志資料綜錄》（頁十三）：

瓊臺志　　宋　人纂

蒲圻張氏大典輯本　　宋佚

（元代修本）

《瓊海方輿志》二卷　　元・蔡　微纂　　元佚

㈠、知見書目

清・錢大昕《元史藝文志》（卷二）：

蔡　微　瓊海方輿志

清・倪　燦《補遼金元三史藝文志》：

瓊海方輿志

元・蔡　微，字希元，瓊山人，任教官。

清・黃虞稷《千頃堂書目》（卷八補）：

瓊海方輿志

元・蔡　微，字希元，瓊山人，任教官。

明・黃　佐《嘉靖　廣東通志》（卷四十二）：

瓊海方輿志　二卷　　元・蔡　微撰　樂會教官

清・阮　元《道光　廣東通志》（卷一百九十三・藝文略五）：　瓊海方輿志　二卷

元・蔡　微撰，未見，黃志有。

瓊州府志：微字希元，瓊山人，樂會教官。

王國憲《民國　瓊山縣志》（卷十九・藝文略）：

瓊海方輿志　二卷　　元・蔡　微撰　見黃通志

陳劍流《海南簡史》（頁七十九）：

瓊海方輿志（二卷）　　元・蔡　微編

按蔡氏係宋襄公後裔，居萬州，遷瓊山，任樂會學訓。

張國淦《中國古方志考》（頁六二二）：

瓊海方輿志　元佚　　元・蔡　微纂

蔡　微，字希元，瓊山人，樂會教官。

呂名中《南方民族古史書錄》（頁一八八）：

瓊海方輿志　　明・蔡　微撰

《千頃堂書目》著錄，無卷數

案：蔡　微係元代人，並非明季人，呂著有誤。

邢益森《海南鄉情攬勝》（寶島風姿錄・續集二・頁九十四）：　瓊海方輿志　二卷　　元・蔡　微　　失

《元史・藝文志二》、明《廣東通志》存書目

王會均《海南方志資料綜錄》（總目錄・頁十五）：

瓊海方輿志　二卷　　元・蔡　微纂

元至正間（年次未詳）修　　元佚

清・張岳崧《道光　瓊州府志》（卷之二十三・職官志・文職上）刊載：明・瓊州府，推官：郭　西，江西和泰人。

庠生，洪武年間任，刊《瓊海方輿志》。

㈡、纂者事略

蔡　微，字希元，號止庵，瓊山人。宋襄公後裔，居萬州，遷瓊山。元順帝至正七年(1347)丁亥，任樂會縣學教諭，博學能文，師道嚴肅，後攝府學，纂修《瓊海方輿志》，值時不偶，遂隱去不仕。祀鄉賢

明・唐　胄《正德　瓊臺志》（卷三十六・名德），清・張岳崧《道光　瓊州府志》（卷之三十三・人物志：名賢）、程秉慥《康熙　樂會縣志》（卷之三・名宦），王國憲《民國

瓊山縣志》（卷二十四・人物志：列傳）、張廷標《瓊山鄉土志》（卷之二・耆舊錄）、臧勵龢《中國人名大辭典》（頁一五三二），載有事略。

（明代修本）

《瓊州府志》　　明・佚　名修

明成化十四年(1478)修（劉志舊序）　　佚

按《成化　瓊州府志》，似係知府王　京任內修。其題名、修志年代，係據明・唐　胄《正德　瓊臺志》載：〈瓊州府志序〉著錄

邢益森《海南鄉情攬勝》（寶島風姿錄・續集二・頁九十四）：　　瓊州府志　十二卷

明成化十四年(1478)修　　失

附注：《正德瓊臺志》存序文

《珠崖錄》三卷　　明・王　佐撰　　佚

案：此書久佚，據王　佐《雞肋集》（共十卷，民國二十四年，海南書局鉛印本）載：〈進《珠崖錄》奏〉（卷一），獲悉此書爲「三卷」。

㈠、知見書目

清・阮　元《道光　廣東通志》（卷一百九十三・藝文略五）：　　珠崖錄　五卷　　明・黃　佐　　未見

見明志（係指明・黃　佐《廣東通志》言）

案：珠崖錄三卷，係明・王　佐撰，並非「五卷」，亦非「明・黃　佐撰」，實有舛誤，宜補正之。

陳劍流《海南簡史》（頁七十九）：

珠崖錄（三卷）　王　佐撰

見：明・黃　佐《廣東通志》

呂名中《南方民族古史書錄》（頁一五〇）：

珠崖錄　三卷　明・王　佐撰

《明史・藝文志》著錄為五卷

邢益森《海南鄉情攬勝》（寶島風姿錄・續集二・頁九十四）：　珠崖錄　三卷　明・王　佐　失

附注：《黃通志》、《阮通志》存書目

王會均《海南方志資料綜錄》（總目錄・頁三十五）：

珠崖錄　三卷　明・王　佐撰

明　本（年次未詳）　佚

㈡、纂者事略

王　佐，字汝學，號桐鄉，臨高蠶村人。明英宗正統十二年(1447)丁卯科舉人，卒業太學，為祭酒吳　節所賞，譽與白沙齊名。歷官高州、邵武、臨江三府同知，所至清廉慈愛。著有：《雞肋集》、《經籍目略》、《家塾原教》、《瓊臺外紀》、《珠崖錄》、《庚申錄》、《金川玉屑集》等書，世稱：文行君子，年八十五卒。郡、邑俱祀鄉賢

清・阮　元《道光　廣東通志》（卷三百一・列傳三十四・瓊州一）、張岳崧《道光　瓊州府志》（卷之三十三・人物志・名賢上）、聶緝慶《光諸　臨高縣志》（卷十二・人物類・名賢）、吳道鎔《廣東文徵作者考》（卷二）、臧勵龢《中國人名大辭典》（頁九十二・四）、朱逸輝《海南名人傳略》

（冊上・頁十三）、王中柱校注《雞肋集》（附錄・頁四五三～四六五）、王俞春《海南進士傳略》（頁一七七），載有傳或年表。

《瓊臺外紀》五卷　　明・王　佐撰　　正德六年(1511)　佚

㈠、知見書目

清・阮　元《道光　廣東通志》（卷一百九十三・藝文略五）：　　瓊臺外紀　五卷　　明・黃　佐撰　　未見

見明志（指明・黃　佐《廣東通志》言）

案：瓊臺外紀五卷，係瓊人王　佐撰・阮著：明・黃　佐撰，實爲舛誤，是補正之。

陳劍流《海南簡史》（頁七十九）：

瓊臺外紀（五卷）　　王　佐撰

見：明・黃　佐編《廣東通志》

呂名中《南方民族古史書錄》（頁一八八）：

瓊臺外紀　五卷　　明・王　佐撰

《明史・藝文志》著錄

邢益森《海南鄉情攬勝》（寶島風姿錄・續集二・頁九十四）：　瓊臺外紀　五卷　　王　佐

明正德六年(1511)　　失

附注：內容多被《正德　瓊臺志》摘引

王會均《海南方志資料綜錄》（總目錄・頁三十五）：

瓊臺外紀　五卷　　明・王　佐撰

明　本（正德六年）　　原佚

㈡、纂者事略

王　佐(1428~1512)氏，於明宣宗宣德三年（戊申）生，明武宗正德七年（壬申）卒，其事略參見《珠崖錄》（纂者事略）。

《瓊州府志》　　明・黃暾江修　　明　本（年次未詳）　　佚

案：是志之題名、修纂人，係據明・鄭廷鵠詩著錄。

清・張岳崧〈續修瓊州府志序〉云：……黃暾江先生，嘗應聘主修，見于鄭篁溪先生所贈詩，今皆不存。……

㈠、知見書目

邢益森《海南鄉情攬勝》（寶島風姿錄・續集二・頁九十四）：　瓊州府志　黃暾江修　明　本　失

附注：鄭篁溪詩提及黃暾江應聘主修郡志

㈡、修者事略

黃暾江，本名：黃　顯，字仁叔，瓊山人。明世宗嘉靖二十年(1541)辛丑科進士（二甲、六七名），授刑部主事，治獄多所平反，首冠諸僚，出守撫州。後遷池州，斐聲益顯，尋擢湖廣按察司副使，時嚴嵩專權用事，遂乞休歸里，卒於家。祀鄉賢

明・鄭廷鵠〈送黃暾江之任撫州序〉、海瑞〈祭黃暾江文〉，清・張岳崧《道光　瓊州府志》（卷之三十四・人物志二・名賢下）、王贄《康熙　瓊山縣志》（卷之七・人物志・鄉賢），有事略。

《瓊志稿》　　明・鄭廷鵠撰

明嘉靖年間（年次未詳）修　稿本　　佚

㈠、知見書目

王國憲《民國　瓊山縣志》（卷十九・藝文略）：

瓊志稿　　鄭廷鵠撰　　見郭通志

案：係指明・郭　棐修《萬曆　廣東通志》而言

陳劍流《海南簡史》（頁七十九）：

瓊志稿（卷數不詳）　　鄭廷鵠撰

見：郭　棐編《廣東通志》

邢益森《海南鄉情攬勝》（寶島風姿錄・續集二・頁九十五）：　瓊志稿　　鄭廷鵠　　明嘉靖間　　失

《郝通志》存書目，一作《瓊志略》。

王會均《海南方志資料綜錄》（總目錄・頁十三）：

瓊志稿　　明・鄭廷鵠撰

明　本（嘉靖年間）　　佚

㈡、纂者事略

鄭廷鵠(1505~1563)，字元侍，號篁溪，又號：一鵬，瓊山西廂人。明世宗嘉靖十七年(1538)戊戌科進士（二甲五十七名），授工部主事，晉吏科左給事，以地震上四事，皆關至計，擢江西副提學，遷參政，乞養歸，築室石湖。著有：《藿膾集》、《易禮春秋說》、《蘭省掖垣集》、《武經七書注》、《學臺集》、《石湖集》、《瓊志稿》（未完成之遺稿）等數十種，凡百餘卷。於阮通志藝文略，皆注未見。

清・阮　元《道光　廣東通志》（卷三百一・列傳三十四・瓊州一）、張岳崧《道光　瓊州府志》（卷三十四・人物志・

名賢下），張廷標《光緒　瓊山鄉土志》（卷之二・耆舊錄）、王國憲《民國　瓊山縣志》（卷二十四・人物志・列傳）、吳道鎔《廣東文徵作者考》（卷三）、朱逸輝《海南名人傳略》（冊上・頁三十九～四十一）、高日培《瓊山－國家歷史文化名城》（頁三〇〇）。王俞春《海南進士傳略》（頁七十九～八十二），皆載有傳或事略。祀鄉賢

《瓊州府志》　　明・周希賢修　　萬歷二十一年(1593)修　佚

㈠、知見書目

清・阮　元《道光　廣東通志》（卷一百九十二・藝文略四）：　　瓊州府志　　明・周希賢修　　佚

蕭志：希賢，莆田人，隆慶中守瓊，重修郡乘

謹案：郝省志，希賢係萬曆中任。

杜定友《廣東方志目錄》（頁十六）：

瓊州府志　　周希賢　　萬曆年　　原佚

陳劍流《海南簡史》（頁八〇）：

瓊州府志（卷數不詳）　　隆慶中

周希賢（見郝玉麟編廣東通志）

案：戴　熺《萬曆　瓊州府志》（卷之九・秩官志・官師表）載「周希賢，福建人，萬曆十三年任，有傳」。陳著：隆慶中修志，顯有舛誤。

邢益森《海南鄉情攬勝》（寶島風姿錄・續集二・頁九十五）：　　瓊州府志　　周希賢　　明萬曆丙辰(1616)　失

附注：《牛志》以為萬曆丙辰(1616)修，恐誤。

王會均《海南方志資料綜錄》（總目錄・頁十三）：

瓊州府志　　明・周希賢修

明萬曆二十一年(1593)間修　　佚

㈡、修者事略

周希賢，字司謙，福建莆田人。明世宗嘉靖四十三年(1564)甲子科舉人，明神宗萬曆二年(1574)甲戌科進士（二甲二名）。雲南副使，天性坦易，鄉黨稱之。於明萬曆十三年(1585)至二十一年(1593)間守瓊州，政尚寬和，士民被膏澤者，頌聲不絕。重修郡乘，頗稱典要。

郝玉麟《雍正　廣東通志》（卷四十一・名宦志・瓊州府）、阮　元《道光　廣東通志》（卷二百五十三・宦績錄二十三・明十二）、戴　熺《萬曆　瓊州府志》（卷之九・秩官志・名宦・明）、張岳崧《道光　瓊州府志》（卷之三十・官師志・宦績・明）、王國憲《民國　瓊山縣志》（卷之二十三・官師志・宦績・明）、張廷標《光緒　瓊山鄉土志》（卷之一・宦績錄・明）、王俞春《歷代過瓊公傳》（頁一七四），皆載有事略。祀名宦

校修：依據戴　熺《萬曆　瓊州府志》、張岳崧《道光　瓊州府志》、王國憲《民國　瓊山縣志》刊載，參與校修者三人，其姓氏、事略，分述於次，以供參考。

陳龍雲，瓊山興義人。瓊州府學，歲貢。於明萬曆二十一年(1593)癸巳，校修郡志。

曾學確，瓊山人，修癸巳志。

林養英，瓊山人。博雅篤行，校修郡志。

㈢、修志年考

明・周希賢修《瓊州府志》之年次，於署著「周希賢，隆慶中守瓊，重修郡乘」者，似有舛錯。然杜定友《廣東方志目錄》著為「萬曆年」，雖無大錯，惟無確實年次，且明神宗萬曆年號，計有四十七年，其差距頗大矣。茲參諸相關佐證資料，分別著述於次，以供方家稽考。

首就知府任期言之，依據明・戴　熺《萬曆　瓊州府志》（卷之九・秩官志・官師・明・知府）刊載：「周希賢，福建人，萬曆十三年任，有傳」。次載：「王　約，惠安人，萬曆二十一年任」。於是顯示，周希賢於明神宗萬曆十三年(1585)乙酉，迨萬曆二十一年(1593)癸巳，守瓊（知府）任期，計有九年。

次從在任政績窺之，依據明・戴　熺修《萬曆　瓊州府志》（卷之九・秩官志・名宦・明・知府），清・張岳崧纂《道光　瓊州府志》（卷之三十・官師志・宦績・明），王國憲纂《民國　瓊山縣志》（卷之二十三・官師志・宦績・明）略云：「周希賢，守瓊州，政尚寬和，……嘗頒刻諭瓊禮要及重修郡乘。」其「重修郡志」，頗稱典要。唯未見藏板，恐已佚傳，殊為憾惜。

復由校修志者證之，依據各方志書目記載，周希賢《瓊州府志》萬曆年修，原佚。且現存明、清修本《瓊州府志》（戴志、牛志、賈志；蕭志、張志），亦無〈修志職名表〉稽考。惟從其他相關資料佐證之，其參與「校修」者，計有三人，分述於次，以供查考。

甲、依據明・戴　熺修《萬曆　瓊州府志》（卷之十・人物志・歲貢）載：自成化至萬曆年間（府學・歲薦）

陳龍雲，興義人，萬曆癸巳，校修郡志。

乙、依據清・張岳崧纂《道光　瓊州府志》，相關資料佐證如次：

卷之二十七（選舉志五：貢選上・明・瓊州府學）載：

陳龍雲，萬曆癸巳，校修郡志。

卷之三十六（人物志：耆舊・明）載：

曾學確，瓊山人，修癸巳志。

林養英，博雅篤行，校修郡志。

丙、依據王國憲總纂《民國　瓊山縣志》，相關資料佐證於次：

卷之二十二（選舉志五：貢選・明・歲貢）載：

陳龍雲，萬曆癸巳，校修郡志。

卷之二十五（人物志：耆舊・明）載：

曾學確，修癸巳志。

林養英，博雅篤行，校修郡志。

按明神宗萬曆二十一年(1593)，歲次就是癸巳。參諸上述各志所載相關佐證資料，於是顯見，郡守周希賢氏，纂修郡乘，當在明神宗萬曆二十一年(1593)歲次癸巳，較具信服力矣。

《瓊州府志》　明・韓鳴金纂修　萬曆二十一年(1593)　佚

㈠、知見書目

邢益森《海南鄉情攬勝》（寶島風姿錄・續集二・頁九十五）：　瓊州府志　韓鳴金

明萬曆二十一年(1593)　失

案：邢著此志，似與周希賢《瓊州府志》同一修本。

㈡、纂者事略

韓鳴金，字伯聲，廣東博羅人。明神宗萬曆元年(1573)癸酉科舉人，初署桐柏教諭，移瓊州府學教授，博洽經史，工於詩文，勤課藝精品隲，動由禮度，癸巳校修郡志，陞知宣化縣。著有《寓桐錄》、《五柳園集》。祀名宦，邑鄉賢

清・阮　元《道光　廣東通志》（卷二百九十一・列傳二十四・惠州二）、戴　熺《萬曆　瓊州府志》（卷之九下，秩官志・名宦・教職）、張岳崧《道光　瓊州府志》（卷三十・官師志二・宦績中・明）、王國憲《民國　瓊山縣志》（卷二十三・官師志一・宦績　明）、劉湝年《光緒　惠州府志》（卷三十二・人物四・政績上），載有事略。

《瓊島圖說》　明・林如楚撰　萬曆年間本（未見藏板）

按《瓊島圖說》，久訪未見藏板，致纂著始末、圖說內容、纂輯敘例（斷限年次）、刊本藏板，無從稽考。今就知見書目、纂者事略、圖說釋義、纂本年考四項，分別著述如次：

㈠、知見書目

邢益森《海南鄉情攬勝》（寶島風姿錄・續集二・頁九十五）：　瓊島圖說　明・林如楚　萬曆年間　失

㈡、纂者事略

林如楚(1543~1623)氏，應亮子。字道茂，或作：道翹，號碧麓，福建侯官人。明世宗嘉靖四十四年(1565)乙丑科進士（二甲六十六名），歷刑部主事、郎中，外擢廣東按察司副使，提督學

道，得士甚多，遷布政司右參政。官廣西左布政使，內除工部侍郎，致仕卒，壽年八秩晉一歲。著有《碧麓堂集》，流行於世（明・董應舉《崇相集》卷六／一一）。

明神宗萬曆三十年(1602)壬寅，復以提刑按察司按察使分巡海南，釐剔諸弊，注意學校考課，先德行而後文藝，士風丕變。時郡以黎馬矢之役，供億繹騷，百姓疲敝，如楚鎮以清靜。黎平後，建水會所、設城池、創公廨、議兵餉、嚴守禦、立社學、化黎童，綜理微密，闔郡晏然（賈棠府志）。祀名宦

明・戴　熺《萬曆　瓊州府志》（卷之九・秩官志・名宦），清・明　誼《道光　瓊州府志》（卷之三十・官師志二・宦績中），王國憲《民國　瓊山縣志》（卷之二十三・官師志一・宦績・明）、張廷標《光緒　瓊山鄉土志》（卷之一・政績錄・明）、王俞春《歷代過瓊公傳》（頁一四〇），皆載有事略。

㈢、圖說釋義

巡道林如楚《瓊島圖說》中云：「…昔畫黎者，以征撫為入門，開十字路為實地，今水會城，撫綏有官守禦，有所敷教，有墊通商，有市民黎，熙熙已隱。然州縣規模，而又據諸獠腹心矣。」

又云：「東通萬陵、西達儋感、北出瓊定，十字已丁矣。若踰五指而抵崖，招村闢村，招峝闢峝，山澤通氣，渾沌自判。如解凍之後，蟄蟲悉啟門而出，則全島輿圖，豈僅十三州邑已哉！」（清・明　誼《道光　瓊州府志》卷之二十二・海黎志・黎議）

明・戴　熺《萬曆　瓊州府志》（卷之八・海黎志・議黎），清・王　贄《康熙　瓊山縣志》（卷之八・海黎志・議黎），載有全文。

㈣、纂本年考

甲、依據清・明　誼修《道光　瓊州府志》（卷之二十三・職官志・文職上）載云：

明・提刑按察司按察使：

林如楚：福建莆田人。進士，萬曆三十年任，有傳。

乙、次據清・阮　元修《道光　廣東通志》（卷二十・職官表十一／明三）載云：

明・按察司按察使：

林如楚，福建侯官人。進士，萬曆三十年任。

張所望，江南上海人。進士，萬曆三十八年任。

案：明神宗（穆宗第三子，名：朱翊鈞）顯皇帝，在位四十八年(1572.6~1620.7)崩。廟號：神宗，年號：萬曆。

綜而言之，林如楚氏，於明神宗萬曆三十年(1602)壬寅歲復起，以提刑按察司按察使，分巡海南道，迨明神宗萬曆三十八年(1610)庚戌歲離職，在任最少有七年。於是顯見，本《瓊島圖說》，似在明萬曆三十年(1602)，至萬曆三十八年(1610)間纂成，較合時宜情理，亦有高度可信力。

（清代修本）

《瓊州府志稿》　清・呂子班纂修　道光初年間　稿本　佚

案：清・明　誼修、張岳崧纂《道光　瓊州府志》
（卷之一・輿地志一・沿革）有引文。

㈠、知見書目

邢益森《海南鄉情攬勝》（寶島風姿錄・續集二・頁九十五）：　瓊州府志稿　呂子班　清道光年間　失
附注：明　誼《瓊州府志》有引文

㈡、纂者事略

呂子班，字仲英，江蘇陽湖（今武進縣）人。清仁宗嘉慶七年(1802)壬戌科進士（二甲四名），於清宣宗道光三年(1823)癸未，任瓊州府知府。初到任，即自出廉資數百元，邀觀察與縣舉行鄉試賓興禮，整頓學校，釐正字體，講究詩律，倡修郡志，大有作養人才之意，惜未久，以丁憂去。

王國憲《民國　瓊山縣志》（卷之二十三・官師志一・宦績・清），王國憲《瓊山徵訪冊》（冊下・賢士・清），載有事略。

㈢、修志年考

依據清・明　誼修、張岳崧纂《道光　瓊州府志》（卷之二十四・職官志二・文職下・國朝・知府）載：

呂子班，江蘇陽湖。進士，道光三年任。

烏爾恭額，滿州鑲黃旗。舉人，道光五年任。

次據王國憲總纂《民國　瓊山縣志》（卷之二十一・職官志二・文職下・清・知府）載：

呂子班，江蘇陽湖。進士，道光三年任。

烏爾恭額，滿州鑲黃旗。舉人，道光五年任。

按清・呂子班《瓊州府志稿》之纂修年次，各家方志書目，均未見著錄。惟參諸上著相關佐證資料，其修志年次，當在清宣宗道光三年(1823)至五年(1825)間，莫容置疑矣。

結　語

依上「待訪志書」所列資料顯示，瓊郡志乘之纂修，肇始於晉，由於年代久遠，迭遭蠹蛀兵火災害，致梓本湮沒，藏板罕見，恐已佚傳。對海南學術研究，其影響既深且鉅，難作補救，殊為痛惜也。

就修志朝代分析：瓊郡志書之纂修，緣於晉代肇始，中經宋、元、明三代繼之，迨清一代，風尚蔚成，極為鼎盛，梓本不勝枚舉。然以保藏維護不易，間被蠹魚蝕害在所難免，且兵戈頻仍，流散佚傳者泰半，計有一十五種，內中晉修本一種、宋修本四種、元修本一種、明修本八種、清修本一種。以明代修本最多，宋代修本亦不少，極深感痛矣。

綜由上列資料觀察，更能體認〈瓊郡志書〉資料，流散佚傳之嚴重性。從史學理念，暨方志學角度，於修志源流，根脈相承，構成《海南文化》完整體係。就文獻資料言之，深具史料參考價值。對海南學術研究，必有莫大助益，此亦筆者主要動機與最終目的。

三、正德修本（唐志）

《正德　瓊臺志》　四十四卷　　明・上官崇修　　唐　冑纂

明正德十六年(1521)修　　刻本

12 冊　有圖表　25 分分　線裝

㈠、知見書目

清・阮　元《道光　廣東通志》（卷一百九十二・藝文略四）：　　瓊臺志　二十卷

明・上官崇修　唐　冑輯　　佚

正德辛巳　　黃志有　　唐　冑別詳

杜定友《廣東方志目錄》（頁十六）：

瓊臺志　二十卷　　上官崇　　唐　冑纂修

正德十六年　　原佚

陳劍流《海南簡史》（頁七九）：

瓊臺志　二十卷　　唐　冑撰

見清・阮　元編廣東通志

案：瓊臺志四十四卷，以上所著二十卷者，實有舛誤。

黃蔭普《廣東文獻書目知見錄》（頁六〇）：

瓊臺（今海南島）志　四十四卷

明・唐　冑　　正德六年(1511)刊本

『天一』存卷一至二十一、二十四至四十二

案：瓊臺志，係正德十六年(1521)刊行，黃著正德六年(1511)刊本，似有舛誤。

中國科學院北京天文臺《中國地方志聯合目錄》（頁七〇〇）：　〔正德〕瓊臺志　四十四卷　明・唐　胄纂

明正德十六年(1521)刻本

天一（存卷 1～21、24～42）

科學（膠卷）　南京（膠卷）

王德毅《臺灣地區公藏方志目錄》（頁七二九）刊載：

正德　瓊臺志　四十四卷　明・唐　胄纂修

據天一閣藏明正德刊本影印

臺大　中圖　臺灣分館　670.8／4437　V.18

楊德春《海南島古代簡史》（頁一一六）：

《正德　瓊臺志》四十四卷，明・上官崇修、唐胄輯，正德十六年（公元 1521 年）刻本，1964 年上海古籍書店影印出版。

陳光貽《稀見地方志提要》（下冊：頁八八七至八八八）：

瓊臺縣志　四十四卷　明・唐　胄纂

明正德十六年　刊本（天一閣藏，存卷一至二十一、卷二十四至四十二）

案：陳著題名：瓊臺縣志，似有舛錯，補正《瓊臺志》。

㈡、修志始末

本《正德　瓊臺志》，係由瓊州知府上官崇修、邑紳唐胄纂，於明武宗正德十六年(1521)，歲次辛巳秋七月既望，書成付雕。其修志始末，著述大端於次，以供方家參考。

依據明正德辛巳秋七月，唐　胄〈瓊臺志序〉略云：「郡志自國初至是亦編矣，而必須此焉者欲備也。唐人稱郡僻無書，至宋瓊筦志、萬州圖經，元人又不能蓄。丘文莊公晚年嘗言己有三恨，郡牒未修一也。桐鄉王公載筆數十年，錄郡事警官志，前後擅易之陋，迺命所集爲外紀，以自成一家之書。孫户部九峰先生，嘗托前守方公爲梓而不果。後守王公取閱其書，謂獨詳於人物土產，而他目仍舊，乃迎公於東嶽祠，禮郡雋副裁爲志，而余與焉」。

次云：「首啓沿革，而公於建武復縣，執舊疑史，與衆不合，閣筆延月，僅授序答守以歸，適逆瑾敗起，使催余就，道守亦離位，而事寢矣。余乃藏採藁於知友唐鵬異氏，俟裨書見以成後，自淮漕得告歸，謝邦君以督府檄，禮余纂就而未果，適王巴山、汪東泉二憲伯、上官太守三先生，繼志懇成之。……」

末云：「……前後共成二書，赤城新舊各爲一志，以體桐鄉外紀名書之意，或於此書而有恨焉，亦安忍不爲之，補遺考異以續其別哉，則古人所謂欲俟備於後，而反愈不備於今者，不惟無慮而且有所望矣，豈非諸公今日拳拳之意所召哉。」是乃《正德　瓊臺志》，纂修之動機，及其始末，大略如斯矣。

㈢、纂者事略

按《正德　瓊臺志》，雖無〈修志職名〉稽考，惟從唐胄〈瓊臺志序〉窺之，其參與修志者，大略如次：

主修：上官崇，江西省吉安府吉水縣人。明孝宗弘治十五年(1502)壬戌科進士（三甲四十一名），由南京刑部郎中，陞瓊州府知府。於武宗正德十六年(1521)辛巳，鼎修郡志，視同要典，士林譽之。

總纂：唐　胄，字平侯，號西洲，瓊山東廂人。明孝宗弘治十五年(1502)壬戌科進士（二甲四十一名），授戶部主事，嘉靖間累官左侍郎。世宗欲討安南，冑極言用兵非計，其後卒撫定之。郭勛怙寵，為其祖英請配享太廟，冑疏爭不聽。帝欲以獻皇帝祀明堂配上帝，冑又力言不可，坐削歸籍，尋卒。祀鄉賢

明史稱其有執持，為嶺南人士之冠。隆慶初，贈右都御史。冑為文有理，惟篤嗜白玉蟾詩文，為之精選名海瓊摘稿，此其異也。所著：瓊臺志、江閩湖嶺都臺志、西洲存稿，行於世。

明・焦　竑《國朝獻徵錄》（卷三〇），清・張廷玉《明史》（卷二〇三・本傳）、徐乾學《明史列傳》（卷七一），明・戴　熺《萬曆　瓊州府志》（人物志　卷之十：鄉賢），清・賈　棠《康熙　瓊州府志》（卷之七・人物志・鄉賢）、蕭應植《乾隆　瓊州府志》（卷之七・人物志：列傳）、張岳崧《道光　瓊州府志》（卷之三十四・人物志：名賢下）、趙之謙《江西通志》（卷一二七・官績錄：統轄）、李文烜《咸豐　瓊山縣志》（卷之十九・人物志：列傳），吳道鎔《廣東文徵作者考》（卷二）、藏勵龢《中國人名大辭典》（頁七三七・二），皆有事略。

此外，據唐　冑〈瓊臺志序〉云，尚得庠彥二員，助其不及。惟年籍、事略未詳，僅著述姓名於次，期待邦彥查考。

生員：鍾　遠　　張文甫

㈣、志書內容

明・上官崇修、唐　冑纂《正德　瓊臺志》，凡四十四卷（缺卷二十二、二十三、四十三、四十四），分四十七門。其主要內容，依目錄及卷第，著列於次，以供查考。

第一卷　郡邑疆域圖
第二卷　郡邑沿革表
第三卷　郡邑沿革考
第四卷　郡名　分野　疆域　至到　道里附　形勝　氣候
　　　　風候　潮候附
第五卷　山川上　巖峒　井泉附
第六卷　山川下　巖峒　井泉附
第七卷　水利　風俗
第八卷　土產上
第九卷　土產下
第十卷　戶口
第十一卷　田賦　稅課貢役附
第十二卷　鄉都　墟市　橋梁　津渡附
第十三卷　公署
第十四卷　倉場　鹽場　驛遞　鋪舍
第十五卷　學校上
第十六卷　學校下
第十七卷　社學　書院
第十八卷　兵防上　兵制　兵器　兵署
第十九卷　兵防中　兵官
第二十卷　兵防下　營砦　城池　屯田　巡司　民壯
第二十一卷　平亂　海道　海境　海防　海寇　番方
第二十二卷　（原缺）
　　　　　　黎情上　原黎　列黎　撫黎　平黎
第二十三卷　（原缺）

按舊志、外紀皆十二卷，今多增目至四十四卷者，非故煩諜也，意欲無遺郡之事爾（凡例之末條）。其本志內容龐浩，各門目繫事甚詳，尤以土產一門更為齊備。誠如〈凡例〉（第二條）云：「土產獨有者詳，概有者略，舊志有而今不產，或已偶未見者必注，及今有而舊志不書者必補。」此頗得取舍詳略之法矣。

是志於每一門目紀事次第，郡事以下則按瓊山、澄邁、臨高、安定、文昌、會同、樂會、儋州、昌化、萬州、陵水、崖州、感恩等十三州縣，依次分誌之（凡例・第十條）。

㈤、修志敘例

唐　冑《正德　瓊臺志》，其修志之體裁，乃沿祖史例。誠如〈凡例〉（第一條）云：「沿革既倣史記作表括要而考，復逐注辯者以舊志外紀沿祖他書，故極證以合乎史爾。」

次從唐　冑〈瓊臺志序〉析觀：「……余惟志史事也，例以史而事必盡乎郡，故以外紀備舊志，以史傳備外紀，以諸類書備史傳，以碑刻小説備類書，以父老芻蕘備文籍。……」

又云：「……首表以括邦綱，殿雜以盡鄉細，非徒例史以備事，而且欲微倣史以寓義，蓋體文莊而將順其欲爲之意，尊桐鄉而忠輔其已成之書，以求得臣於二公。第愧淺陋常感古人掃塵之喻，謂塵掃矣，而即隨有況有之而未能盡掃乎，凡書皆然，況志又古人之尤難者乎！」

綜觀《正德　瓊臺志》之〈凡例〉（計十三條）條文寓義，亦可細窺其修志體裁，乃沿襲舊志外紀諸書之義例，係採「門目體」，亦就「按事分目法」也。

按《正德　瓊臺志》，凡四十四卷，分門四十有七，所繫郡及州縣之事，以元明二代最詳，其紀事斷限年代，最遲止於明武宗正德十六年(1521)歲次辛巳。茲依紀事年次，分別著述於次，以供方家查考。

卷第十五　學校：府學，在郡城東南，宋慶曆四年(1044)詔立。……明正德十六年(1521)二月，生員鍾遠、張文甫等以舊祀名賢有遺。……

卷第二十六　壇廟：先賢祠，在海南道右，先鄉人以　國朝郡守王伯貞、徐　鑑有遺愛，附祀於東坡祠，…… 至正德辛巳(1521)春，生員張文甫、鍾　遠等以二賢之祀，本出民心，呈迎牌位回祠，以慰民思。……

卷第四十一　紀異（祥瑞）：正德十六年(1521)三月二十七日申時，慶雲見于郡西，初輪囷上下，二結須臾升合，有黑雲蓋其上，白氣射之亘天。

㈥、徵引典籍

唐　胄《正德　瓊臺志》，係以蔡　微《瓊海方輿志》、王佐《瓊臺外紀》為藍本，並廣泛徵引群籍，互參校訂，舉凡徵考文獻，大都註在各條末。茲概略分著於次，以供方家查考。

（經　部）

《爾雅》、《山海經》、《禹貢》、《水經注》。

（史　部）

唐　胄《正德　瓊臺志》，徵引史書頗多，就其類屬，分著於次，以供參考。

史地之屬：《史記》、《史記：天官書》、《史記：徐廣傳》、《史記：蠻夷傳》、《漢書》、《漢書注》（應劭）、《漢書・地理志》、《漢書・天文志》、《漢書・賈捐之傳》、《漢書・薛綜傳》、《後漢書・地理志》、《後漢書・郡國志》、《後漢書・東夷傳》、《後漢書・南蠻傳》、《後漢書・張純傳》、《魏書・倭人傳》、《晉書・地理志》、《隋書・地理志》、《隋書・方泰傳》、《隋書・譙國傳》、《唐書》、《唐書・本志》、《唐書・地理志》、《唐書・馮盎傳》、《唐書・楊綸傳》、《五代史》、《宋史》、《宋史・列傳》、《宋史・蠻夷傳》、《宋史・崔與之傳》、《元史・本志》、《元史・地理志》、《元史・天文志》、《元史・外國傳》、《元史・占城傳》、《元史・交阯傳》、《元史・本紀》、《元史・世祖紀》、《元史・文宗紀》、《明史・交趾傳》、明《國朝功名錄》、《皇朝名臣言行通錄》、《世史志》、《五行志》、《東嶽志》、《方輿勝覽》、《寰宇通衢》、《曆書長短星日期》、《太平廣記》《外紀・前論》、《外紀・後論》、《蘇軾本傳》。

方志之屬：唐《元和志》、《十道志》、元《一統志》、明《一統志》、明《一統志・陝西延安府》、《姑蘇志》、《赤城志》、《雷州志》、《雷州志・古蹟》、《瓊筦古志》、《瓊海方輿志》、《臨高志》、《儋州志》。

政書之屬：杜佑《通典》、馬氏《文獻通考》、《通考》、明《永樂志》、《宋高宗廟額誥》、〈廉訪司呈文〉、陳乾富〈降款奏〉、〈賈捐之疏〉、知府謝廷瑞〈擬廢奏稿〉、〈所約〉。

（子　部）

《朱語錄》、《本草注》、《綱目本傳》、《紀異》、《名賢叢話》。

（集　部）

《御製文集》、《蘇東坡詩文集》、《丘深庵詩稿》、《瓊臺類稿》、《梁泊庵文選》、唐舟《覺非集》、王佐《雞肋集》、丘濬〈南溟奇甸賦〉、蘇東坡〈颶風賦〉、蘇東坡《詩話》、《名賢詩話》。

（類　書）

李昉《太平御覽》、《類聚》、王應麟《玉海》。

（雜　著）

唐・房千里《投荒雜錄》、唐・劉恂《嶺表錄異》、《搜神記》、《靈著錄》、《丁晉聞錄》、丁謂《歸田錄》、宋・洪邁《夷堅志》、《容齋隨筆》、《瑣言》、《青瑣》、《輟耕錄》、《瓊臺雜詠》、《紡場新賦》、《天順日錄》、《陽侯五百答》。

此外，徵考諸家之詩、詞、歌、賦、文、記、序、跋、引、贊、略、銘、碑傳、墓誌、祭文者繁多，恕不贅著矣。

㈦、刊版年代

唐　胄《正德　瓊臺志》，凡四十四卷（殘存四十卷），線裝十二冊。白口，上下魚尾，四週雙邊。每半葉九行，序文每行最多十六字，凡例及正文每行十九字，注分雙行。原書版框高二二・四公分、寬一五・六公分，楷字，每卷首行及卷終，皆題名《瓊臺志》，惟版心只題「瓊志」二字。

原刻本藏板不多，今浙江寧波天一閣庋藏殘本一部（缺卷二十二、二十三、四十三、四十四，共四卷）。於成化十四年(1478)戊戌秋〈瓊州府志序〉暨卷三、七、十、十二、十六、十九、二十四、二十七、三十一、三十五、四十之首葉下方有「范氏天一閣藏書」（小篆、陽文，四邊有框）方章各乙枚。

按《正德　瓊臺志》之刊行年代，公私著錄大都署為明正德十六年(1521)刻本。雖有刊版，但流傳欠廣，於今知見藏板，就國內外庋藏者，依其刊版年次，分著於次，以供查考。

原刻本　明正德十六年(1521)辛巳秋七月　刻本

　中國：天一（缺卷二十二、二十三、四十三、四十四）

微　捲　據天一閣藏（明正德十六年刻本）攝製

　中國：科學　南京

影印本　一九六四年　上海古籍書店　景印本

　（據天一閣藏明代地方志選刊本）

　中國：北京　首都　故宮　上海　天津　吉林　山西
　山東　甘肅　南京　江西　廈門　湖北　湖南
　廣東　暨大　廣西　四川　北培　……　……
　（計七十單位庋藏，廣傳於世）

重印本　民國七十四年(1985)　臺北市　新文豐出版社

　（據天一閣藏明正德十六年辛巳刊本）重印本

　（兩葉合為一面，16 開本）

臺灣：中圖　臺大　省圖　北市圖　高市圖

國立臺灣圖書館　670.8/4437　V.18

抄　本　（年代及所據祖本未詳）

中國：天津

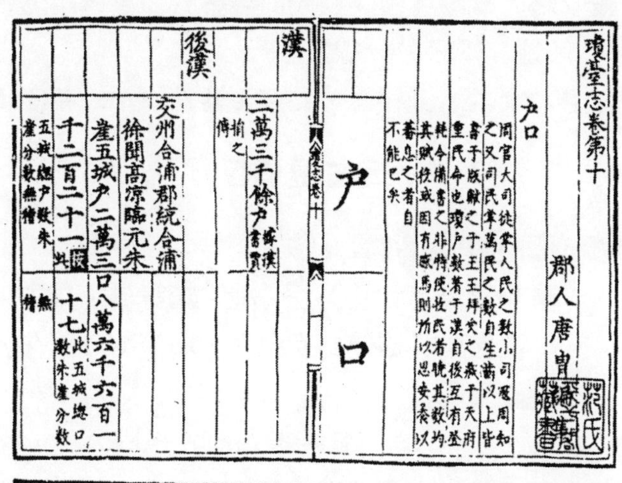
瓊臺志卷第十

郡人唐胄

戶口

周官大司徒掌人民之數小司寇周知之又司民掌萬民之數自生齒以上皆書于版獻之于王王拜受之藏于天府重民命也瓊戶數著于漢自後互有登耗今備書之非特使牧民者睹其數均其賦役或因有感焉則於以思安養以蕃息之者自不能已矣

戶口

漢　二萬三千餘戶 據漢書賈捐之傳

後漢　交州合浦郡統合浦徐聞高涼臨元朱崖五城戶二萬三千一百二十一 按此五城總戶數朱崖分數無稽　口八萬六千六百一十七 此五城總口數朱崖分數無稽

隋　戶一萬九千五百 據隋書地里志

唐　戶八千五百九十三

崖州戶八百十九 據唐書地里志

瓊州戶六百四十九

振州戶八百十九口二千八百二十一

儋州戶三千三百九

萬州戶二千九百九十七

宋　瓊筦總戶一萬三百一十七 據宋書地里志

瓊州戶八千九百六十三

正德《瓊臺志》書影

（天一閣藏板）

四、萬曆修本（戴志）

《萬曆　瓊州府志》　十二卷

明・戴　熺、歐陽璨修　蔡光前等纂　　萬曆年間修　刊本

14 冊　有圖　25 公分　線裝

案：卷之十二・災祥志，記載至萬曆四十六年(1618)止。

(一)、知見書目

陳劍流《海南簡史》（頁八〇）：

瓊州府志（廿卷）　　戴　熺等編（見牛天宿序）

萬歷中（據傳此書已佚，現僅有一部存於日本東京圖書館）

案：瓊州府志十二卷、圖一卷，陳著（廿卷），似有舛誤。

日本國會圖書館《中國地方志總合目錄》（頁二七五）：

瓊州府志　十二卷　圖一卷

歐陽璨、蔡光前等　　〔萬曆年間〕刊本

卷第十二災祥志：記載至萬曆四十六年(1618)

國會：14 冊　161-3

王德毅《中華民國臺灣地區公藏方志目錄》（頁一二九）：

萬曆瓊州府志　十二卷　　明・歐陽璨等纂

據明萬曆刊本景照　　中圖

楊德春《海南島古代簡史》（頁一一六）：

《瓊州府志》十二卷，明海南道兵備副使兼提學副使戴　熺為主編，瓊州知府歐陽璨為副主編。

原本藏日本，臺北中央圖書館有複印本。

㈡、修志始末

明《萬歷　瓊州府志》，係戴熺氏於分巡海南道兵備兼提學副使任內（明萬曆丙辰），乃謀諸郡守歐陽璨、同知李鳴陽、通判佴夢騮、推官傅作霖共修，並邀召學博廖乾萬、謝易東，暨府學員生陳于宸、蔡光前、黃龍圖等七人，開局編修。其修志年次及經過始末，參酌相關資料，著述其大端於次，以供參考。

依據分巡海南道奉敕整飭兵備兼提督學校副使戴熺〈瓊州府志序〉（版心題名）云：「……及至地震而諸籍沉漶無有存者，迺謀諸郡守歐陽君璨、丞李君鳴陽、傅君作霖共修之，歐陽君慨然以爲己任。遂召學博廖乾萬、謝易東，弟子員陳于宸、蔡光前、黃龍圖等七人，載筆而與之。」

又云：「約於事寧詳無略，而案牘之詞、閭閻之議，並載之以竢參酌，於人寧嚴無濫，而宦遊之碑、墓下之石，勿據之以掩本質。於是開局編摩，盡搜縉紳之家藏，州邑之故乘，名山之殘簡，採摭鈎稽，往牒之確者存之，近牒之濫者刪之，有微而遺新而核者，則進而益之，歐陽君復大加修潤以昈不佞，不佞稍爲飾其什一，……春秋闡發，幽微彙羅，詞翰則參之國史與通志，一展卷而千百年之人若新，而其事若臚列也，庶幾哉！……」

次據清代郡守牛天宿〈舊志序〉（康熙十五年）云：「……稽瓊之有志，昉自漢唐，下迄故明司徒唐公、副憲戴公，雖嘗修之，迨萬曆丙辰以後，五十餘年，其間變故多端，興衰不一，……」（蕭應植《乾隆　瓊州府志》、張岳崧《道光　瓊州府志》載有序文）。

復據清・張岳崧《道光　瓊州府志》（卷之二十三・職官志一・文職上・明）載：分巡按察司副使，戴　熺：福建長泰人，進士，四十三年（萬曆乙卯）任。

末據《萬曆　瓊州府志》（卷之十二・災祥志），紀事斷限年次：止於萬曆四十六年三月初四日（歲次戊午，亦就西元1618年）。

綜合各項資料推計，《萬曆　瓊州府志》，其修志年次，大約在明萬曆四十四年(1616)至四十六年(1618)間。惟確實年次，無法查考，是以各方志書目，亦祇署著為「萬曆年間刊本」。雖無大錯，然明神宗萬歷年號，計四十有七年，其差距至大矣。是故副憲戴公、郡守歐陽公，鼎修郡志，始自明萬曆四十四年丙辰，書成於四十六年（戊午）間付梓，似最有可信度。

㈢、纂者事略

從《萬曆　瓊州府志》（修志姓氏）觀之，其參與修志者計：總裁一人、副總裁四人、參訂十三人、校閱十人、供修二人、纂修七人、督刻吏三人，共有四十員，就其事略，分著於次，以供查考。

總　裁：戴　熺，福建長泰人。明神宗萬曆三十五年(1707)丁未科進士（三甲七名），於萬曆四十三年(1615)乙卯，分巡海南道兵備兼提學副使，次歲（丙辰）四十四年(1616)，倡修郡志。

副總裁：計四員，其職銜、事略，分著於次，以供查考。

歐陽璨，江西新建（泰和）人。明神宗萬曆十年(1582)壬午科舉人，於萬曆四十四年(1616)丙辰，任瓊州知府，主修郡志。

李鳴陽，山東人。於明神宗萬曆四十四年(1616)丙辰，任瓊州府同知，協修郡志。

佴夢驑，雲南臨安人（衛官籍）。於明神宗萬曆四十五年(1617)丁巳，任瓊州府通判，協修郡志。

傅作霖，江西南昌（蕭橋）人。明神宗萬曆二十二年(1594)甲午科舉人，歷南陽、瓊州（萬曆四十一年癸丑）二府推官，於萬曆四十四年(1616)丙辰，協修郡志。

參　訂：計十三人，乃瓊州府屬各州知州，暨各縣知縣，就其里籍、事略，分著於次，以供查考。

曾邦泰，字建武，江西廣昌人。明萬曆二十二年(1594)甲午科舉人，於萬曆四十一年(1613)癸丑，授儋州知州。萬曆四十五年(1617)丁巳，適副憲戴公、郡守歐陽公會修檄下，議修州志（三集），並參訂府志。

林廷蘭，福建龍溪人。由肇慶推官陞萬州知州，於萬曆四十四年(1616)丙辰，參訂府志。在任有斐績，陞黃州府同知。

張　宿，廣西臨桂人。明萬曆四十四年(1616)丙辰，時任崖州知州，參訂府志。

梁弘建，永福人。明萬曆年間舉人，於萬曆四十四年(1616)丙辰，時任瓊山縣知縣，參訂府志。任內催科不染，決訟精明，校修縣志，丁外難去，士民惜之。

余興成，湖廣（湖北）通山人。明萬曆四十四年(1616)丙辰，時任澄邁縣知縣，參訂府志。

柯重光，福建莆田人。明神宗萬曆間，由舉人授臨高縣知縣。於萬曆四十四年(1616)丙辰，參訂府志。

葉可行，貴州普定人。明萬曆二十五年(1597)丁酉科舉人，授文昌知縣。於萬曆四十四年(1616)丙辰，參訂府志。

唐天與，山西汾州府永寧州人。明萬曆年間舉人，授定安縣知縣。於萬曆四十四年(1616)丙辰，參訂府志。

吳爾植，福建龍溪人。明萬曆間舉人，萬曆四十四年(1616)丙辰，時任樂會知縣，參訂府志。

沈應禮，浙江會稽人。於明神宗萬曆四十四年(1616)丙辰，時任陵水縣知縣，參訂府志。

宋德盛，湖廣（湖北）武昌人。於明萬曆四十四年(1616)丙辰，時任感恩縣知縣，參訂府志。

案：《萬曆 瓊州府志》（修志姓氏），未載會同、昌化二縣知縣姓名，其緣由尚待方家查考。

校 閱：共十員，其姓氏、事略、分著於次，以供查考。

朱孔卿，廣東翁源人。明萬曆四十四年(1616)丙辰，時任瓊州府學教授，校閱郡志。

黎大亨，廣西潯州人。明萬曆四十四年(1616)丙辰，時任瓊州府學訓導，校閱郡志。

朱應庚，廣東新寧人。萬曆末年，時任瓊州府儒學訓導，校閱郡志。

何其感，廣東翁源人。天啟初年，任瓊州府儒學訓導，校閱郡志。

鍾崇道，廣東東莞人。由舉人授崖州學正，校閱郡志。

張一鳴，廣東化州（化縣）人，萬曆末年，任瓊山縣教諭，校閱郡志。

程河南，廣東海康人。時任瓊山縣學訓導，校閱郡志。

吳日昂，廣東電白人。時任瓊山縣學訓導，校閱郡志。

廖乾萬，江西龍南人。時任澄邁縣教諭，校閱郡志。

謝易東，廣東肇慶人。時任文昌縣訓導，校閱郡志。

供　修：計二人，其姓氏、里籍，著述於次，以供參考。

馮　宸，浙江慈谿人。時任瓊州府經歷，供修郡志。

謝九成，浙江於潛人。時任瓊州府照磨，供修郡志。

纂　修：共七人。據明戴　熺序云：「弟子員陳于宸、蔡光前、黃龍圖等七人」。惟〈修志姓氏〉所列七員，未見黃龍圖，故置疑於茲，期待邦彥查考。

蔡光前，瓊山人。府學廩生（歲貢），纂修府志。

陳于宸，瓊山人。府學廩生（歲貢，恩平教諭），纂修府志。

吳玄鐘，瓊山人。府學廩生（萬曆四十六年戊午科舉人，湖廣均州知州），纂修府志。

陳欽禹，里籍未詳。府學廩生，纂修府志。

柯呈秀，瓊山縣人，縣學廩生（萬曆四十六年戊午科舉人，福建順昌知縣），纂修府志。

陳聖言，里籍未詳。縣學廩生，纂修府志。

趙之堯，瓊山人。縣學廩生（歲貢），纂修府志。

督刻吏：計三員，其里籍、事略未詳，僅列姓氏於次：

陳經綸　　黎文明　　李德煥

㈣、志書內容

本《萬曆　瓊州府志》，凡十二卷，分十二門（志），計九十有五目。其主要內容，除首刊：戴序、凡例（十三條），修志姓氏外，依目錄及卷次，著述於次，以供查考。

輿圖志　卷之一

繪境內郡州邑疆域圖

沿革志 卷之二

地理志 卷之三

星野 疆域 形勝 氣候 風候、潮汐、漲海附

山川 水利 鄉都 風俗 土產

建置志 卷之四

城池 公署 倉驛附 壇祠 寺觀 庵塔附

橋渡 墟市 樓閣 坊表 古蹟 墳墓

賦役志 卷之五

戶口 土田 科則附 稅糧 商稅附 魚課 鹽課

鈔課 土貢 均徭 均平 民壯 驛傳 雜役

會計

學校志 卷之六

府學 州縣學 名宦、鄉賢祠附 社學 學田

書院 各義學附

兵防志 卷之七

兵官 兵制 兵餉 屯田 兵署 營寨、教場附

兵器

海黎志 卷之八

海防 海寇 海夷 黎情 撫黎 平黎 議黎

平亂附

秩官志 卷之九

監司 官師 武職 名宦 流寓

人物志 卷之十

諸科 鄉科 甲科 歲貢 選貢附 武舉 例監

掾史　封廕　方伎　鄉賢　列女

藝文志　卷之十一

表　疏　記　序　議　銘　贊　誡　賦　詩　歌

雜　志　卷之十二

災祥　紀異　仙釋　遺事

㈤、修志敘例

按《萬曆　瓊州府志》，其纂修體裁，顯與唐　胄《正德瓊臺志》，迥然不同。誠如：修志〈凡例〉（第一條）云：「舊志標目太煩，新志敘述病略，今以輿圖、沿革、地理、建置、賦役、學校、兵防、海黎、秩官、人物、藝文、雜志爲綱，而掇其目分隸焉。」

次從《萬曆　瓊州府志》（目錄）析觀，亦可細窺其修志體裁，係採「分志體」，亦就「按類分目法」。凡事文以舊志為主，而新志互訂之，汰冗補缺，要於詳略得宜，間有一事而兩見者，不妨並存，以備參考（參見〈凡例〉第二條）。

就各門目紀事次第觀之，仍沿襲諸舊志體例，於郡事之下，州縣以瓊山、澄邁、臨高、定安、文昌、會同、樂會、儋州、昌化、萬州、陵水、崖州、感恩為次（凡例第四條）。所繫郡及州縣之事，以元明（萬曆以前）二代最詳，其紀事斷限年代，最遲止於明神宗萬曆四十六年(1618)歲次戊午。茲依門目卷次，舉例著述於次，以備查考。

建置志（卷之四）　公署：五賢祠，在城東門內，先祀郡守王泰、徐鑑，祔于東坡祠……至萬曆戊午，瓊郡士民慕請原任太守史朝宜附祀，今改名五賢祠。是歲憲副戴公，暨太守歐陽璨、署印同知李鳴陽、通判佴夢騮重修，每歲丁後致祭。

賦役志（卷之五）　均徭：……萬曆戊午，除裁省冗役充餉外，實編一千五百四十七名，各數見下……。

賦役志（卷之五）　均平：……萬曆戊午，編定賦役全書，照額派徵……。

賦役志（卷之五）　民壯：……萬曆戊午照全書，實編銀一萬五千五十三兩八錢六分四厘三毫七絲五忽……。

秩官志（卷之九）　名宦：蔡夢說，福建龍岩人，萬曆戊子巡按抵瓊，問民疾苦，赴愬者阻於千陬，公立命撤之，人盡其所欲言……至今窮鄉小民遭惡横，輒思公，先年已建生祠崇報，為風雨傾圮，今於戊午歲重修，用昭公德不朽云。

雜　志（卷之十二）　災祥：……萬曆四十六年三月初四日，值郡旱禱，未時有雲從西南起，雨雹大如雞卵，小如龍荔，至申時方止。

㈥、刊版年代

明〔萬曆修本〕（戴志）之纂修，經始於何年，今無可考。其志之付刻，於書前牌記，亦未詳題年代。致諸家方志書目，大都署著〔萬曆〕（年間）刊本。

戴熺、歐陽璨修《萬曆　瓊州府志》，原刻本（線裝十四冊），白口，上魚尾，四週雙邊。戴序每半葉六行，每行最多九字。凡例、目錄及正文，每半葉九行，每行最多十九字，注分雙行，楷字。各卷首行暨版心，大都題有《瓊州府志》四字。

是志首刊戴序（缺序文題名，亦未著年代），末蓋有「戴熺印」（篆字、陰文）、「丁未進士」（小篆、陽文）、「督學治兵使者」（篆字、陰文）小方章各乙枚。

萬曆《瓊州府志》（學稱：戴志），雖有刊行，惟罕見藏板。於日本國立國會圖書館珍藏一部（線裝十四冊，編號：161－3），是本原係東京書籍館藏書，日本明治九年(1876)由文部省交付。每冊首葉有「東京書籍館、明治五年、文部省創立」(TOKIO LIBRARY FOUNED BY MOMBUSHO 1872)圓章（陽文、小篆）、「明治九年文部省交付」（楷字、陽文）長方章、「帝國圖書館藏」（小篆、陽文）方章各乙枚。是即日本國會圖書館，珍藏之唯一孤本。

萬曆「戴志」原刻本，流通甚尠。於今國立中央圖書館，購製「微縮捲片」(35M/M)乙套，並複製「景照本」，於漢學研究中心公開陳列，以供學界參考使用。

戴熺、歐陽璨修《萬曆　瓊州府志》，雖有梓版，唯流傳欠廣。目前國內外公藏者，知見藏板，分別臚述於次，以供查考。

原刻本　明萬曆年間（年次未詳）刊本

日本：國立國會圖書館　(161-3)

景照本　臺灣國立中央圖書館，據日本國會圖書館藏，明萬曆年間刊本，攝製「微縮捲片」景照（年次未詳）

臺灣：國立中央圖書館　(C.06387)

影印本　依據國立中央圖書館景照本，放大影印（精裝十三冊）

臺灣：國立臺灣圖書館　673.71/7717 83　V.1~13

鈔　本　日本昭和十八年(1943)麴池瑞華鈔本

臺灣：國立臺灣大學圖書館 3 函 14 冊（微捲 62R）

結　語

明・戴　熺《萬曆　瓊州府志》，係以前志為基礎，輔以周希賢《萬曆　瓊州府志》，暨參諸各省郡志，並引用鄭廷鵠《瓊志稿》多處，於研究明代瓊州府史志源流大有助益矣。

本《萬曆　瓊州府志》，於〈地里志・山川〉目，細敘海港、島嶼位置，海舶來往，淡水供應，海神崇拜等航海事宜致詳。又〈海黎志・海夷〉目、〈秩官志・武職〉目，亦有與南洋交通紀載，對明代中葉「中西交通史」研究，提供其珍貴史料，深具學術研究參考價值。

此外，明《萬曆　瓊州府志》（史稱：戴志），係「正德修本」（俗稱：唐志）為基礎（藍本），輔以周希賢《瓊州府志》（萬曆修本），暨省郡志，補進萬曆中地方事蹟。是志凡十二卷，分十二志（門），列八十二目。尤以〈海黎志〉、〈藝文志〉二門，對《正德　瓊臺志》凡四十四卷（缺卷二十二・二十三「黎情」，卷四十三「文類」、卷四十四「詩類」共四卷），於相關條目中，核補入明正德十六年(1521)辛巳春三月前之史料，更臻完美而無缺矣。

賦

颶風賦　蘇東坡

仲秋之夕客有叩門指雲物而告予曰海氣甚惡非祲非祥斷霓飲海而北指赤雲夾日而南翔此颶之漸也子盍備之語未卒庭戶蕭然槁葉蔌蔌驚鳥疾呼怖獸辟易忽野馬之決驟矯退飛之六鷁襲土囊而暴怒掠衆竅之叱吸予乃入屋而坐斂衽變色客曰未也此颶之先驅爾火焉排戶破牖殞瓦擗屋礌擊巨石揉拔喬

萬曆《瓊州府志》書影

日本國會圖書館藏板

五、明隆慶本（顧修）

《瓊管山海圖說》二卷　　明・顧可久

清光緒十五年(1889)　刻本　　四冊　　線裝

中國：杭州大學（今併入浙江大學）圖書館

按《瓊管山海圖說》，未能親閱，致纂著始末、內容、敘例、刊版，無從稽考。於今，僅就知見書目、纂者事略，分別著述如次，以供方家查考。

㈠、知見書目

呂名中《南方民族古史書錄》（頁一八八）：

瓊管山海圖說　二卷　　明・顧可久

清光緒十五年刻本　　四冊　　杭州大學藏

㈡、纂者事略

顧可久(1485~1561)氏，可學弟。字與新，號洞陽，江蘇無錫人。明武宗正德九年(1514)甲戌科進士（二甲一三八名），授行人司行人。

明世宗嘉靖初，官戶部員外郎，議大禮忤旨，兩遭廷杖，出守泉州。後以廣東兵備副使放歸。好染翰作鍾、王書，盡得其髓。卒年七十七歲，著有《洞陽詩集》行世（明・皇甫汸《皇甫司勳集》卷五二）。

明穆宗隆慶中，按察司副使分巡備兵瓊海，以颶風瘴霧意不欲行，少宰霍韜移書趣之，不得已之官，飭法振紀，宣布威德，黎民惴惴，罔敢犯者閒，乃按行諸郡周咨，黎倭出沒之處，相其阨塞，以籌備禦，繪圖為說，瞭如指掌，未幾，羅活峝黎，出劫為盜，按圖循蹟，遂窮治之。儋崖諸黎五十二部落，聞風欵附，境內恬然（阮通志）。所著有《在署讀禮》、《在澗集》（溫陵、虔州、珠崖）、《顧憲副集》，并《賦贊志銘序記》若干卷，藏于家。（明・焦竑《國朝獻徵錄》卷九九）。

案：《瓊管山海圖說》，於時用之輒效，傳爲軍中指南云。

顧可久氏，距生於明憲宗成化二十一年(1485)歲次乙巳，卒於明世宗嘉靖四十年(1561)歲次辛酉，壽年七十七歲（楊家駱《歷代人物年里通譜》頁四四四）。

明・顧鼎臣《顧文康公三集》（卷二）、薛天華《明善齋集》（卷四）、王慎中《遵巖先生文集》（卷一〇）、葉夔《毘陵人品記》（卷九），清・張廷玉《明史》（卷一八九・附夏良勝傳）、阮元《道光　廣東通志》（卷二四四・宦績錄14）、明誼《道光　瓊州府志》（卷三〇・官師志・宦績中）、黃之雋《乾隆　江南通志》（卷一四二・人物志・宦績四・常州府）、斐大中《光緒　無錫金匱縣志（卷二三・忠節・明），皆載有傳或事略。

六、康熙修本（牛志）

《康熙　瓊郡志》　十卷　　清・牛天宿修　　朱子虛纂

康熙十一年(1672)修　十五年(1676)序（郡守牛序）　刻本

18 冊　有圖表　25 公分　線裝

㈠、知見書目

阮　元《道光　廣東通志》卷一百九十二（藝文略四）：

瓊州府志　十卷　　國朝牛天宿修　未見

康熙丙辰　序載蕭志

陳夢雷《古今圖書集成》（職方典）：

瓊州府志　十卷　　牛天宿纂修

清康熙十五年修　存

譚其驤《國立北平圖書館方志目錄》（冊四）：

瓊郡志　殘　存四卷　　清・牛天宿修　朱子虛纂

清康熙十五年刻本　存三冊　即瓊州府志

原十卷存卷七至十　　原序及修纂名氏，見道

光瓊州府志卷首，參咸豐瓊山縣志卷十三

杜定友《廣東方志目錄》（頁十六）：

瓊郡志　十卷　　牛天宿修　　朱子虛纂

康熙十五年

陳劍流《海南簡史》（頁八〇）：

瓊州府志（十卷）　　牛天宿　　朱子虛重修

康熙十五年(1676)修

朱士嘉《中國地方志綜錄》（頁十三）：

瓊郡志十卷　　牛天宿修　　朱子虛纂

康熙十五年　　北平　　即瓊州府志

黃蔭普《廣東文獻書目知見錄》（頁六〇）：

瓊郡志十卷　　清・牛天宿

清康熙十五年(1676)刊本　北平　缺卷七至十

即瓊州府今海南島

中國科學院北京天文臺《中國地方志聯合目錄》（頁七〇〇）：〔康熙〕瓊郡志十卷

清・牛天宿修　朱子虛纂

清康熙十二年(1673)修　十五年(1676)刻本

北京　廣東（膠卷）

陳光貽《稀見地方志提要》（下冊：頁一二三八）：

瓊郡志十卷　牛天宿纂修

清康熙十五年修　存（北京圖書館藏）

楊德春《海南島古代簡史》（頁一五五）：

《瓊郡志》十卷　清牛天宿　朱子虛編纂

清康熙十五年（公元 1676 年）刊本

現存北京圖書館（廣州中山圖書館有膠卷）

㈡、修志始末

按《康熙　瓊郡志》，係由瓊州郡守（知府）牛天宿修、教授朱子虛纂，於清聖祖康熙十一年(1672)，歲在壬子奉檄修葺，浹月而書告成，於清康熙十五年(1676)，歲次丙辰付梓。其修志始末，依據郡守牛天宿〈舊（康熙十五年重修）瓊州府志序〉，著述大略於次，以供方家參考。

首云：「……稽瓊之有志，昉自漢唐下迄故明，司徒唐公、副憲戴公，雖嘗修之。迨萬曆丙辰以後，五十餘年，其間變故多端，興衰不一，如户口有登耗，賦役有增減，天道有災祥，人事有從違，名宦鄉賢或湮沒而不著，忠孝節義或沉淪而不傳，皆常採訪確實，蒐羅無漏，勒諸簡編，用垂不朽者也。乃當日邈焉絕響，豈案牘勞形而不暇及耶，抑運會滄桑而維日不足耶！」

次云：「不敏於己酉歲蒞任茲土，即索舊志而披閱之，見斷簡殘編多混亥豕，而於五十餘年之故實，復闃然無傳心切傷之，爰馳簡牘諮諏同志，而應者半違者半，遂致大典中格可勝，惜哉。」

復云：「茲逢　彤庭渙號，允閣臣之請，下採郡邑山川、形勝、户口、風俗，以襄一代之鴻書，又重以院司道之嚴檄，於是各屬司牧，不得以簡僻荒邑爲卸責之地矣。不數月而列土之舊志、新乘麐集麕至，然不有郢削曷勝完璧，用是謀諸紳衿，詢之故老，闡發幽隱，綜核名實，浹月而書告成。」是以《康熙　瓊郡志》，纂修之緣由，及其始末，大略如斯矣。

㈢、纂者事略

本《康熙　瓊郡志》，雖無〈修志職名姓氏〉查考，惟從諸公私方志書目資料窺之，其參與修志者，祗有郡守牛天宿、教授朱子虛二人而已。分著其事略於次，以供方家參考。

主修：牛天宿，字觀薇，又字載薇，號次月、青延，室名：謙受堂、毓秀館，山東章丘人。清世祖順治六年(1649)己丑科進士（三甲第一六六名），於清聖祖康熙八年(1669)任瓊州府知府，康熙十一年(1672)倡修郡志，捐修府學殿廡齋署。

綜觀各相關資料，於牛天宿蒞任知府，暨倡修郡志之年次，紀載略有不同，茲著迻於次，以供方家查考

甲、牛天宿蒞任知府年次：

依據清・明　誼修、張岳崧纂《道光　瓊州府志》（卷之二十四・職官志二　文職下）載：「國朝（清）知府：錢國琦，直

隸人。貢生，康熙元年任。張恩斌，直隸人，進士，四年任。牛天宿，山東人。進士，七年任。」

次據陳光貽著《稀見地方志提要》（冊下・頁八八九）載：「瓊郡志十卷，牛天宿修，山東人，康熙七年任瓊州府知府」。

試從郡守牛天宿〈康熙十五年重修志序〉細窺之「不敏於己酉歲，蒞任茲土。」誠然，歲次己酉，亦就清聖祖康熙八年(1669)，於是歲牛天宿蒞任瓊州府知府，當更具可信度矣。

乙、牛天宿倡修郡志年次：

依據中國科學院北京天文臺《中國地方志聯合目錄》（頁七〇〇）：〔康熙〕瓊郡志十卷　清・牛天宿修　朱子虛纂

清康熙十二年(1673)修　十五年(1676)刻本

誠據郡守賈　棠〈康熙四十五年重修志序〉略云：「計自壬子，前守牛君修之。」按歲次壬子，亦就是清康熙十一年(1672)。然《中國地方志聯合目錄》（頁七〇〇）著為「康熙十二年(1673)修」，似有舛誤，特置疑於次，期待方家查考。

總纂：朱子虛，字意剡，廣東南海人。明毅宗（莊烈帝）崇禎六年(1633)癸酉科舉人，清初銓任廣西桂平教諭（郝玉麟《雍正　廣東通志》作教授），康熙初年任崖州學正，陞瓊州府學教授。於康熙十一年(1672)歲次壬子，總纂郡志，並與知府牛天宿，捐修府學殿廡齋署。

四、志書內容

牛天宿《瓊郡志》（康熙修本），又名《瓊州府志》，俗稱：牛志，係續《萬曆　瓊州府志》重修，定例為天文、地理、人事三綱，凡十卷。其主要內容，依內文及卷次，著列其綱目於次，以供方家研究參考。

卷之一　疆域志

星野　沿革　地里　形勝　氣候　山川　水利

災祥　鄉都　風俗　土產

卷之二　建置志

城池　公署　樓閣　寺觀　壇廟　坊表　橋渡

墟市　古蹟　墳墓

卷之三　賦役志

戶口　土田　科則　錢糧　魚課　鹽課　鈔課

土貢　均徭　均平　民壯　驛傳　雜役

卷之四　學校志　附社學、書院

府學　州縣學　祭器　學田

卷之五　兵防志

兵官　兵制　兵餉　屯田　兵署　營寨　兵器

卷之六　秩官志　附監司

官師　武職　名宦　流寓

卷之七　人物志

諸科　鄉舉　歲薦　選貢　武科　例監　掾吏

封廕　鄉賢　孝友　卓行　儒林　義勇　隱逸

耆舊　烈女

卷之八　海黎志

海防　海寇　邊海外國　黎情原黎　諸黎岐峒

撫黎　平黎　議黎　平亂

卷之九　藝文志

表　疏　記　序　賦　歌　銘　傳　詩

卷之十　雜　志

記異　僊釋　方技　遺事

㈤、修志敘例

牛天宿修、朱子虛纂《康熙　瓊郡志》，乃續《萬曆　瓊州府志》重修，定例為天文、地理、人事三綱，凡十卷。

依據牛天宿〈康熙十五年重修志序〉云：「**綱舉而目張，條分而縷析，上自天文，下迄地理，中及人事，分爲十卷。**」並謂其書曰：「詞簡事明，義嚴紀備者，允無愧焉。」

綜觀志書內容，其行文樸實，頗見清初譔人筆意，審其修志體例，則係沿習明人志例，而無別出新裁。唯從志書內文窺之，是志之體裁，係採「分志體」，亦就「按類分目法」也。

就各門目紀事次第觀之，仍沿襲諸舊志體例，於郡事之下，州縣仍沿前志以瓊山、澄邁、臨高、定安、文昌、會同、樂會、儋州、昌化、萬州、陵水、崖州、感恩之次序。而所繫郡邑及州縣之事，以明末清初最詳，其紀事斷限年代，最遲止於清康熙十一年(1672)歲次壬子。就以各門目卷次，分著於次，以供參考。

學校志（卷之四）：府學（府儒學），在府治東，宋慶曆四年始建於郡城東南。……國朝康熙六年，分巡學道馬逢皋重修殿廡齋署，十年被颶風，分巡學道王廷伊、知府牛天宿、同知劉永清、教授朱子虛捐修，十一年復被颶風毀。

人物志（卷之七）：耆舊（國朝）

陳宋第，瓊山庠生，守貧舌耕，手不釋卷，年九十，康熙十一年，詔賜米肉綿絹，道府有清朝人瑞旌匾。

王　豪，瓊山人，仁厚坦易，年九十五，矍鑠不衰，康熙十一年，詔賜米肉綿絹，道府旌匾。

㈥、刊版年代

按《康熙　瓊州府志》，其刊行年代，公私方志書目資料，大都署為清康熙十五年(1676)刊本。唯有中國科學院北京天文臺編《中國地方志聯合目錄》著為清康熙十二年(1673)修，康熙十五年(1676)刻本。

依據郡守賈　棠〈康熙四十五年重修志序〉略云，郡志自壬子前守牛君修之，迄戊寅幾三十載。按清康熙十一年(1672)，就歲次壬子，特著述於於此，以供方家參考。

牛天宿修、朱子虛纂《康熙　瓊州府志》，於版心（書口）題名《瓊郡志》。雖有刻本，惟流傳次廣，藏板甚罕，於今國內外庋藏者，分別臚述於次，以供查考。

原刻本　清康熙十五年(1676)序　刊本

中國：北京圖書館（缺卷之一，線裝十八冊）

南京地理所（存卷一、二）

微捲片　一九五九年北京圖書館攝製

中國：廣東省圖書館　K/7.1/4[2]

（存卷七～十）

建　言

是《康熙　瓊州府志》，亦稱《瓊郡志》，北京、南京，皆為殘本，學者兩地奔波，殊感不便。若由北京圖書館總其成，南京地理所協助合作，攝製乙套完整微捲片。於北京、南京、廣東各備乙套，提供公眾使用，學界稱便矣！

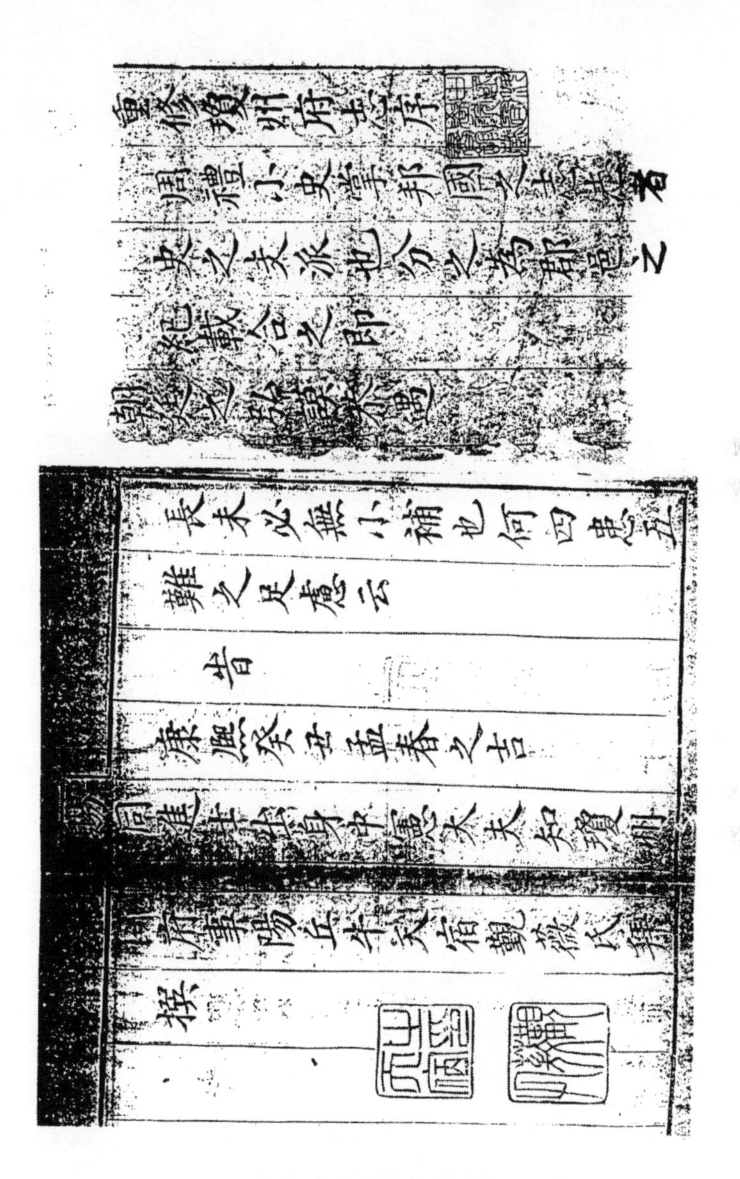

康熙《瓊郡志》書影

（南京地理所藏板）

七、康熙修本（賈志）

《康熙　瓊州府志》　十卷　　清・焦映漢修　　賈　棠纂

清康熙四十五年(1706)　刻本

9 冊　有圖表　26 公分　線裝

㈠、知見書目

阮　元《道光　廣東通志》（卷一百九十二・藝文略四）：

瓊州府志十卷　　國朝賈　棠修　未見

蕭志：棠直隸河間人，康熙三十七年由歲貢任瓊州府，丙戌修輯府志。

杜定友《廣東方志目錄》（頁十六）：

瓊州府志十卷　　賈　棠纂修　　康熙四十五年

陳劍流《海南簡史》（頁八〇）：

瓊州府志（十卷）　　賈　棠重修

康熙四十五年(1706)

中國科學院北京天文臺《中國地方志聯合目錄》（頁七〇〇）：　〔康熙〕瓊州府志　十卷

（清）焦映漢修　　賈　棠纂

清康熙四十五年(1706)　刻本

黨校（存卷一、三至十）

楊德春《海南島古代簡史》（頁一五五）：

《瓊州府志》十卷　　清・焦映漢　　賈　棠編纂

清康熙三十七年修成　康熙四十五年(1706)刊行

北京圖書館　　中央黨校圖書館有傳抄本

㈡、修志始末

清康熙三十七年(1698)歲次戊寅，直隸河間歲貢賈　棠，於原職秩滿循例補外，得粤瓊郡（知府）。以郡志自康熙十一年壬子，前守牛君修之，迄幾三十載輟修。然自戊寅迄今又逾八載，日夜矢心思欲搜集三十餘年，興革修舉之大端亟待輯補。乃與寅好暨郡紳耆碩議商重修，復陳於上道憲，於康熙四十四年(1705)冬，親自校訂修葺，次歲(1706)丙戌書成，分門十志，凡十卷，是為「康熙修本」（賈志）。

依據郡守賈　棠〈康熙四十五年重修志序〉云：「……乙酉冬自羊城旋署，值歲暮之暇，取舊志校訂，訛者更之、謬者正之，其或疑者闕焉。至於一切新增務求其據，事無據者不敢置一語之譽，人無據者不敢加一字之褒，余固寧嚴無濫，而人之誠僞妍媸，月旦有評道路有口，亦非余一人能爲之飾也。……」

末云：「……然余竊有懼焉，江文通云修史之難無逾於志，而余敢易之乎。繁既病蕪簡復患略，過嚴則恐潛德之弗彰，過濫又虞紀載之失實，尤慮絓一漏百負疚遺譏。郡人張君履吉、蕭君元長輩，皆能留心故實者，時得諮訪焉。然遺略舛誤或不能免，是役也，非敢任也，若云摭拾散佚考謬繩訛，以備後之君子採擇，則余之心也。」

綜上言之（參見郡守賈　棠〈康熙四十五年重修志序〉，全文刊於張岳崧《道光　瓊州府志》卷首），是志係郡守賈　棠於清康熙四十四年(1705)冬始修，次歲（康熙四十五年）丙戌(1706)刊行，與前守牛天宿修《康熙　瓊郡志》，其纂修之時間，相距約三十年矣。

㈢、纂者事略

按《康熙　瓊州府志》（重修），雖無〈修志職名姓氏〉查考，惟依公私方志書目著錄，並參酌郡守賈　棠〈康熙四十五年重修志序〉，就其參與修志者里籍、事略，分別著述於次，以供方家參考。

焦映漢，陝西人。監生，於清康熙四十四年(1705)，分巡雷瓊道。勤宣德教，扶植士氣，創建瓊臺書院，一切需費，悉出捐俸，不假助援，復置義田，以供廩餼。延名宿為師，聚闔郡生童講貫其中，諸生有艱於自給者，或省試無力者，亦得仰資歲租，以繼其不逮。

清・明　誼修、張岳崧纂《道光　瓊州府志》（卷之三十一・官師志三：宦績下），載有事略。並設主祀於瓊臺書院

賈　棠，直隸河間人。於清康熙三十七年(1698)，由歲貢任瓊州府正（知府），己率屬決訟如流，置義田濟孤貧，歲饑捐賑，民賴以甦。郡治苦低窪，乃除道成梁，以便行旅。捐俸修學宮、輯郡志，任瓊九年，百廢具舉，擢廣東鹽法道，整飭鹺政，通商恤民。祀名宦

清・明　誼修、張岳崧纂《道光　瓊州府志》（卷之三十一・官師志三：宦績下），載有事略。

張履吉，字旋九，瓊山東廂人。明孝子、可載裔孫，自幼篤學，以薦（府貢）終其身，士倫惜之。教授南湖，一遵朱子學的及門多髦士。康熙四十五年(1706)郡伯賈公，聘修郡志，極見推重。授靈山司訓，卒年八十四，所著有《南湖稿》藏於家。

清・蕭應植《乾隆　瓊州府志》（卷之七・人物志：儒林）、張岳崧《道光　瓊州府志》（卷之三十五・人物志五：儒林）、王國憲《續修　瓊山縣志》（卷之二十四・人物志：列傳），皆載有事略。

蕭元長，字乾初，瓊山石山人，清康熙四十四年(1705)乙酉科舉人。自幼聰敏能文，由歲貢登賢書，生平敦倫力學，文行兼茂，教授生徒，多所成就。康熙四十五年(1706)賈公棠，聘修郡志，纂輯簡明。著有《選註綱鑑便讀》藏於家，卒年五十六歲。

清・蕭應植《乾隆　瓊州府志》（卷之七・人物志：儒林）、張岳崧《道光　瓊州府志》（卷之三十五・人物志五：儒林）、王國憲《續修　瓊山縣志》（卷之二十四・人物志：列傳），皆載有事略。

㈣、志書內容

從清・賈　棠氏〈康熙四十五年重修志序〉細窺，是志之內容，舉其大綱，次為十卷。疆域以志廣遠，建置以志𧫴舉，賦役紀土貢、學校紀教育、兵防所以保圉也，秩官所以治民也，人物彰地靈之秀，海黎昭往事之鑒，雜志以補未備，藝文以敷華藻，三十餘年，瓊郡故實差足徵矣（參見刊於《道光　瓊州府志》卷首序文）。

按《康熙　瓊州府志》，凡十卷，分門十志，列綱有百目。其志書內容，依目錄卷第，著述於次，以供查考。

疆域志　卷之一

州縣名目　輿圖　星野　氣候　地里　形勝

沿革　山川　都圖

建置志 卷之二

城池 公署 壇廟 寺觀 樓閣 坊表 橋渡

陂塘 墟市

賦役志 卷之三

戶口 土田 科則 錢糧 魚課 鹽課 鈔課

土貢 均徭 均平 民壯 驛傳 雜役

學校志 卷之四

府學 州學 縣學 社學 義學書院

兵防志 卷之五

兵官 兵制 兵餉 屯田 兵署 營寨 兵器

秩官志 卷之六

開國 武功 世襲 武鎮 名宦 流寓 監司

府 州 縣 教職 舊縣

人物志 卷之七

辟薦諸科 進士 鄉舉 武科 歲貢 選貢 例監

掾吏 封蔭 鄉賢 孝友 卓行 儒林 義勇

隱逸 耆舊 列女

雜 志 卷之八

遺事 方伎 仙釋 土產 古蹟 塚墓 風俗

紀異 災祥

海黎志 卷之九

海防 條議 海寇 邊海外國 原黎 撫黎 平黎

議黎 平亂

藝文志 卷之十

敕 表 疏 議 記 序 文 傳 賦 詩

㈤、修志體例

清・焦映漢修、賈　棠纂《康熙　瓊州府志》，〈凡例〉計十有六條，列誌其相關者，以供方家查考。

第一條：郡志分為十卷統以十干，甲疆域、乙建置、丙賦役、丁學校、戊兵防、己秩官、庚人物、辛外志、癸藝文。十卷為綱包舉全志。又每卷各從其綱，而系之以目，一如舊志。然志重紀事，舊本以外志居于藝文之後，於義不屬，今改列卷八，而終之以藝文，以便觀覽。

第三條：志所以紀事，略則庶事多遺，繁則汗牛莫舉。茲於舊志詳加較訂，新增務求實蹟，徵信刪蕪，以期至當，疑者寧付闕文。

第四條：舊志訛謬甚多，不勝指數，凡可以意想而通，查較而得者，悉為釐正。至有不能意測，無從考較者，不得不仍其故觀者。但取舊志檢閱，便知前人編錄之荒唐，今日較訂之不易。

第五條：志為一郡之史，所以重信永久者也。近世沽名者率多寅緣濫廁之弊，是書柄由己操，權無旁落，余既于郡人本無憂憎，則於是書又將誰毀誰譽乎。

從《康熙　瓊州府志》（凡例十六條）窺之，審其修志體裁，仍沿襲舊志義例。再從志書目錄（內文）觀之，其修志體例，係採「分志體」，亦就「按類分目法」也。

就各門目紀事（內容）言之，所繫郡邑及州縣之事，以明清（康熙朝）兩代較詳，其紀事斷限年代，最遲止於清康熙四十五年(1706)歲次丙戌。

雜　志（卷之八）・災祥（國朝・清）：

康熙四十五年（丙戌）春旱，早禾失植，副使焦諱映漢，率各官步禱。三月二十四日，大雨如注，始得播種。

康熙四十五年（丙戌）七月初八日，颶風連晝夜。

㈥、刊版年代

清・焦映漢修、賈　棠纂《康熙　瓊州府志》（重修），其刊版年次，公私方志書目資料，大都著為清康熙四十五年（丙戌）刊本。

按《康熙　瓊州府志》原刻本，凡十卷（殘存九卷），線裝九冊。白口、上魚尾、四週雙邊。序、凡例、正文，每半葉九行，每行二十六字，注分雙行。原書高二十六公分，寬一十九公分，版框高二十一公分、寬一十六公分。每卷首行、卷終及版心，皆題《瓊州府志》。

康熙《瓊州府志》（重修本），雖有梓本行世，唯流傳欠廣，其藏板稀尠，於今國內外圖書館或文教機構，公藏者甚罕，就個人知見者，臚著於次，以供查考。

原刻本　清康熙四十五年(1706)丙戌（賈序）　刊本

中國：中央黨校圖書館（缺卷二）

綜而言之，清・賈　棠纂《康熙　瓊州府志》（凡十卷），係以牛天宿《瓊郡志》（史稱：牛志）為基礎，就其舊志校訂（訛者更之，謬者正之）補充（新增務求其據事實）。於牛志後三十餘載之史實，繼而輯之，以備徵文獻矣。

按《康熙　瓊州府志》，雖有鋟梓行世，唯流傳欠廣，罕見藏板。目前海內外各文教機構或圖書館庋藏者稀少，於中國中央黨校圖書館藏有〈原刻本〉（清康熙四十五年刻本）乙部（缺卷二），是乃殘存之唯一「孤本」，視同瑰寶，極為珍貴也。

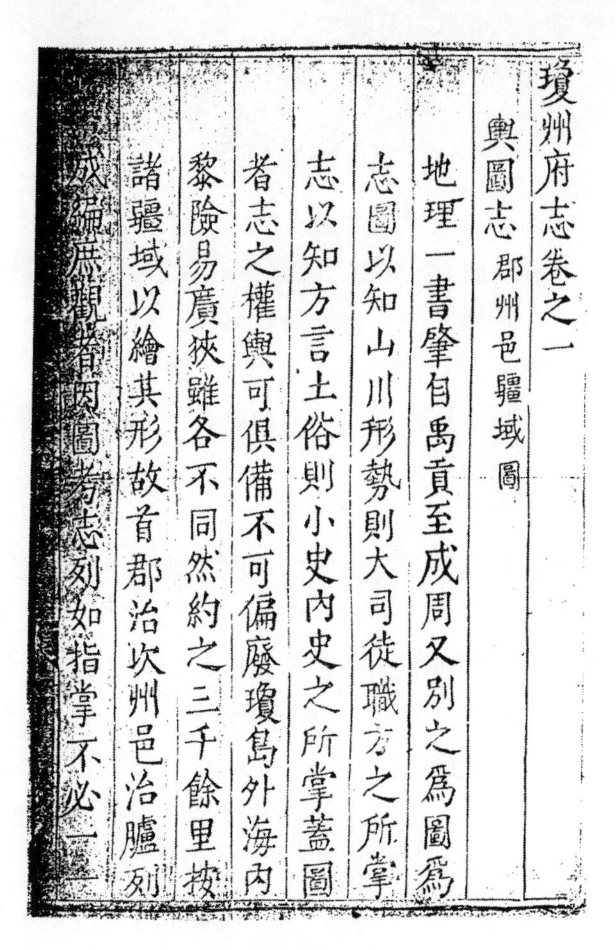
瓊州府志卷之一
輿圖志 郡州邑疆域圖
地理一書肇自禹貢至成周又別之爲圖爲
志圖以知山川形勢則大司徒職方之所掌
志以知方言土俗則小史內史之所掌蓋圖
者志之權輿可俱備不可偏廢瓊島外海內
黎險易廣狹雖各不同然約之三千餘里按
諸疆域以繪其形故首郡治次州邑治臚列
成編庶覽者因圖考志列如指掌不必一一

康熙《瓊州府志》書影

中共黨校藏板

八、乾隆修本（蕭志）

《乾隆　瓊州府志》　十卷　　清・蕭應植修　　陳景塤纂

清乾隆三十九年(1774)刻本

16 冊　有圖表　25 公分　線裝

㈠、知見書目

阮　元《道光　廣東通志》（卷一百九十二・藝文略四）：

瓊州府志十卷　　國朝蕭應植修　　陳景塤輯　存

乾隆甲午，景塤時任同知

杜定友《廣東方志目錄》（頁十六）：

瓊州府志十卷　　清蕭應植　　陳景塤纂修

乾隆四十年

江　瀚《故宮方志目》（頁七十二）：

瓊州府志十卷　　清蕭應植修　　陳景塤纂

清乾隆四十年　刻本　　16 冊

朱士嘉《國會圖書館藏中國方志目錄》（頁四二七）：

瓊州府志九卷　　清蕭應植修　　陳景塤纂

清乾隆四十年(1775)刻本　十四冊

案：朱著是志九卷，未知所據何本，尚待方家查考。

陳劍流《海南簡史》（頁八〇）：

瓊州府志（十卷）　　蕭應植　　陳景塤續修

清乾隆三十九年（西元 1774 年）

國立故宮博物院藏

李景新《廣東方志總目提要》（頁一一七）：

瓊州府志十卷　　蕭應植修　　陳景塤纂

清乾隆四十年　　故宮㈢　　美國會圖書館

莫頓(Andrew Morton)《英國各圖書館所藏中國地方志總目錄》（頁九〇）：

瓊州府志　十卷　1774

里茲大學布勞瑟頓圖書館　250

朱士嘉《中國地方志綜錄》（頁十三）：

瓊州府志　十卷　　蕭應植修　　陳景塤纂

清乾隆四十年　　故宮㈢　　美國會圖書館

黃蔭普《廣東文獻書目知見錄》（頁六〇）：

瓊州府志　十卷　　清・蕭應植

清乾隆三十九年(1774)　刊本

故宮　　日本國會圖書館

中國科學院北京天文臺《中國地方志聯合目錄》（頁七〇〇）：　〔乾隆〕瓊州府志　十卷

清・蕭應植修　　陳景塤纂

清乾隆三十九年(1774)　刻本　　故宮　　臺灣

王德毅《中華民國臺灣地區公藏方志目錄》（頁一二九）：

乾隆瓊州府志　十卷

清・蕭應植修　　陳景塤纂

清乾隆四十年(1775)刊本　　故宮

楊德春《海南島古代簡史》（頁一五五）：

《瓊州府志》十卷　　清蕭應植　　陳景塤編纂

清乾隆三十九年(1774)刊行

㈡、修志始末

本《乾隆　瓊州府志》（續修），係由瓊州府知府蕭應植修、同知陳景塤纂，於清高宗乾隆三十九年(1774)歲在甲午孟秋月書成，清乾隆四十年(1775)孟冬付梓刊行。

按《乾隆　瓊州府志》，分由李侍堯（太子太保內大臣武英殿大學士兼兵部尚書仍管兩廣總督事昭信伯）、德　保（撫粵使者）、陳用敷（廣東按察使前分巡雷瓊道）、蕭應植（瓊州府知府）、姚成烈（宣東粵使者）、吳九齡（廣東糧驛道）撰序，著述其修志動機，暨經過始末。茲摘述其要，以供方家參考。

李侍堯〈瓊州府志序〉（乾隆三十九年歲次甲午六月）云：「……瓊州舊有志，康熙四十四年前守賈棠手輯，訖今垂七十年矣。乾隆甲午蕭守應植重加披訂，書成請余爲之序。余觀其書，因前志舊例，刪繁補闕，蓋以世宗朝暨其上五十餘年以來，釐定制度，採輯先聞，參稽人物，定爲十卷，凡爲類六十有四，其篇帙可謂富，而用心可謂勤矣。……」

次據德　保〈瓊州府志序〉（乾隆三十九年歲在甲午夏五月）云：「……瓊之郡志，自前守賈棠修輯之後，閱今已數十年，日就殘缺，其近事又軼而不書，漸至遺忘慮無以資考證。而爲因地制宜之治，余每惜之。太守蕭君，乃允郡人之請，更爲修纂之舉，書既成，錄副本以呈覽，而乞爲之序。……」

復據蕭應植〈修瓊州府志序〉（乾隆三十九年歲在甲午孟秋月）云：「瓊處大海之南，郡故有乘，明以前多軼弗傳，國初一修於前守牛君，再修於賈君。今距己酉賈君所修，又六十餘年，其間人事變遷。政事益損，日久年湮，幾至靡可稽考。……」

又云：「……辛卯冬，余守兹土，慨然有修舉之思，請之上游以爲可顧，地處窪下，往牒多霉蝕，嘗從藍輿風日中，博訪瓊臺遺事，拜馳牘於苟中紫貝諸屬邑，以求六十餘年之故實，而父老罕能道者，取材於通志、郡志十三屬州邑志及鄉先輩著述。理郡暇偕郡丞陳君，酌古準今，諮諏商確，釐爲十卷，積日而成帙焉。……」

㈢、纂者事略

是《乾隆　瓊州府志》，其纂修者，依據〈修志姓氏〉載：鑒定三人、總修一人、總輯一人、同修十八人、分纂三人、校對三人、繕書九人、監刻八人，共計四十六員。其開局規模之大，參與修志者之眾，實為歷次纂修之冠也。茲依名列，就其事略，著述於次，以供參考。

鑒定：計三人，其職銜、姓氏，分著於次：

德　成，滿洲鑲黃旗人。官學生，廣東分巡雷瓊兵備道（乾隆三十七年任），陞廣東按察使。

陳用敷，浙江海寧人，乾隆二十五年(1760)庚辰科進士，廣東分巡雷瓊兵備道（乾隆三十九年任），陞廣東按察使。

德成額，滿州鑲白旗人。貢生，廣東分巡雷瓊兵備道，乾隆四十年(1775)任。

總修：蕭應植，字立齋，江南（今安徽）懷寧人。拔貢，清乾隆三十六年(1771)任瓊州府知府，倡修府志。

總輯：陳景塤，江南（今江蘇）江寧人，附貢，乾隆三十七年(1772)任瓊州府同知，總纂郡志。

同修：計有十八人，大都是各州、縣之行政長官，其職銜、姓氏、事略，分著於次，以供查考。

張利仁，奉天（滿州）鑲黃旗人。舉人，清乾隆三十三年(1768)任儋州知州。

保兆炳，江南通州（今江蘇省南通縣）人。清乾隆二十八年(1763)癸未科進士，於乾隆三十八年(1773)任臨高縣知縣，並署儋州事。

萬卜爵，雲南蒙自人。舉人，清乾隆三十七年(1772)任會同縣知縣，署萬州事。

清・陳述芹《嘉慶　會同縣志》（卷之七・續擬名宦），有傳略。

王時第，雲南嵋峨（今峨山縣）人。舉人，清乾隆三十六年(1771)任崖州知州。

王　堂，雲南建水人。舉人，清乾隆三十七年(1772)任澄邁縣知縣，署崖州事。

江　垕，浙江桐鄉人。貢生，清乾隆三十七年（壬辰）任瓊山縣知縣。

繆一經，江南（今江蘇省）吳縣人。雷州府經歷，署澄邁縣事。

馬用觀，陝西扶風人。舉人，清乾隆三十七年（壬辰）任定安縣知縣。

余發林，陝西城固人。舉人，清乾隆三十五年(1770)任文昌縣知縣，乾隆四十年(1775)升崖州知州。

衞晞駿，陝西韓城人。清乾隆十九年(1754)甲戌科進士，乾隆三十九年(1774)任文昌縣知縣。

于　煌，浙江歸安人。舉人，清乾隆三十八年(1773)署會同縣知縣。

李宗建，河南洛陽人。舉人，清乾隆三十六年(1771)任樂會縣知縣。

譚崇基，貴州安順人。舉人，清乾隆三十八年（癸巳）署臨高縣知縣。

陳　均，江南（今江蘇省）吳人。廩監，清乾隆三十八年（癸巳）任昌化縣知縣。

徐其金，湖南益陽人。監生，清乾隆三十八年（癸巳）任瓊山縣縣丞，署昌化縣事。

李思舜，山東臨淄人。舉人，清乾隆三十七年（壬辰）任陵水縣知縣。

江　炯，江南（今安徽省）歙縣人。舉人，清乾隆三十六年(1771)任感恩縣知縣。

鄒　城，江西樂平人。監生，清乾隆三十七年(1772)任瓊州府經歷，署感恩縣事。

分纂：計三人，其職銜、姓氏、事略，分著於次，以供參考。

陳國華，廣東興寧人。舉人，清乾隆三十八年(1773)任儋州儒學訓導。

王時宇，字允修，瓊山東廂人。清乾隆三十五年(1770)庚寅恩科順天榜舉人，授廣東饒平訓導。以嫡母老告歸，比銓縣令，復以生母老，改就國子監學正遂不出。主瓊臺講席，多所成就，嘗纂修郡志。著有《慎餘堂制義》、《蓮花山房詩草》、《退菴小集》、《續邵堯夫孝弟歌》諸書。

張岳崧《道光　瓊州府志》（卷之三十五・人物志五・儒林）、王國憲《續修　瓊山縣志》（卷之二十四・人物志：列傳），有傳略。

方　寰，江南（今安徽省）桐城人，生員。

校對：計三人，其職銜、姓氏、事略，分著於次，以供參考。

符　玢，臨高縣人。清乾隆二十七年(1762)壬午科舉人。

鄭宗漢，瓊山縣人，瓊州府貢（拔貢）。

符　詩，瓊山縣人。庠生，以子家麟贈修職郎，保昌教諭。

繕書：計九人，其職銜、姓氏、事略，分著於次，以供參考。

李　琦，瓊山縣人，廩生。

蔡文魁，瓊山縣人，貢生。

邱御邦，瓊山縣人，貢生。

符家麟，瓊山縣人，貢生，欽州學正。

楊信川，瓊山縣人，生員。

周　鎬，瓊山縣人，生員。

許　誠，瓊山縣人，童生。

毛用昌，瓊山縣人，童生。

鄭錫熊，瓊山縣人，貢生。

監刻：計八人，其職銜、姓氏、事略，分著於次，以供參考。

吳　琮，瓊山縣人，廩貢生。

鄭應瑞，瓊山縣人，清乾隆二十一年(1756)丙子科武進士。

杜攀棱，瓊山縣人，職監生。

何士璜，瓊山縣人，職監生。

楊友椿，瓊山縣人，職監生。

溫明新，瓊山縣人，職監生。

馮廷瑛，瓊山縣人，貢生。

溫啟新，瓊山縣人，貢生。

㈣、志書內容

蕭應植修、陳景塤纂《乾隆　瓊州府志》，凡十卷、類分十志（門），別為七十九目（含十二附目）。除首載各序文及修志姓氏外，其主要內容，依目錄及卷次，分著於次，以供參考。

地輿志　卷之一

輿圖　星野　沿革　疆域　風俗　氣候　潮汐附
都圖　墟市附　山川　古蹟　物產

建置志　卷之二

城池　公署　學校　書院、義學、社學附　壇廟
寺觀附　橋樑　津渡附　坊表　塋墓附

田賦志　卷之三

戶口　土田　科則　錢糧　均徭、均平附　積貯
鹽課　雜稅

軍政志　卷之四

戎職　兵制　兵餉　屯田　戎署　營汛

職官志　卷之五

官秩　名宦　流寓　武功　世襲附

選舉志　卷之六

進士　鄉舉　貢選　徵辟　封廕

人物志　卷之七

列傳　忠義　孝友　儒林　文苑　懿行　隱逸
耆舊附　列女

海黎志　卷之八

防海　海寇　土寇附　邊海外國

黎岐　平黎　撫黎　條議

藝文志　卷之九

敕　表疏　書　傳　序　記　賦　詩

雜　志　卷之十

遺事　災祥　紀異　方伎　仙釋

㈤、修志體例

蕭應植修、陳景塤纂《乾隆　瓊州府志》，其修志體例，仍因前志舊例，刪繁補闕。大都取材於通志、郡志、十三屬州邑志，暨鄉先輩著述。於事從其實，疑似者闕之，文從其簡，冗蔓者芟之，即舊志中翦裁補綴，不敢稍抒臆見，尤不欲漠然聽之（參見蕭譔〈修瓊州府志序〉刊於卷首）。

是「乾隆修本」（蕭志），雖無修志凡例（條文）查考，惟從《乾隆　瓊州府志》（目錄）細窺之，蕭志仍沿習舊志體裁，係採「分志體」，亦就是「按類分目法」也。

按《乾隆　瓊州府志》，凡十卷，分十志、七十九目，於各門目紀事次第，仍沿諸志舊例在郡事之下，州縣仍依舊志次序。所繫郡邑（州縣）之事，係以明清（尤其康熙、雍正、乾隆三朝）兩代最詳。其紀事斷限年代，最遲止於清高宗乾隆三十九年(1774)歲次甲午。茲舉例著述於次，以供參考。

建置志（卷之二）　書院：瓊臺書院，在郡城內丁字街，……乾隆三十八年(1773)，巡道德成重修。

建置志（卷之二）　書院：端山書院，舊名正蒙清館，在縣學（會同）東，……乾隆三十八年(1773)，知縣于煌，請於郡守蕭應植，改名端山書院。

建置志（卷之二）　壇廟：府城隍廟，宋元時在西關，……崇禎十七年，……知府張允佳……復遷還舊廟，而以道治東廟為海公祠，後圮。國朝乾隆三十九年(1774)，知府蕭應植重修。

建置志（卷之二）　壇廟：縣（瓊山）城隍廟，康熙十四年知縣茹鉉建在府城隍廟右，二十三年知縣朱玭移建縣治東，……乾隆四年颶風損壞，知縣杜兆觀、楊宗秉相繼修，三十九年(1774)知縣汪　垕重修。

人物志（卷之七）　列女：樂會縣，黃氏，陳宗舜妻，年十九，夫亡。刻勵守義四十餘年，全節無虧，乾隆三十九年旌。

㈥、刊版年代

蕭應植修《瓊州府志》之纂輯，事始於何時，未予著明。然完稿於清乾隆三十九年(1774)，歲次甲午夏五月（撫粵使者吉林德保撰〈瓊州府志序〉云：「……太守蕭君，乃允郡人之請，更為修纂之舉，書既成，錄副本以呈覽，而乞為之序。……」言之明矣）。惟據知府蕭應植立齋氏撰〈修瓊州府志序〉，則署著為乾隆三十九年(1774)歲在甲午孟秋月。

是志之刊行時間，牌記未署付梓年月。然宣東粵使者姚成烈撰〈瓊州府志序〉署乾隆乙未孟夏旬，廣東糧驛道吳九齡撰〈瓊州志序〉則署乙未孟冬。依此推計，清乾隆四十年(1775)乙未，應係是年刊行，最遲當不逾於是歲孟冬月耳。

按《乾隆　瓊州府志》（凡十卷），原刻本，線裝十六冊。白口，上魚尾，四週雙邊。手繕序文有行字，亦有楷字，每半葉有六行、七行、八行、九行（視各序字體大小而定），每行最多十八字。正文每半葉十行，每行最多二十一字，注分雙行。原書高二十五公分、寬十七・五公分，板框高二十一・五公分、寬十五公分，仿宋體字，每卷首行及版心，皆題名《瓊州府志》。

是志原刻本，傳本稀罕，據公私著錄，於國內外各圖書館或文教機構庋藏者，就其知見藏板，分別著列於次，以供查考。

原刻本　清乾隆三十九年(1774)修（蕭序）

清乾隆四十年(1775)刊本（姚、吳序）

美國：國會圖書館

英國：里茲大學圖書館　250

臺灣：國立故宮博物院　72

中國：故宮博物院　　南京地理所

圖說

周官天下之圖掌於職方地圖設土訓以司之

故郡縣有志志有圖所以繪林麓山川城郭宮

室及道里之廣陿守禦防範之要地制宜不出

戶庭而瞭若指掌也瓊處南服懸絕一島孤懸

御荷

聖德光昌咸歸離照斯圖也闊不盈尺而五指崇巒疊嶂

海汪洋卷軸之中雖然志言亦庶幾覽大同無

外之景象云

瓊州府志　圖　卷之一　輿圖

乾隆《瓊州府志》書影

國立故宮博物院藏板

九、道光修本（張志）

《道光　瓊州府志》　四十四卷　首一卷

清・明　誼修　張岳崧纂　　道光二十一年(1841)刻本

26 冊　有圖表　25 公分　線裝

㈠、知見書目

譚其驤《國立北平圖書館方志目錄》（冊四）：

瓊州府志　四十四卷　卷首一卷

清・明　誼修　　張岳崧纂

清光緒十六年修錽道光二十一年本

二十六冊　卷四三書目及金石

杜定友《廣東方志目錄》（頁十六）：

瓊州府志　四十四卷　　明　誼修　　張岳崧纂

清道光二十一年

朱士嘉《美國會圖書館藏中國方志目錄》（頁四二七）：

瓊州府志　四十四卷　卷首一卷

清・明　誼修　　張岳崧纂

清道光二十一年(1841)刻本　二十四冊

陳劍流《海南簡史》（頁八〇）：

瓊州府志（四十四卷）　　張岳崧　明　誼續修

清道光二十一年（西元 1841 年）重修

李景新《廣東方志總目提要》（頁一一六）：

瓊州府志　四十四卷

知府明　誼修　　郡人張岳崧纂

清道光二十一年重修

莫　頓(Andrew Morton)《英國各圖書館所藏中國地方志總目錄》（頁九〇）：

瓊州府志　四十四卷

1841 C.(1890)　　SM.(Z/1890)

英吉利圖書館　　劍橋大學　　達倫大學

愛丁堡大學　　　倫敦大學

黃蔭普《廣東文獻書目知見錄》（頁六〇）：

瓊州府志　四十四卷　　清・明　誼　　張岳崧

清道光二十一年(1841)刊本

北大　中大　廣東　　東洋文庫　靜嘉

日本國會圖書館《中國地方志總合目錄》（頁二七五）：

瓊州府志　四十四卷　首一卷

明　誼、張岳崧等

道光二十一年(1841)序刊本

（靜嘉）26 冊　26 － 46 －守

（九大）　支文 16 － 267

同治五年(1866)修補本　（人文）

光緒十六年(1890)補刊本

（國會）26 冊　（東洋）24 冊　q － 103

（天理）24 冊　（大阪）26 冊　382 － 64

民國年間排印本　（國會）10 冊

民國五十年(1961)・五十一年(1962)排印本

（人文）　（東北）五冊　丙 C － 4 － 345

朱士嘉《中國地方志綜錄》（頁十三）：

瓊州府志　四十四　卷首一卷

明　誼修　　張岳崧纂　　清道光二十一年

中國科學院北京天文臺《中國地方志聯合目錄》（頁七〇〇）：　〔道光〕瓊州府志　四十四卷　首一卷

（清）明　誼修　　張岳崧纂

清道光二十一年(1841)刻本

王德毅《中華民國臺灣地區公藏方志目錄》（頁一二九）：

道光瓊州府志　四十四卷　首一卷

清・明　誼續修　　張岳崧等纂

清光緒十六年(1890)補刊道光二十一年(1841)刻本

史語　　中分　　臺大

成文華南 47　　國史館　　中分

民國間海口海南書局鉛印本　　臺大

楊德春《海南島古代簡史》（頁一五六）：

《瓊州府志》四十四卷　首一卷

清・明　誼、張岳崧編纂

道光二十一年（公元 1841 年）修成

光緒十六年（公元 1890 年）刊行

㈡、修志始末

按《瓊州府志》之纂輯，自清乾隆三十九年(1774)甲午孟秋月（郡守蕭應植修），距近七十載未修。於清道光十八年(1838)戊戌，明　誼（長白人）奉檄出守瓊郡，悉聞郡志歷久未葺，唯恐郡事時遠湮沒，且又無公餘之暇，難克勝斯任，適鄉宦張方伯

（岳崧）奉諱歸里，商以纂修郡志事托之也。

清宣宗道光十九年(1839)己亥，適先賢張探花岳崧，自楚北歸里，郡守明　誼氏聘請總董其責，並由郡紳杜以寬、鄭乃憲、鄭文彩，蒐集遺佚，大都以牛、賈二志為本，輔以蕭志，省通志則黃佐志採輯尤多，其金光祖、郝玉麟、阮　元諸通志，以及大清一統志，有切郡事者皆紀載焉。全志凡四十四卷，計為門類者十矣。

欽命甘肅安肅道現兼廣東雷瓊兵備道知瓊州府事長白明　誼〈續修瓊州府志序〉云：「瓊郡風俗敦樸，在粵東爲第一，前觀察　鳴庭王公記之，其言至詳，且悉無庸復贅。余曩在京師，尤聞瓊郡人文蔚起，代有偉人，心輒慕之，未幾出守斯郡，甫下車，得覽名賢舊蹟，與都人士遊，洵逮所聞矣。獨郡志歷七十年未修，余甚惜焉。……」

次云：「瓊郡尤號才藪，此七十年中，事業之炳炳烺烺，足備採擇者何限，脫久而就湮，後將奚述，斯非郡守事歟！顧念蒐羅人物，意在激揚善類，勸戒一方，分其部署，而運以機杼，非具史家三長，曷克勝任。余不文且無公餘之暇，蓋難其人矣。」

復云：「適鄉宦翰山張方伯，讀禮于家，以是商之余。余喜曰此誠鄉先生、鄉先達之責也。夫爰以纂修事，即托之方伯，距今二載，藁本告成。余旋奉　命分巡西徼，有甘省之行，勷事者，請余數言，以弁其首。余維是舉也，得方伯以總其成，有諸紳士以集其益，余將去而聿觀厥成，固余心也，抑余猶有望焉。……」

末云：「……志成而撫舊觀新，有激勸之道，倘生斯土與守斯郡者，爭濯磨而求治理，他日人才興而吏治盛，又非徒風俗之敦樸，稱第一已也，修志所係其鉅矣哉，是爲序。」

依據清道光二十一年(1841)辛丑仲秋既望，郡人張岳崧〈續修瓊州府志序〉云：「……岳崧學識淺闇，又自幼壯遊學，仕宦奔走四方，於本郡典章人物，未能討論精確，仰止先賢，自知無能爲役。適道光己亥，由楚北奉諱歸里，郡之官及紳，咸以續修爲言，力辭不獲。因與同郡夙好杜廣文以寬、鄭孝廉乃憲、文彩，採輯遺佚，大率以牛、賈二志爲本，輔以蕭志，通志則黃泰泉志採錄尤多，其金郝阮先後諸志及恭讀　大清一統志，有切郡事者皆記載焉。……」綜觀郡守明　誼氏，暨郡宦張岳崧氏〈續修瓊州府志序〉文，其修志意旨動機，以及歷程始末，言之至詳，誠然如斯矣。

㈢、纂者事略

按《道光　瓊州府志》（續修本），雖無修志職名表列載，惟從郡守明誼，暨郡宦張岳崧〈續修瓊州府志序〉查考。其參與纂修事務者，包括：主修一人，總纂一人，分纂三人，玆就事略，著述於次，以供參考。

主修：明　誼，滿州正黃旗（遼寧省長白縣）人，清仁宗嘉慶二十四年(1819)己卯恩科進士（二甲第六十九名），於清宣宗道光十八年(1838)知瓊州府事。次歲己亥，聘請鄉宦張岳崧氏總纂郡志。旋奉命分巡西檄，甘肅安肅道而離任。

總纂：張岳崧(1773~1842)，字子駿，翰山，號韓山、澥山、指山，亦稱海山道人，室名：筠心堂或筠心草堂，安定（居腰高林）人。

清仁宗嘉慶十四年(1809)己巳恩科進士（一甲第三名），授編修、國史館協修官、武英殿纂修官，教習庶吉士。累官湖北布政使，護理巡撫。凡所設施，無不悉心籌度，務使實惠及民。並治先塋、建祖祠、修郡志、續捐本邑賓興費，嘉惠郡邑。

張探花，自幼穎悟勤學，平生淹貫經史，服膺程朱，詩宗漢魏，書祖歐、虞，與郭蘭石（尚先）大理齊名。當時碑版多出其手。畫宗元人，但不多作，著有《筠心草堂集》（今存），壽年七十卒（館閣爵里考、楚庭耆舊遺詩、味蔗齋隨筆引陳其錕書行述、唐確慎公文集）。祀郡邑鄉賢祠

吳應廉（光緒　安定縣志）（卷之六・列傳志：人物）、吳道鎔《廣東文徵作者考》（卷九・清續二）、臧勵龢《中國人名大辭典》（頁九三八）、文史哲出版社《中國美術家人名辭典》（頁八三〇），皆載有傳略。

分纂：計三人，就其里籍、姓氏、事略，分別著述於次，以供方家查考。

杜以寬（廣文），字綽卿，號粟莊，瓊山烈樓人。清仁宗嘉慶十五年(1810)庚午科舉人，授廣寧教諭，調欽州學正，修州志送費金不收，與諸生講論最洽，設牌於書院祀之。俸滿回與張方伯岳崧，修郡文廟及府志，工竣復任番禺訓導，擢肇慶府教授未任，卒年七十五。

王國憲《續修　瓊山縣志》（卷二十四・人物志：列傳），載有事略。

鄭乃憲（孝廉），文昌人，清宣宗道光二年(1822)壬午科舉人。道光己亥，協修郡志。

鄭文彩（孝廉），號樸齋，瓊山鳳樓人。清宣宗道光元年(1821)辛巳恩科舉人，屢上春官不遇，旋授海康縣教諭，留心課

士，首重品行，多士化之。丁艱歸里，主講雁峰書院數年，志在裁培後進。道光己亥協修郡志、咸豐丙辰重修縣志，舉為總纂，表章文獻，不使佚遺。

鄭孝廉，孤貧力學，肄業雁峰，院長王孝廉承烈，一見其文刮目相待，從游最久得其師傳。孫含章，廩貢生，能傳家學。

王國憲《續修　瓊山縣志》（卷之二十四・人物志：列傳），載有事略。

㈣、志書內容

張岳崧纂《道光　瓊州府志》，凡四十四卷，首一卷，分十類門（志）。其內容較諸志詳實而富美，就志之目錄及卷第，分別著述於次，以供參考。

序圖表　卷　首

輿地志　卷之一　歷代沿革

卷之二　星野　氣候　潮汐附

卷之三　疆域　風俗

卷之四　山川　巖洞、井泉附　水利

卷之五　物產

建置志　卷之六　城池　公署附

卷之七　學校　書院

卷之八　壇廟

卷之九　都市　橋渡

卷之十　倉儲　坊表

卷之十一　古蹟　塋墓　養濟

經政志　卷之十二　銓選　祿餉　錢法附

		方伎　仙釋
	卷之三十七	列女
藝文志	卷之三十八	勅　表　疏　記
	卷之三十九	記
	卷之四十	序　傳　書　議　跋　銘　雜文　祭文
	卷之四十一	賦　詩
雜　志	卷之四十二	事紀
	卷之四十三	藝文書目　金石
	卷之四十四	遺事　紀異

㈤、修志敘例

清・明　誼修、張岳崧纂《道光　瓊州府志》，大都以牛、賈二志為本，蕭志為輔。通志則以黃佐志採錄尤多，其金、郝、阮先後諸志，暨大清一統志，有切郡事者，皆記載之。計為門類（志）者十，凡四十有四卷（首一卷為序、圖、表）。於舊事重加考訂疑者闕之，新事間有續補，皆據採訪所及，詳加諮詢，不敢斷以臆見。雖挂漏訛誤，固知不免，匪敢云備事備義，信今傳後，特以數十年間，郡事聊備遺忘，以為後日修葺，地蓋于前賢，矜慎著述之意，亦冀遞相祖述而不敢苟然從事也（參見張岳崧〈續修瓊州府志序〉，文載於卷之首）。

本《道光　瓊州府志》纂修體裁，雖無修志〈凡例〉條文查考，然張序言之至明，大都沿習舊志、通志義例也。復從《道光　瓊州府志》（目錄）窺之，其修志體例，係採「分志體」，亦就是「按類分目法」也。

按《道光　瓊州府志》，凡四十四卷（首一卷），分門有十，計目九十有八，所繫郡邑及州縣之事，以明、清（道光二十一年以前）二代最詳，其紀事斷限年代，最遲止於清宣宗道光二十一年(1841)歲次辛丑，就以各門目紀事年次，分別著述於次，以供方家參考。

建置志（卷之七）學校：瓊州府（府儒學），在府治東。…

道光三年，御書聖協時中額，敬懸大成殿。十八年知府王藻倡捐重修殿廡，以陞任去。二十年，知府明誼成之。鄉紳張岳崧、杜以寬等董其役，……二十一年(1841)工竣。

人物志（卷之三十七）列女：國朝（瓊山縣）：

馮氏，洪見邦聘妻，道光二十一年旌。

陸氏，陳見瑞妻，道光二十一年旌。

張氏，生員陳日晃妻，道光二十一年旌。

文昌縣：

王氏，符世仁聘妻，道光二十一年旌。

㈥、徵引典籍

明　誼修、張岳崧纂《道光　瓊州府志》（續修），凡四十四卷、首一卷。其內容極為詳備而富美，且廣泛徵引典籍，參校考訂，於各條目間，除註記〈新增〉、〈增補〉、〈增輯〉、〈採訪〉者外，舉凡徵考文獻，大都註於各條末。茲仿四部分類法，概略分述於次，以供方家查考。

經　部：《爾雅》、《埤雅》、《赤雅》、《廣雅》、《論語》、《說文》、《正字通》、《古今注》、《廣韻注》、《經義考》、孔子《家語》、《朱考》、《顏師古注》。

史　部：明誼修、張岳崧纂《道光　瓊州府志》，徵引史書極多，就其類屬，分著於次：

史地之屬：《史記》、《史記・鄭注》、《史記・尉陀傳》、《資治通鑑》、《通鑑輯覽》、《通鑑》、《漢書・地理志》、《漢書注》、《前漢書・地理志》、《續漢書・地理志》、《漢書・武帝紀》、《漢書・賈捐之傳》、《後漢書・明帝紀》、《後漢書・南蠻傳》、《晉書・地理志》、《十四國春秋・地理表》、《南齊書・州郡志》、《北史・譙國夫人傳》、《隋書・地理志》、李燾《續通鑑長編》、《舊唐書・地理志》、《舊唐書・德宗紀》、《舊唐書・憲宗紀》、《舊唐書・本傳》、《舊唐書・李暠傳》、《舊唐書・良吏傳》、《舊唐書・裴炎傳》、《唐書・歐陽詹傳》、《唐書・本傳》、《新唐書・地理志》、《新唐書・本傳》、《南漢・州縣》、《宋史・地理志》、《宋史・五行志》、《宋書・州郡志》、《宋史・食貨志》、《宋史・世祖紀》、《宋史・哲宗紀》、《宋史・徽宗紀》、《宋史・高宗紀》、《宋史・本傳》、《宋史・王超傳》、《宋史・黎峒》、宋高宗《先賢像贊碑》、《元史・地理志》、《元史・人文志》、《元史・兵志》、《元史・世祖紀》、《元史・成宗紀》、《元史・仁宗紀》、《元史・英宗紀》、《元史・泰定帝（晉宗）紀》、《元史・文宗紀》、《元史・順帝紀》、《元史・本傳》、《明史稿》、《明史・地理志》、《明史・禮志》、《明史・食貨志》、《明史・五行志》、《明史・河渠志》、《明史・藝文志》、《明史・選舉志》、《明史・太祖紀》、《明史・成祖紀》、《明史・孝宗紀》、《明史・世宗紀》、《明史・神宗紀》、《欽定明史・寧王傳》、《明史・宰相表》、《明史・本傳》、《明史・儒林傳》、《明史・鐵鉉傳》、《明史・劉孜傳》、《明史・鄭誐傳》、《明史・顧允成傳》、《明史・李錫傳》、《明史・劉天錫傳》、《明史・花茂傳》、李肇《國史補》、《太平寰宇記》、《輿地紀勝》、歐陽忞《輿地廣記》、《方輿紀要》、《曲阜碑》、《詩集傳》、《懷沙亭碑》、《河清家乘》、《獻徵錄》、王佐《候潮前後論》、《羅浮志》。

方志之屬：唐《元和郡縣志》、宋《元豐九域志》、《大元一統志》、《明一統志》、欽定《大清一統志》、《桂海虞衡志》、《浙江通志》、《廣西通志》、《福建通志》、《廣西・地理志》、《南越志》、張天復《輿地志》、《名勝志》、《廣東輿圖》、《粵東名勝志》、戴璟《廣東通志》、《戴通志・雷州列傳》、黄佐《廣東通志》、《黄通志・圖經》、郭棐《廣東通志》、金光祖《廣東通志》、郝玉麟《廣東通志》、《郝志・沿革志》、阮元《廣東通志》、阮通志《沿革表》、阮通志《連州列傳》、阮通志《高州列傳》、《舊廣州府志》、《廣州舊志》、《廣州志》、余曾覽《羅州圖》、《廉州志》、《新安縣志》、《雷陽志》、《翁源縣志》、《瓊州圖經》、《瓊管志》、蔡微《瓊海方輿志》、元《南寧軍記》、王佐《瓊臺外紀》、唐胄《瓊臺志》、戴熺《瓊州府志》、牛天宿《瓊州府志》、賈棠《瓊州府志》、蕭應植《瓊州府志》、《蕭志・沿革表》、呂子班《瓊州府志稿》、《瓊山志》（舊志）、《瓊山縣志》、《澄邁志》（舊志）、《澄邁縣志》、《臨高志》（舊志）、《定安志》（舊志）、《定安草志》、《定安縣志》、《文昌志》（舊志）、《文昌縣志》、《會同志》（舊志）、

《會同縣志》、《樂會舊志》、《樂會縣志》、《儋州志》、《昌化舊志》、《昌化縣志》、《萬州圖經》、《萬州志》、《陵水舊志》、《陵水草志》、《陵水縣志》、《崖州草志》、《崖州志》、《感恩志》（舊志）、《感恩縣志》、《採訪冊》、《瓊山採訪冊》。

政書之屬：《通典》、《通典通考》、馬氏《文獻通考》、《會典》、《明會典》、《明典彙》、《永樂志》、《大清會典》、《賦役全書》、《海防纂要》、《乾隆府廳州縣圖志》、鹽法〈事例・禁例〉、〈則例〉、〈舊例〉、〈廣濟橋例〉、〈檔冊〉、〈繳憲綱冊〉、〈司冊〉、〈銷冊〉、〈營冊〉、〈水師營冊〉、〈督糧道彙冊〉、〈瓊山縣冊〉、〈澄邁縣冊〉、〈定安縣冊〉、〈文昌縣冊〉、〈會同縣冊〉、〈臨高縣冊〉、〈儋州冊〉、〈昌化縣冊〉、〈樂會縣冊〉、〈檔案〉、廣西〈陽溯縣移文案〉、〈洪武詔旨〉、賈捐之〈諫伐珠崖疏〉、杜佑《通典》（州郡）、漢〈茂陵書〉。

子　部：楊孚《異物志》、嵇含《南方草木狀》、張華《博物志》、賈思勰《齊民要術》、房千里《南方異物志》、孟琯《嶺南異物志》、《續博物志》、李時珍《本草綱目》、《政和本草》、陳藏器《本草》、《本草衍義》、《群芳譜》、《釋獸》、《淮南子》、呂不韋《呂氏春秋》、顏之推《顏氏家訓》、《異苑》、《名苑》。

集　部：《文選注》、《唐人詩》、蘇東坡《海外集》、《東坡志林》、《瓊臺集》、《瓊臺會稿》、《尹瑾莞石集》、《唐荊川集》、《霍渭厓集》、《藍鹿洲集》、《春融堂集》、《王佐文集》、陳是集《溟南詩選》、王安國《淮海英靈集》、

《廣東詩粹》、《粵東金石略》、《海語》、《詩話》。

類　書：宋・李昉《太平御覽》、《事類合璧》、《類聚》、白居易《六帖》、《索隱》、永瑢《四庫全書提要》。

雜　記：徐堅《初學記》、李調元《粵東筆記》、《昌江筆略》、吳震方《嶺南雜記》、《嘉話錄》、段公路《北戶錄》、陸應陽《廣輿記》、《粵東見聞》、劉恂《嶺表錄異》、《廣州記》、段成式《西陽雜俎》、《羅浮記》、《大業拾遺記》、《猗覺寮雜記》、周去非《嶺外代答》、顧岭《海槎餘錄》、《倦遊雜錄》、任昉《述異記》、《舟車聞見錄》、《劉跂暇日記》、《南粵記》、陸承韞《南越記》、劉欣期《交州記》、《安南異物名記》、《西京雜記》、何蘧《春渚見聞》、陳倫炯《海國聞見錄》、《外海紀要》、《賓退錄》、《公孫談國》、《青瑣雜錄》、《原化記》、王阮亭《廣州竹枝詞曲》、《說本》（古洲馬氏）。

雜　文：謝朓〈詩〉、王粲〈賦〉、郭璞江〈賦〉、孫綽〈望海賦〉、蘇軾〈書海南風〉、〈伏波廟記〉、〈海南文〉、〈峻靈王廟記〉、季麟光〈風颱說〉、邱濬〈南溟奇甸賦〉、〈瓊州府學祭器記〉、〈邢宥墓誌銘〉、李德裕〈詩〉、李綱〈威武廟記〉、戴璟〈議〉、〈約〉、邢宥〈瓊州射圃記〉、徐中行〈鄭廷鵠傳〉、何喬新〈邱濬碑誌銘〉、梁雲龍〈海瑞傳〉、黃佐〈鍾芳墓誌銘〉。

㈦、刊版年代

明誼修、張岳崧纂《道光　瓊州府志》之刊版，除清道光二十一年(1841)之〈原刻本〉外，尚有：〈修補本〉、〈補刊本〉、

〈重印本〉、〈影印本〉四種。且廣為流傳，庋藏於海內外各文教機構，暨圖書館者，依刊本年代，就其知見藏板，分著於次，以供查考。

原刻本　清道光二十一年(1841)序　刻本

美國：國會圖書館（二十四冊）

英國：英吉利圖書館　　劍橋大學　　倫敦大學

日本：國會圖書館靜嘉堂文庫（二十六冊）

九州大學圖書館（支文 16~267）

中國：科學　　北大　　天津　　遼寧　　華東師大

吉大　　杭大　　湖南　　廣東　　華南師院

川大　　浙江　　旅大　　北碚　　廣東博

修補本　清同治五年(1866)　修補本

日本：京都大學人文科學研究所

補刊本　清光緒十六年(1890)，知府林隆斌補、郭金峨校補刊本

美國：國會圖書館（二十六冊）

加州大學柏克萊分校圖書館（二十三冊）

英國：劍橋大學　　達倫大學　　愛丁堡大學

日本：國會圖書館（二十六冊）

東洋文庫（二十四冊）

天理圖書館（二十四冊）

大阪府立圖書館（二十六冊）

臺灣：史語　　臺大　　臺灣分館：7701/BD1（南）

中國：北京　　上海　　南大　　天一　　廣西民院

廣東　　中大　　湖北　　吉林　　科學　　蘇州

鉛印本　民國十二年(1923)海南書局　鉛印本（俗稱民國本）
　　據清光緒十六年(1890)補刊本（鉛字排印）
美國：史丹福大學東亞圖書館（十一冊）
　　加州大學柏克萊分校圖書館（十冊）
日本：國會圖書館（十冊）
臺灣：臺北 128　臺灣分館：A770/BD1（南）
中國：北京　復旦　上海　辭書　東北師大
　　廈門　武大　中大　廣東　廣西一
　　北碚　浙江　溫州　湖北　南京　川大

重印本　民國五十年(1961)　臺北市　海南同鄉會　景印本
　　據民國十二年(1923)　海南書局　鉛印本
　　（五百部，每部五大冊，線裝）
日本：東北大學圖書館（五冊）丙 C-4-345
　　京都大學人文科學研究所（五冊）
臺灣：學者私人珍藏

影印本　民國五十六年(1967)　臺北市成文出版社　影印本
　　據清道光二十一年(1841)修，光緒十六年(1890)補刊本（中國方志叢書：華南地方　第四十七號，每部精裝二大冊，計一〇三六面）
美國：史丹福大學東亞圖書館：3220/5604　V.47
臺灣：國立臺灣圖書館：673.31/6703

瓊州府志卷之四上

輿地志六 山川 巖洞井泉附

瓊山縣

山

抱珥山在城內道署西高三丈餘阮通志

龍文山在府署後高三丈餘明知府林有祿培築同上

三台峯在府學宮後脈自抱珥龍文聯絡排列如三台然新增

蒼屹山在城南二里石峯屹立水流其下通志其陰有仙人洞又名紫霞洞大清一統志

鴈塔峰在城南三里平岡一峯尖秀如筆水環其下同上宋郡人姜唐佐始登第因名元至正間築鴈塔亭於上明萬歷時豎三元碑於中峰故又名鴈塔三元峯郝通志

赤石岡在城西南五里石多赤色阮通志

靈山在城東南十五里舊名黑山俗名槊山自北來者渡海中洋即見之喬木蔭翳上有

瓊州府志 卷四上 輿地 山川

道光《瓊州府志》書影

（海南書局鉛印本）

十、綜合析論

按《瓊州府志》，載諸史籍，有信稽考者，首推晉人蓋泓纂《珠崖傳》（一卷），於《晉書經籍志》著錄，是乃《瓊州府志》（古志書）之肇始。

宋元兩代，雖有志書相續梨棗，惟因年代久遠，牒本大都湮沒佚傳，罕見藏板，誠屬憾惜矣。於今知見（流傳）者，多係明清兩代修本而已，其中以明「正德修本」（唐志）、清「乾隆修本」（蕭志）、「道光修本」（張志），最為珍貴，視同瑰寶。

首就修志源流言：瓊州之有志，緣自晉代《珠崖傳》（一卷）始，中經宋元明三代，則有宋人《瓊州圖經》、《瓊管圖經》、《瓊管志》、《瓊臺志》，元代《瓊海方輿志》，明・王佐《瓊臺外紀》暨《珠崖錄》、鄭廷鵠《瓊志稿》、唐胄《正德　瓊臺志》、周希賢《瓊州府志》、戴熺《萬曆　瓊州府志》。迨清一代，修志風尚鼎盛，其牒本極為豐碩，諸如：牛天宿《康熙　瓊郡志》、賈棠《康熙　瓊州府志》、蕭應植《乾隆　瓊州府志》、呂子班《道光　瓊州府志稿》（未梓、佚傳）、張岳崧《道光　瓊州府志》。由於年代久遠，間被水漬或蟲害，抑遭兵災或火焚，致藏版湮滅，梓本散失，於今流傳存世者，雖只有明修本（唐志）、（載志）二種，暨清修本（牛志、賈志、蕭志、張志）四種而已，唯就文獻整體性來說，各志相承相傳，構成完整脈絡體系。

次就修志體裁言：瓊州府志，諸書係採編年紀事，於每一門目記載次第，郡事以下，則按瓊山、澄邁、臨高、定安、文昌、會同、樂會、儋州、昌化、萬州、陵水、崖州、感恩等十三州縣，依次分誌之。然細窺各志，雖卷數次第，多寡不一，列綱分目，繁簡有別，唯其義例尚稱完備。從各志書之〈敘例〉（條文），或〈目錄〉（內容）析觀，除明代唐胄《正德　瓊臺志》，係採「門目體」（按事分目法）外，其餘各志之纂修體例，大都採用「分志體」，亦就「按類分目法」。其兩者最大差異，係「門目體」標目太煩，而「分志體」，係以志為綱，其目分隸矣。②

復就志書內容言：瓊郡志書，於今海內外公藏（知見）者，計七種。明・顧可久《瓊管山海圖說》（二卷），由於影本獲取困難，未能親閱圖說內容，又缺相關佐證資料，致無法深入研究外，其餘諸志內容，各具特色。

上官崇修　唐胄纂《正德　瓊臺志》，凡四十四卷、分四十七門（另附：五十五目）。於各門目，紀事甚詳，尤以土產一門，更為齊備。

案：凡例。第二條：土產，獨有者詳，槩有者略，舊志有而今不產或已偶未見者必注，及今有而舊志不書者必補。

戴熺、歐陽璨修　蔡光前等纂《萬曆　瓊州府志》，凡十二卷、分十二志，計九十五目。於卷之五：賦役志，新增「商稅」、「會計」二目，是志之特色也。

牛天宿修　朱子虛纂《康熙　瓊郡志》，又名《瓊州府志》。乃續明萬曆本（戴志）重修，凡十卷，觀其志書，行文樸

② 黃　葦《中國地方志詞典》　頁 376~377、385~386
一九八五年十一月　安徽合肥市　黃山書社

實，猶見清人之筆意耳。

是志內容，上自天文，下迄地理，中及人事，分為十卷（志）。於卷之八：海黎志，新增「邊海外國」一目，而與明修本（唐志、戴志）有別，其志之特色也。

蕭應植修　陳景塤纂《乾隆　瓊州府志》，凡十卷、類分十門（志）、別為七十九目。本志卷之四：軍政志（分戎職、兵制、兵餉、屯田、戎署、營汛六目），更創有新意，而與昔諸志大不同也。

此外，蕭應植修《乾隆　瓊州欲志》，所列「歷代沿革表」（瓊州府及十三州縣），簡明嚴謹，學者譽之。

明誼修　張岳崧纂《道光　瓊州府志》，凡四十四卷、首一卷，類分十志（門）、目有九十九。於卷之十二至卷之十七（計四卷），經政志係依性質，就賦役志、學校志、兵防志，合而為一，更創新義例。

此志於卷之十七（經政志），新增「郵政」、「船政」二目，更富新義，亦係本志內容之特色也。

終就學術價值言：瓊州府志，於今海內外知見者，無論是明修本或清修本，於諸志書修葺時，搜羅廣泛，徵引群籍，舉凡經、史、子、集，以及類書、雜著（雜記、隨筆、筆記）等文獻典籍，不下百數十種，以資考訂參校，極備史料價值。其所紀瓊郡或屬邑之事，上溯漢唐，下迄清代（道光二十一年前），大凡建置沿革、山川形勝、疆域物產、天候潮汐，風土人物，典制禮藝，莫無各備其要。於是，諸志足資徵考其歷史文化，經政典制，民風物產之梗概，亦殊具學術研究參考價值，自不待言矣。

綜觀《瓊州府志》諸修本，其中明・唐胄《正德　瓊臺志》

為最早，以元・蔡微《瓊海方輿志》、明王佐《瓊臺外紀》作藍本。清・張岳崧《道光　瓊州府志》，其資料新穎、內容富美，最為珍貴。實係研究〈海南方隅史〉必備之珍貴資料。

參考文獻資料

《道光　廣東通志》　　清・阮　元修　　陳昌齊纂
民國五十七年(1986)　臺北市　華文書局　影印本
據清道光二年(1822)修，同治三年(1864)重刊本
《正德　瓊臺志》　　明・上官崇修　　唐　冑纂
民國七十四年(1985)　臺北市　新文豐出版社　影印本
據天一閣藏，明正德十六年(1521)刊本
《萬曆　瓊州府志》　　明・戴　熺　歐陽璨修　　蔡光前等纂
明萬曆年間（戴序）刊本
據日本國會圖書館藏（微縮捲片）複印（景照本）
《康熙　瓊郡志》　　清・牛天宿修　　朱子虛纂
清康熙十二年(1673)修　康熙十五年(1676)　刻本
《乾隆　瓊州府志》　　清・蕭應植修　　陳景塤纂
清乾隆三十九年(1774)　刻本
《道光　瓊州府志》　　清・明　誼修　　張岳崧纂
民國五十六年(1967)　臺北市　成文出版社　影印本
據清道光二十一年(1841)修、光緒十六(1890)補刊本
《光緒　定安志》　　清・吳應廉修　　王映斗纂
民國五十七年(1968)　臺北市　定安縣志重印委員會　影印本
據清光緒四年(1878)刊本

《民國　瓊山縣志》　周　果修　王國憲纂
民國五十三年(1964)　臺北市　瓊山縣志重印委員會　影印本
據宣統三年(1911)開雕，民國六年(1917)刊，瓊山學校藏板
《廣東文徵作者考》　吳道鎔纂
民國六十年(1971)　臺北市　臺灣商務印書館
《中國人名大辭典》　臧勵龢編
民國六十一年(1972)　臺北市　臺灣商務印書館
《明清進士題名碑錄索引》　文史哲出版社編輯
民國七十一年(1982)七月　臺北市　文史哲出版社
《海南方志資料綜錄》　王會均
民國八十三年(1994)十月　臺北市　文史哲出版社

中華民國八十二年(1993)癸酉十二月二十五日　初稿
中華民國八十四年(1995)乙亥三月二十六日　增訂稿
中華民國九十九年(2010)庚寅九月二十二日　新校稿
臺北市：海南文獻史料研究室

卷之四　州　志

夫「州志」者，亦方志種類名稱之一種，係記述一州範疇之志書也。

州為行政區劃，始自西漢，東漢末之後，始成為郡以上之一級行政區劃。唐代則屬於道，宋屬於路，元屬於路或府，明清兩代，大州與府平級，小州與縣平級，屬府管轄之州為散州，直屬行省之州稱直隸州。

州之行政長官為知州，州志多由州一級官吏主持修纂。為其區別於散州，在直隸州志書前多冠“直隸”字樣。當時修過不少「州志」，諸如：《崖州直隸州志》、《萬曆　儋州志》、《道光　萬州志》等是……瓊州府屬儋州、萬州、崖州直隸州，大都修有志牒，就其知見之志書（公藏者），分州臚著於次，以供士林學子，暨邦人士子查考。

一、儋州志

儋州，宋為南寧軍，民國稱儋縣，現稱：儋州市。僻處邊海西陲，緣自漢武帝元鼎六年(110B.C)歲次庚午，伏波將軍路博德，平定南越置儋耳郡。篳路藍褸，草昧經營，於瓊州府屬州縣中，建置歷史最為悠久之州分。

儋州，既有軍志，亦有州志，又有縣志。然其志之纂修，肇始於宋代《南寧軍志》，明代由知州曾邦泰重修《萬曆　儋州志》（三集）。遜清一代，先後凡三修：沈一成《康熙　儋州志》（十卷）、韓祜《康熙　儋州志》（三卷）、王清雲《儋州志》（初集、不分卷，具鄉土志特質）。迨民國二十三年(1934)甲戌歲，縣長彭元藻修、王國憲纂《儋縣志》（十八卷、首一卷）止。大凡六次修志，其中以《民國　儋縣志》，內容最為詳備而富美，亦最具有史料價值矣。

於今，是以儋州（縣）史志為範疇，就其相關文獻史料，作綜合性研究。其主要內容，概分：修志源流、待訪志書、萬曆修本（曾志）、康熙修本（韓志）、民國修本（彭志）、綜合評論等六大部分。

修志源流

宋代大文豪蘇東坡（文忠）公，以事謫儋，日與黎王諸賢，笠履往還，唱酬吟詠，大開文風，而後飛黃騰達，代有聞人。

儋州（縣）之志牒，其纂修源流久遠，有史籍稽徵者，肇始於宋代《南寧軍志》（今儋州市），至明神宗萬曆四十六年(1618)戊午，知州曾邦泰重修《儋州志》（三集）。

迨清一代，儋縣志乘，先後曾三修。於清聖祖康熙二十八年(1689)，歲次己巳仲秋月，知州沈一成修《儋州志》（十卷）。清康熙四十三年(1704)甲申歲臘月穀旦，儋州知州韓祜修《儋州志》（三卷）。迄清德宗光緒三十年(1904)甲辰，由州人王雲清修、唐丙章纂《儋州志》（初集）不分卷。

民國肇造，於二十三年(1934)歲次甲戌，縣長彭元藻、曾友文修、王國憲纂《儋縣志》（十八卷），民國二十五年(1936)丙子，由瓊州海口市，海南書局代印。

綜觀《儋縣志》纂修源流，緣自宋代《南寧軍志》肇始，迄於民國二十三年(1934)甲戌縣長彭元藻修、王國憲纂《儋縣志》止。先後凡六次纂修，其中以《民國　儋縣志》（凡十八卷、首一卷），內容最為詳備而富美焉。

待訪志書

儋州（縣）志書，雖有梓本，惟因年代久遠，間遭兵火或蠹蛀災害，致志牒煙沒朽蝕，罕見藏板，於佚傳者，計有：宋代《南寧軍志》，清・沈一成修《康熙　儋州志》二種，就其個人所識，分別析論於次，以供方家參考。

《南寧軍志》　　宋　人纂　佚

張國淦《中國古方志考》（頁六二二）：

南寧軍志　　宋佚　　蒲圻張氏大典輯本

張氏《大典輯本》，據《大典》卷七千二百四十一：十八陽（冠古堂），引《南寧軍志》一條。

案：宋南寧軍，本儋州昌化軍，明清瓊州府儋州，民國稱儋縣，今名：儋州市。

《康熙　儋州志》　　清・沈一成修

清康熙二十八年(1689)　　原佚

㈠、知見書目

阮　元《道光　廣東通志》（卷一百九十二・藝文略四）：

儋州志　　國朝沈一成修　佚

康熙己巳　序載韓志

案：康熙二十八年(1689)，亦就歲次己巳。韓志係指韓祐修《康熙 儋州志》

杜定友《廣東方志目錄》（頁一十八）：

儋州志 沈一成修 康熙二十八年 原佚

陳劍流《海南簡史》（頁八三）：

儋州縣志（十卷） 沈一成編 康熙二十八年

案：陳著本志題名《儋州縣志》，卷數（十卷），未知所據何本，尚待方家查考。

楊德春《海南島古代簡史》（頁一五九）：

儋州志 卷數未詳 清・沈一成修
清康熙二十八年（公元 1689 年）刻本 已佚

㈡、修志始末

按《康熙 儋州志》，於清聖祖康熙二十八年(1689)，由儒臣纂修《會典》，詔天下郡邑，各以志聞，知州沈一成氏，乃綴輯前志上之。惟罕見牒本，似已佚傳於世，殊深憾惜矣。

依據清康熙二十八年，歲次己巳仲秋月，儋州知州沈一成氏〈原修儋州志序〉略云：「蒙聖恩拔遣牧儋，然儋地雖小，且處絕島窮邊，惟不因地小窮邊而無志也。於是退食之餘，集儋耳之老成耆宿，旁搜博訪，凡一州之山川名物，歷代之名臣節義，以及丁口之盛衰，風土之消長，庶幾具稍徧，但詳略失宜，俗吏識劣，不能仰副大典於萬一，是爲愧焉爾。」

是乃沈一成氏，在知州任內，纂輯《儋州志》之始末也。由於年代久遠，原修舊版，浸蝕湮滅，罕見藏板，致使修志者姓氏、內容卷數、纂修體例等諸大端，皆無直接資料，詳加析論，更缺相關資料佐證，特加置疑於茲，期待方家稽考。

㈢、纂者事略

沈一成修《康熙　儋州志》（原修本），由於牒本無藏，致〈修志姓氏〉，無從著述，且又缺相關資料查考。茲據〈原修儋州志序〉，略陳原修者事略於次，以供方家參考。

沈一成，奉天府（今遼寧省瀋陽縣）人。清康熙十四年(1675)乙卯科舉人，於二十六年(1687)丁卯任儋州知州，二十八年(1689)續修州志，迨康熙三十年(1691)離任，卒於郡。祀州名宦

王國憲纂《民國　儋縣志》（卷十五・官師志：宦績），載有事略。

萬曆修本（曾志）

《萬曆　儋州志》三集　　明・曾邦泰修　　董　綾纂

明萬曆四十六年(1618)序　刻本

3 冊　有圖表　25 分分　線裝

㈠、知見書目

阮　元《道光　廣東通志》（卷一百九十二・藝文略四）：

儋州志　　明・曾邦泰修　　董　綾編　　佚

韓志：邦泰，廣昌舉人，萬曆四十二年任，嘗修州志。綾，州人。

杜定友《廣東方志目錄》（頁十八）：

儋州志　　曾邦泰　　董　綾

萬曆四十二年　　原佚

案：曾邦泰修《萬曆　儋州志》，現藏日本尊經閣，阮通志及杜著：佚或原佚，實有舛誤。

日本國立國會圖書館《中國地方志總合目錄》（頁二七五）：　儋州志　3 集　曾邦泰等

萬曆四十六年(1618)序刊本　（尊經）3 冊

黃蔭普《廣東文獻書目知見錄》（頁六二）：

儋州志三集　明・曾邦泰

萬曆間刊本　日『尊經』　三冊

王德毅《中華民國臺灣地區公藏方志目錄》（頁一二九）：

萬曆儋州志　三卷　明・曾邦泰等纂

據明萬曆四十六年(1618)刊本景照　中圖

案：曾邦泰《萬曆　儋州志》，係三集。王著爲三卷，似欠妥當，特加補正。

中國科學院北京天文臺《中國地方志聯合目錄》（頁七〇三）：　〔萬曆〕儋州志　三集　明・曾邦泰等纂修

明萬曆四十六年(1618)刻本

註：在日本尊經閣文庫

楊德春《海南島古代簡史》（頁一一七）：

〔儋州志〕3 冊　曾邦泰撰

存日本尊經閣文庫。

㈡、修志始末

本《萬曆　儋州志》（分三集），乃儋州知州曾邦泰氏，於明神宗萬曆四十五年(1617)，適憲副戴公、郡太守歐陽公，會修檄下，廣昌孝廉太守曾公邦泰，欣命學博暨諸弟子，搜羅散帙，訂正完備。約志綱二十有一，公舉行十有八九，試陳其槩也。

依據曾氏〈儋州志小引〉略云：「邦泰……求所謂儋志，一披晤焉迺殘斷，……于旹有意，郡志檄徵各屬事，邦泰忭舞逢奇，因與學博，暨父老子弟，揚推而定之第。……」

次據萬曆四十六年(1618)戊午歲孟夏吉旦，里人董綾氏〈儋州志序〉首云：「海外四郡，各佔一隅，天文地理人事之紀，何可無志。廣昌曾公涖儋，政成慨舊志殘缺，有纂輯念，適憲副戴公，郡太守歐陽公，會修檄下，公欣然命學博暨諸弟子，採集散帙，而公殫心訂正之，帙成……。綾見志知政，敢進樵者之言，若曰僭綴末簡，則綾豈敢。」

綜觀曾氏〈儋州志小引〉，暨董氏〈儋州志序〉，足以體認本《萬曆　儋州志》，其纂修歷程始末，諸大端矣。

㈢、纂者事略

按《萬曆　儋州志》（重修），參與纂修者眾，依據〈修志姓氏〉列載，就其名銜、事略，分別臚著於次，以供方家查考。

重修：曾邦泰，字建武，江西廣昌人。明神宗萬曆二十二年(1594)甲午科舉人，萬曆四十一年(1613)癸丑，授儋州知州。廉明有守，片言折獄，遷學修志，善政不可悉數。祀名宦祠

清・明　誼修　張岳崧纂《道光　瓊州府志》（卷之三十・官師志：宦績中），彭元藻修　王國憲纂《民國　儋縣志》（卷十五・官師志：宦績），皆誌有傳略。

編次：依據〈修志姓氏〉刊載，計有：吳雲鸞、劉元相、曾敦素三員，略述於次：

吳雲鸞，廣東省乳源縣人。儋州儒學學正，明神宗萬曆末年

間任，協修州志。

劉元相，廣東省電白縣人。時任儋州儒學訓導，（戴熺《瓊州府志》作：萬曆末年任），協修州志。

曾敦素，廣東省合浦縣人。時任儋州儒學訓導，（戴熺《瓊州府志》作：萬曆末年任），協修州志。

案：依據董綾撰〈儋州志序〉著稱，其志纂修於明神宗萬曆四十六年(1618)歲次戊午孟夏吉旦。惟據張岳崧纂《道光　瓊州府志》（卷之二十三・職官志：文職上）明：儋州訓導，劉元相、曾敦素二人，皆著爲天啓年間任，殊深置疑，尚待方家查考。

同編：依據〈修志姓氏〉刊載，計有：江躍龍、熊鳳翔二員，列著於次：

江躍龍，江西省永新縣人。明神宗萬曆年間例貢，銓授儋州州同，於萬曆四十六年(1618)間，同修州志。

熊鳳翔，江西省豐城縣人。明掾考，授儋州吏目，萬曆年間任，於四十六年(1618)間，同修州志。

校正：董　綾，字瑞卿，號錦堂，儋州人。州拔貢，於明神宗萬曆二十一年(1593)癸巳，以選貢任福建省興化府通判，擢雲南省陸涼州知州。祀鄉賢

張岳崧《道光　瓊州府志》（卷之三十四・人物志：名賢），彭元藻、王國憲纂《民國　儋縣志》（卷十六・人物志：名賢），載有傳略。

同校：依〈修志姓氏〉刊載，計有生員：胡　庠、李兆熊、唐之胄、班朝袞、蔡　招、董昌祚、李夢斗、張　維、蔡逢吉、曾廷策等十人。內中僅有：張　維、曾廷策二人，事略簡誌於

次，餘者八人，事略未詳，又缺相關資料佐證，致無從查考。

張　維，所人，明儋州歲貢。

曾廷策，字伯射，號層城，水井人。家學淵博，弱冠遊泮，負笈從師，肆力於學。敬事雙親至孝，友愛兩弟，鄉里敬之。

張岳崧《道光　瓊州府志》（卷之三十六・人物志：卓行），彭元藻、王國憲《民國　儋縣志》（卷十六・人物志：孝友），載有傳略。

㈣、志書內容

曾邦泰修《萬曆　儋州志》，凡三集，計二十一志（門），分六十九目。依〈儋州志目錄〉，列述於次，以供查考。

天　集

輿圖志　沿革　疆域　廂都

星候志　星野　風候　氣候　潮候

地里志　形勝　漲海　山川　土產　墟市

民俗志　習尚　言語　居食　節序

秩官志　文職　儒職　武職　雜職

建置志　城池　公署　坊表　驛舖　橋渡　堤岸　陂塘

食貨志　戶口　田賦　丁役　鹽鈔　褀稅

地　集

學校志　學宮　學署　祭器　書籍　學田　社學　書院　鄉約所

秩祀志　廟　壇　祠

選舉志　薦辟　科目　歲貢　例監　恩綸　**武功附**

兵防志　武署　軍器　軍糧　兵額　兵船　屯田　營堡

墩堠　海防

名宦志

鄉賢志

流寓志

列女志

祥異志

人物志

古蹟志　丘墓附

黎岐志　原黎　平黎　統黎　海境附

人　集

藝文志　表　歌　賦　記　序　詩　傳　銘

外　志　寺觀　仙釋　方技

㈤、修志體例

首就《萬曆　儋州志》（目錄）言之，內容綜分三集、二十一志、六十九目，是以類聚，以群分也。其纂修體裁，係採「分志體」，亦就「按類分目法」也。

次從《萬曆　儋州志》（凡例）窺之，雖刊有〈凡例〉，但不分條，略以志所紀一州之事，貴詳貴信，暨紀事之次序而已。夫所繫〈儋州〉事，各門目多誌自宋、元二代，迄於明季中葉（紀事較詳而實矣）。其斷限年代，各條目略有不同，但最遲止於明神宗萬曆四十六年(1618)戊午，分著數例於次，以供查考。

建置志（坊表）：粵南名鎮（在州罩壁前），隆慶間知州陳儦立，萬曆戊午(1618)知州曾邦泰重修（見天集・頁七十三）。

學校志（祭器）：此下於萬曆戊午(1618)春，本州知州曾邦泰修造一新，并置錫酒尊等件（見地集・頁三）。

㈥、刊版年代

曾邦泰修、董　綾纂《萬曆　儋州志》（凡三集），線裝三冊。白口，上魚尾，左右雙邊，上下單邊。每半葉九行，每行最多二十字，注分雙行，楷字雕梓，版心題《儋州志》。

於每集（冊）首頁，書框外上方，蓋有「前田氏尊經閣圖書部」（小篆、陽文）方章乙枚。是乃日本尊經閣文庫藏板，國立中央圖書館暨臺灣分館庋藏有景照本。

按《萬曆　儋州志》，雖有刻本，惟因年代久遠，致流傳欠廣。目前國內外圖書館或文教單位庋藏者鮮，就其罕見之藏板，依刊版年代，著錄於次，以供查考。

原刻本　明萬曆四十六年(1618)董綾序　刊本

日本：尊經閣文庫（三冊）

景照本　據日本尊經閣文庫藏，萬曆四十六年（戊午）序刻本（微縮捲片）

臺灣：國家圖書館（漢學資料中心）

國立臺灣圖書館　673.79115/8055

臺北市：海南文獻史料研究室

儋州志　天集

蛋人居海濱沙洲茅舍男子少事農圃惟緝麻
為網罟以捕魚為生子孫世守其業歲辦魚課
婦女專事抓螺紡織者少

番俗

本占城人宋元間因亂挈家駕舟而來散泊海
岸謂之番浦不與土人雜居不食豕肉他牲亦
須自宰見血家不供祖先一村共設佛堂一所
早晩念經禮拜每歲輪齋一月當齋不吞涎見
星月方食以初三日為起止開齋日聚佛堂誦

萬曆《儋州志》書影

日本尊經閣文庫藏板

康熙修本（韓志）

《康熙　儋州志》三卷　　清・韓　祜修

清康熙四十三年(1704)序　刊本

3 冊　有圖表　27.7 公分　線裝

㈠、知見書目

阮　元《道光　廣東通志》（卷一百九十二・藝文略四）：

儋州志三卷　　國朝韓　祐修　存　　康熙甲申

江　瀚《故宮方志目》（頁七十三）：

儋州志三卷　　清・韓　祜纂修

清康熙四十三年刻本　三冊

今名儋縣（現改稱：儋州市）

杜定友《廣東方志目錄》（頁十八）：

儋州志三卷　　韓　祐　　康熙四十三年

（戰前北平、東方、故宮有藏本）

陳劍流《海南簡史》（頁八三）：

儋州縣志（十二卷）　　韓祐等修　康熙四十三年

案：陳著本志題名《儋州縣志》（十二卷），未知所據何本，尚待查考。

李景新《廣東方志總目提要》（頁一二七）：

儋縣志三卷　　韓　祐纂修　　康熙四十三年

〔藏〕　北平　東方　故宮

案：李著題名《儋縣志》，未知所據何本，尚待查考。

朱士嘉《中國地方志綜錄》（頁十四）：

儋州志三卷　韓　祐纂修　康熙四十三年

藏書者：北平　東方　故宮

民國稱：儋縣，今名：儋州市

黃蔭普《廣東文獻書目知見錄》（頁六二）：

儋州志三卷　清・韓　祐

清康熙四十二年(1703)修　鈔本　北京　故宮

案：黃著本志康熙四十二年(1703)修，未知所據何本，尚待查考。

陳光貽《稀見地方志提要》（古今圖書集成方志輯目：頁一二三八）：儋州志三卷　韓　祐纂修　清康熙四十三年　存

楊德春《海南島古代簡史》（頁一五九）：

《儋州志》3卷　清・韓　佑編纂

清康熙四十三年(1704)刻本。

中國科學院北京天文臺《中國地方志聯合目錄》（頁七〇三）：〔康熙〕儋州志三卷　清・韓　佑纂修

清康熙四十三年(1704)　刻本

故宮　廣東（靜電複製）　抄本　北京

案：諸家書目資料，有著韓祐或韓佑，似屬筆誤，特補正（韓祜）之。

㈡、修志始末

本《康熙　儋州志》（凡三卷），係儋州知州韓　祜（燕山）氏，於清聖祖康熙四十三年(1704)甲申，奉瓊州府郡守賈　棠公檄文，邀集儋州紳耆里老，謀議設館開局續修，帙成付梨。是即韓祜修《康熙　儋州志》（續修本），俗稱：康熙修本（韓志），而與沈一成修《康熙　儋州志》（原修本），相距僅十五年。究其緣由，係因康熙一朝，相繼頒佈旨檄，纂修《會典》或《一統志》，致各郡州縣修志之事，一時蔚成風尚，極為鼎盛，故也。

依據清聖祖康熙四十三年(1704)，歲次甲申之臘月穀旦，瓊州府儋州知州韓　祐（燕山）氏〈續修儋州志序〉略云：「今歲甲申，適中憲賈公有續修郡志之舉，蒙檄行州，採錄古儋軼事，彙編重鐫。祐見儋志舊版浸蝕蕪穢，已不堪印刷。而往日職員仕宦又闕略滋多，今郡志如奉續修，則州志自宜遵照，乃謀諸紳衿，訪諸里老，查前志所未及者，亟爲增補，仍舊分三帙。……」於是顯見，此志乃本沈一成修《康熙　儋州志》舊版（原修本）而續修，其修志過程始末，大略如斯矣。

㈢、纂者事略

按《康熙　儋州志》（續修本）之纂修者，依其〈修志姓氏〉刊載，分別著述於次，以供方家參考。

重修：韓　祐（舊志或各方志書目，有誤作韓祐抑韓佑），直隸順天府大興縣（今河北省大興縣）人。監生，於清聖祖熙三十九年(1700)任儋州知州，康熙四十三年(1704)甲申續修州志，於四十六年(1707)歲次丁亥離任。在儋七載，革除積弊，仕民咸思之。祀州名宦

彭元藻修、王國憲纂《民國　儋縣志》（卷十五・官師志：宦績），載有事略。

校編：計十一員，包括：儒學學正、訓導，貢生五人、監生一人、生員三人，分述於次，以供查考。

文冠斗，本姓鍾，廣東省東莞縣人。清聖祖康熙十七年(1678)

戊午科舉人，於康熙二十七年(1688)銓任儋州儒學學正，清康熙四十三年(1704)歲次甲申，協修州志。所著（詩）：州八景（天堂春色、松林晚翠、筆架籠煙、顏塘漾月、龍門激浪、白馬湧泉、載酒南薰、舊州西照）、五指山、八景合詠，載於王國憲纂《民國　儋縣志》（卷之十一：藝文志十四・詩）。

勞　翱，廣東省南海縣人。歲貢，於清聖祖康熙四十五年(1708)，任儋州儒學訓導，協同校編州志。

曾　杏，儋州王五人。州歲貢，協同校編州志。

曾　閱，儋州水井人。州歲貢，廣東康寧訓導，協同校編儋州志。

謝王猷，本姓張，儋州何村人。州歲貢，協同校編州志。

羊　頔，號儋南，儋州山村人。府歲貢，廣東龍川訓導，分住長坡。清康熙四十三年，協同校編州志。

陳國棟，所籍柔遠村人。州歲貢，知州韓祜延為義學師。清康熙四十三年，參同校編州志。

盧偉賓，州人。監生（縣學庠生），參同校編及繕書州志。

薛鳳祥，洲人。生員（府歲貢），廣東龍門訓導，參與校編州志。

鄧　嶼，本姓曾，字瀠桂，號海洲，儋州水井人。生員，參與校編州志。

彭元藻修、王國憲纂《民國　儋縣志》（卷之十六・人物志：篤行），有事略。

李國相，州人。生員，參同校編及繕書州志。

繕書：計二人，附誌於次，以供查考。

盧偉賓　　李國相

㈣、志書內容

韓　祐修《康熙　儋州志》，凡三卷，其主要內容，計分二十類（志）、共有七十五目，分著於次，以供查考。

卷之一（據正文補）

疆域志	輿圖	沿革	郡名	廂都			
星野志	氣候	風候	形勝	漲海	山川	水利	土產
	墟市						
民俗志	習尚	居食	節序	蛋俗	番俗		
秩官志							
建置志	城池	武署	坊表	橋渡			
賦役志	戶口	田賦	鹽鈔	屯糧	雜稅	土貢	均徭
	均平	新派	雜役	會計			

卷之二

學校志	學宮	泮池	學署	書籍	學田	社學	書院
秩祀志	壇	廟	祠				
選舉志	薦辟	科目	鄉舉	歲貢	例監	恩綸	武功
兵防志	軍器	兵額	巡司	弓兵	保甲	鄉兵	屯田
	營堡	墩堠	海防				
名宦志							
鄉賢志							
流寓志							
貞節志							
祥異志							
人物志							

古蹟志　墓

黎岐志　原黎　平黎　統黎　海境附

卷之三

藝文志　表　歌　賦　記　序　詩　傳　銘

外　志　寺觀　仙釋　方技（註：正文缺）

案：此本係北京故宮博物院圖書館藏板，首頁缺〈目錄〉（卷之一，乃據正文補充），亦無〈凡例〉，其中〈正文〉（卷之三）外志，內缺「方技」，尚待方家查補之。

㈤、修志體例

韓　祐《康熙　儋州志》（續修），其纂修之體裁，乃循曾志義例，係採「分志體」，亦就「按類分目法」也。

按《康熙　儋州志》，雖無修志敘例，唯依知州韓　祐〈續修儋州志序〉略云：「……凡輿圖、星候、地理，民俗各志，一定不易者則因之，至職官歷任之年期、選舉薦拔之次序、倉廒祠署之修復、會計徭役之經行，與夫水旱災異，忠孝節義之待揚，藝文詩歌之堪錄者，皆採而補之。其間興革宜詳，毋容略也。表揚從實，毋容飾也。見在無評，候論定也。存疑不削，重闕文也。帙成遍示紳矜里老，毫無異義，……」

次據韓　祐《康熙　儋州志》（目錄），亦可窺視其修志體例，乃先行分卷，並總以綱（亦就志或類），而後羅列條目，提綱挈領，門目井然，是乃沿襲其舊志之體裁也。

韓　祐《康熙　儋州志》，凡三卷，分門（志）二十，列目七十有五。所繫州事，以明季及清初較詳，其紀事斷限年代，最遲止於清聖祖康熙四十三年(1704)，茲依年次，分述於次：

卷之二　學校志（州儒學）：四十三年（甲申），知州韓祐損修正殿及啟聖祠。

卷之二　學校志（學宮）：四十三年頒訓飭士子文於學宮。

㈥、刊版年代

清・韓　祐纂修《康熙　儋州志》，是乃「續修本」。線裝（一函三冊），書高二十七・七公分，寬十七公分。框高二十三公分，寬十四・五公分。於每卷首葉及欄心題《儋州志》。

按《康熙　儋州志》（凡三卷），雖有刻本，唯因年代久遠，流傳欠廣，罕見藏板。於今國內外圖書館或文教單位庋藏者鮮，就其刊本及年代，分述於次，以供參考。

原刻本　清康熙四十三年(1704)　刊本

中國：故宮博物院圖書館

微捲片　據故宮博物院藏，清康熙四十三年刻本攝製。

中國：廣東省中山圖書館（靜電複製本）

抄　本　（所據母本未詳）

中國：北京圖書館

民國修本（彭志）

《民國　儋縣志》　十八卷　首一卷

彭元藻　曾友文修　　王國憲纂

民國二十五年(1936)五月　瓊州海口市　海南書局　石印本

8 冊　有圖表　25 公分　線裝

㈠、知見書目

杜定友《廣東方志目錄》（頁十八）：

　　儋縣志　十卷　　王國憲

　　　民國二十三年　8 冊　　存（戰前嶺南有藏）

案：杜著本志（十卷），未知所據何本，尚待查考。

陳劍流《海南簡史》（頁八六）：

　　儋縣志（十八卷）　　彭元藻、王國棟等編

　　　民國二十五年刊本（內政部藏）

案：王國憲，原名王國棟。本志原藏內政部，現移國立中央圖書館藏（今名：國家圖書館）。

朱士嘉《美國國會圖書館藏中國方志目錄》（頁四二九）：

　　儋縣志　十八卷　首一卷　　曾友文修　王國憲纂

　　　民國二十三年(1934)　鉛印本　八冊

日本國會圖書館《中國地方志總合目錄》（頁二七六）：

　　儋縣志　18 卷　首 1 卷　　彭元藻、王國憲等纂

　　　民國二十五年(1936)排印本　　東洋　8 冊

李景新《廣東方志總目提要》（頁一二六）：

　　儋縣志　十八卷　　王國憲纂修

　　　民國二十三年續修本　瓊州海口　海南書局

黃蔭普《廣東文獻書目知見錄》（頁六三）：

　　儋縣志　十八卷　　彭元藻

　　　民國二十五年(1936)刊本　八冊

　　　　北大　　中大　　廣東

莫頓(Morton)《英國各圖書館所藏中國地方志總目錄》（頁

九一）：　儋縣志　18 卷　1936

英吉利圖書館　　劍橋大學　　倫敦大學

美國史丹福大學《中國方志目錄》（頁二五四）：

儋縣志　18 卷　首一卷　　王國憲纂　曾友文修

民國二十三年(1934)續修　瓊州海口　海南書局

史丹福大學圖書館　8 冊 1 函　3230/2726.9

中國科學院北京天文臺《中國地方志聯合目錄》（頁七〇三）：　〔民國〕儋縣志　十八卷　首一卷

彭元藻　曾友文　王國憲纂

民國二十五年(1936)　鉛印本

㈡、修志始末

按《民國　儋縣志》（續修本），乃儋縣縣長曾友文氏，於民國二十二年(1933)癸酉歲四月，奉命攝篆儋邑，在治安建設之餘，首以籌修縣志倡議，頗得地方人士之贊助，計共需經費六千元。因思如得各區鄉殷富之借墊，俟志成銷售後將書價儘數以歸墊，則鉅款不難立集，爰擬具預算案送縣參議會集議表決。

隨成立修志局，以縣長兼任局長，委任林君鐵英為總務主任，並就縣屬原有三十二里中，每里遴委一人為採訪，復聘請王君堯雲總纂，謝君瓊林、陳君麥秋、周君文海為分纂，分工合作，負責纂修。

迨民國二十三年(1934)歲次甲戌四月，曾氏適奉檄調任普寧縣長。彭元藻氏承乏儋縣，擇擋公務之餘，因悉縣志一書，自清代及今，時修時輟，至曾前縣長友文復設局編修，乃接見志局諸君，以規模已備，綱目舉張，所有原任各人，仍請繼續擔任各責，俾蕆厥事。並以經費拮據為之竭力勸輸，使董其事者無有司農仰屋之慮，得以悉心採訪編纂，閱五月而志書竟告成稿。

迄民國二十五年(1936)丙丁之五月，委由瓊州海口市，海南書局代印，採用鉛字排印法，並由總纂王國憲題《續修儋縣志》封面。

綜觀儋縣縣長曾友文氏，中華民國二十三年(1934)雙十節〈續修儋縣志序〉，暨縣長彭元藻氏，民國二十四年(1935)五月五日〈續修儋縣志序〉，深悉《民國　續修儋縣志》（鉛印本），纂修過程始末，大略如斯矣。而與王雲清修《光緒　儋縣志》（具鄉土志性質），其時間相距約三十有二年，且以本志最為完備而富美，並係全瓊轄屬十六縣一市中，於民國肇造後，內容最新之志書，殊具學術研究價值。

㈢、纂者事略

本《民國　儋縣志》（鋁印本），其設局規模極為龐大，編修人員亦眾。依據民國二十三年(1934)甲戌《續修　儋縣志》（職名）刊載，就其職銜及事略，分著於次，以供查考。

局長：係由儋縣縣長兼任局長，先後任計有：曾友文、彭元藻二員。

曾友文，民國二十二年(1933)四月，任儋縣縣長，重修縣志，為人所稱。在任一年，於民國二十三年(1934)四月，調任廣東省普寧縣縣長。

彭元藻，廣東省陸豐縣人。民國二十三年（甲戌）四月，接任儋縣縣長，續修縣志，努力建設，頗具政聲。

總纂：王國憲(1853~1938)，原名國棟，字用五，號堯雲，晚稱：更生老人，瓊山縣城西廂（世居昌興圖青草村）人。清德宗光緒二十年(1894)，甲午科朝考及第（二等優貢），選廣東樂昌儒學訓導。曾總纂《瓊山縣志》（民國六年續修）、總校《感恩縣志》（民國二十年重修），頗負盛名。終生獻身教化，掌教瓊臺書院，擴建雁峰學社為書院，倡辦瓊海中學，其門徒弟子，近千餘人。

王會均〈海南文獻・光大流芳～追懷王國憲先達〉，文載於《王國憲先生紀念集》（民國八十一年九月一日出版），詳誌其事略。

分纂：計有：謝尚瑩、陳有壯、周文海等三員，就其事略，著述於次，以供查考。

謝尚瑩，字瓊林，南門外城河�人。清拔貢生，分纂州志。

陳有壯，字麥秋，儋縣王五鎮人。清拔貢生，於民國元年(1912)，被選縣議會副議長。著有《端澄齋詩集》，行世。

周文海，本名紹謨、字鐵錚、以號文海行，儋縣干沖鎮夏蘭村人。廣東公立警監專門學校畢業，經任高明、感恩二縣縣長，民國二十四年(1935)任儋縣參議會議長。於民國十八年(1929)感恩縣長任內，重修《感恩縣志》。

總務主任：林之翰，字鐵英，儋縣林蘭村人。北平中國大學專門部畢業，於民國十六年(1927)任儋縣教育局局長，二十一年(1932)被選縣參議員，於十一年(1922)至十四年(1925)間，任縣教育局局長，現任儋縣參議會書記長。

採訪：計有三十二員，依其修志職名次序，就所知者事略，分述於次：

吳冠勳，儋縣掘錢地人。廣東公立警監專門學校畢業。

王炳宸，民國十年(1921)被選縣參議會議員。

洪瑞堂，民國十年(1921)任感恩縣總務科長。

黎民樂，廣東國民大學畢業，民國二十二年(1933)被選縣參議員，於二十三年(1934)任縣參議會副議長，二十五年(1936)任縣參議會議長。

羊達瀛，曾任感恩縣總務科員。

李　英，儋縣南行村人。民國十八年(1929)一月至二十年(1931)二月任縣黨部監察委員，於二十一年(1932)被選縣參議會議員。

陳禹謨，儋縣大春人。民國四年(1915)任儋縣督學局局長。

按全縣原有三十二里，每里遴委採訪一人，共三十二員。誌有個人事略者，僅上列七人，尚缺相關資料佐證者，計有：

鄭允熊　林華英　董賈如　林之升　許丙森　陳趙謙　陳瑞瑛
朱文鳳　符瑞書　黃慶煊　卓名貴　符　杰　羊步瀛　王吉堂
符贊華　謝景庚　黃克雄　丁兆蛟　吳再興　鄧受般　羊逢吉
陳昌健　陳翰封　黎爲雲　薛椿堂

上開二十五員，祇列誌其姓氏，以供參考，並期邦人士子補正之。

校閱：分由周定江、卜俊英、周文海、黎民樂等四員任之，其事略，除周文海、黎民樂二員，已於分纂及採訪中列誌，不再重複贅言外，餘就周定江、卜俊英二員，著述於次，以供參考。

周定江，號露橋，儋縣王五鎮人。廣東省立工業專門學校畢業，於民國二十一年(1932)，被選縣參議員，並自民國十八年(1929)一月至二十三年(1934)九月，任縣黨部執行委員兼常務委員。

卜俊英，民國十六年(1927)四月任縣黨部秘書，二十三年(1934)任儋縣黨部執行委員、監察委員。

㈣、志書內容

彭元藻修、王國憲纂《民國　儋縣志》，凡十八卷，分十一門（志）、計九十九目。其主要內容，依〈續修儋縣志總目錄〉，臚列於次，以供參考。

卷　首：敘　舊敘　原敘　儋耳賦　儋耳咏　續修職名
敘例　目錄　輿圖　沿革表

卷　一　地輿志
疆域　沿革　星野　氣候　風候附　潮候　形勝
山川

卷　二　地輿志
海港　市鎮　橋渡　井塘　公路　廂都　圖里
習俗　節敘

卷　三　地輿志　物產各類

卷　四　建置志
城池　公署附　學校　鄉飲酒附　書院　學堂
壇廟　倉儲　坊表　古蹟　塋墓　養濟

卷　五　經正志
兵制　營汛　戶口　土田　屯田　科則　稅課
雜稅

卷　六　經正志
銓選　祿餉　賦役　土貢　鹽課　豁除積弊附
郵政　黨部　保甲　警衛　法院

卷　七　經正志

祀典　釋奠　學制　學田附

卷　八　海黎志

海防　風潮　海寇　黎情　村峒　關隘　防黎

平黎附　黎議　黎告

卷　九　金石志　碑銘　碑記　碑

卷　十　藝文志　居儋錄　雜詩

卷十一　藝文志

敕　　雜文　近人詩集　附現存人詩

卷十二　職官志　文職　武職

卷十三　選舉志

徵辟　進士　文舉　欽賜附　武舉　貢選　仕官

例員　弁貢（內文作：弁員）　封廕

卷十四　選舉志　學校畢業　鄉宦　軍官

卷十五　官師志　宦績　武功　謫宦　流寓

卷十六　人物志

名賢　忠義　　孝友　儒林　文苑　篤行　卓行

卷十七　人物志

耆舊　旌壽附　耆壽　隱逸　方技　仙釋　列女

卷十八　雜　志

事紀　書目　　遺事　紀異

誠觀彭元藻修、王國憲纂《民國　儋縣志》〈總目錄〉，核與內容實際刊載，略有異漏，茲列述於次，以供查考。

卷首：刊載王國憲〈重修儋縣志敘〉，彭元藻〈續修儋縣志序〉，曾友文〈續修儋縣志序〉，王雲清〈續修儋州志前序〉與

〈續修儋州志後序〉，韓祜〈續修儋州志序〉，沈一成〈原修儋州志序〉，王雲清〈儋耳賦〉（附註釋），陳烺〈儋耳咏〉，清光緒三十年甲辰〈續修儋州志職名〉，民國二十三年甲戌〈續修儋縣志職名〉，〈敘例〉（二十條）、〈續修儋縣志總目錄〉，〈歷代沿革表〉。惟欠缺「輿圖」，殊深憾惜，尚期儋縣志於重修時補齊，以臻完美。

卷五、卷六、卷七，於內文作：政經志或經政志，惟〈續修儋縣志總目錄〉題「經正志」，姑無論其涵義，然依志書之體裁，抑各通志或州縣志實例，多採稱「經政志」，以求一致。

㈤、修志體例

彭元藻修、王國憲纂《民國　儋縣志》，係採「分志體」，亦就「按類分目法」。卷首刊載「敘例」二十條，辭簡意賅，涵義顯明，綱目井然。列述於次，以供參考。

滄海茫茫，漢置郡縣，地闢南荒，中有奇甸。敘初置郡縣

君房議棄，騷然蠢動，孫陸撫綏，風開百洞。敘沿革

五代避亂，瓊有桃源，衣冠濟濟，禮樂斑斑。敘風俗

萬里瘴鄉，唐末遷謫，所過名勝，山川生色。敘流寓

崇儒館築，御閣書藏，人文蔚起，出破天荒。敘經政

桄榔林下，堂尋載酒，韻事留傳，千古不朽。敘古蹟

天上奎宿，人間謫仙，天教垂教，過化傳神。敘名賢

端明都講，道範昭垂，遙傳燕翼，百世之師。敘儒林

鎔經鑄史，本本原原，元燈相繼，三科二元。敘科第

淡泊高風，悠遊暇日，安貧樂道，古之遺佚。敘隱逸

天生太白，千古謫仙，瓊海仙子，再世青蓮。敘仙釋

救時急務，去繁去苛，民生主義，不在催科。敘賦稅
古有巢氏，今在海濱，所聞所見，雞窠老人。敘耆老
儋耳遭劫，焦土盈垣，蘇公書院，巋然獨存。敘災異
冠冕南極，文章上臺，英俊崛起，風氣大開。敘選舉
雪泥鴻爪，到處猶留，即東坡話，亦足千秋。敘事紀
至德要道，聖賢安行，但能定省，無忝所生。敘孝悌
列女成傳，賢媛連編，徽留彤管，節厲霜筠。敘節孝
志操堅貞，感深圖報，神明不負，肝膽相照。敘忠義
河清雲清，進士題名，科舉已罷，誰爲繼聲。敘遺事

彭元藻，王國憲纂《民國　儋縣志》，所緊邑事，除沿革外，各門目多起自宋元明三代，惟以清季紀事最詳而豐。其斷限年代，各條目亦略有不同，列誌數例於次，以供查考。

地輿志：市鎮、公路，止於民國二十三年(1934)。然陳有壯〈地輿志跋〉，末署於民國二十四年三月初一日。

建置志：人口統計，至民國十八年(1929)。

經政志：稅則，至民國二十二年(1933)。

儋縣黨部歷屆工作人員表，載至民國二十四年(1935)一月。

法院沿革，至民國二十三年(1934)十一月。

職官志：文職（民國知事）彭元藻，民國二十三年(1934)任。

選舉志：鄉宦，於民國二十三年(1934)止。

官師志：宦績，王定華任國民革命軍獨立團團長，於民國二十三年(1934)駐防瓊崖西路，巡營來儋，倡修東坡祠及增建東坡公園。

雜　志：事紀，至民國二十四年(1935)，於數年間，曾友文、

彭元藻兩縣長照駐新縣治。

就其紀事斷限年代言之，是志繫事，於城池、倉儲、坊表、塋墓、養濟、土田、屯田、稅課、雜稅等，頗為簡略。惟其市鎮、圖里、公路、節序、公署、學堂、戶口、知縣、事紀、紀異等，於民國年代，皆有記載。尤以郵政、黨部、保甲、警衛、法院、黎告、學校畢業、鄉宦、軍官等九項，則係新增條目，專誌民國紀事，最具參考價值矣。

政经志十八
法院之设立及其沿革

民国二年设专审员一名，专理司法案件，同设在县署内，三、四、五年改为承审员，六、七、八年改为司牍员，仍设在县署。

民国九年旧州衙署被土匪焚毁，后十年（十一）（十二）年设分庭一所在新英港。（十三）（十四）年照设分庭一所在马井港。十五年设分庭在新县。十六年改组分庭为县法院，置审判官、检察官各一员。十七年三月又改组为县分庭。二十二年七月改组为地方法院。二十三年十一月改组为县分院。其地点设在图书馆，即在新县治之左与中山纪念堂平排，坐北向南，高约二丈，前后有骑楼、中楼隔分三间，推检二员均在楼上。

民國《儋縣志》書影

一九八二年橫排版（據海南書局鉛印本）

海黎志十　黎告新增

撫黎之積極

瓊崖黎苗居於島之中部地勢險要而其非人生活頭腦簡單與夫漢黎之壁壘永除感情未洽在在均足爲慮縱使黎苗不反側亦難保不窩藏匪共且於國防上認爲最後支撑點必先獲其安寧至於黎境五金之富木材之多尤爲開發瓊崖之必需故在政治軍事經濟各點觀察黎苗宜急于撫綏旅長既兼撫黎專員後對于黎苗之撫化威德並施群黎洽服仰戴如父母稱爲空前所未有由是黎苗知有政府匪共不能利用誠善後之要着也至于撫黎經過情形瓊崖撫黎公署有撫黎記詳述茲不復贅

爲開瓊崖黎苗聯歡大會告民衆書

親愛的瓊崖同胞們

你們當中有稱爲黎人的有稱爲苗人的有稱爲客人的人們初聞到這幾種不同的名稱必以爲你們當中有個很大的區別但細看你們說到血統同是黃色說到語音同是單音說到宗教同是多神說到生活風俗習慣只是略爲不同才知道這所謂黎人苗人客人不過

儋縣志　卷　海黎　黎告　三

瓊州海口海南書局代印

民國《儋縣志》書影

國家圖書館藏板

㈥、徵引典籍

彭元藻修、王國憲纂《民國　儋縣志》（續修本），凡十八卷，首一卷。其內容佐證群籍資料，尤於地輿志（卷三）：物產（各類），徵引文獻更廣，於條目間，舉凡徵考典籍，皆多註在各條末。茲擇其要者，依四部分類列誌於次，以供方家查考。

甲、經部：《爾雅》、《赤雅》、明《廣露》、《說文》。

乙、史部：彭元藻修、王國憲纂《民國　儋縣志》，徵引之史書繁多，依其類屬，概分於次：

史地之屬：《前漢書地理志》、《唐書地理志》、《輿地志》、《方輿志》、《太平寰宇記》（宋・樂史）、《桂海虞衡志》（宋・范成大）、《羅浮山志》、《廣輿記》（明・陸應陽）、《南越志》（宋・沈懷遠）、《南越記》（陸承韞）、《交州記》、《嶺南雜記》（清・吳震方）、《粵東筆記》（清・李調元）、《粵東見聞》、《猗覺寮雜記》、《大業拾遺記》、《西京雜記》、《羅浮記》、《廣州記》、《南粵記》、《述異記》、《北戶錄》、《嶺表錄異》、《嶺外代答》、《海槎餘錄》、《舟車聞見錄》。

方志之屬：《廣東通志》（黃　佐志、郝玉麟志）、《廣州志》、《舊廣州府志》、《瓊州府志》、《瓊山志》、《文昌志》、《澄邁志》、《澄邁縣志》、《樂會志》、《會同志》、《萬州志》、《陵水志》、《臨高志》、《儋州舊志》、《儋州志》。

政書之屬：《通考》、《通典》。

丙、子部：《古今注》、《異苑》、《博物志》（晉・張華）、《異物志》、《南州異物志》、《本草綱目》（明・李時珍）、《政和本草》、《陳藏器本草》、《本草衍義》、《群芳譜》、《南方草本狀》（晉・嵇含）。

丁、集部：宋・蘇軾《東坡志林》、《居儋錄》、《海外集》，《瓊臺集》（明・丘濬）、《柳亭詩話》、《嘉話錄》、《海話》、《文選注》。

(七)、刊本年代

彭元藻修、王國憲纂《民國　儋縣志》鉛印本，白口，上魚尾，四週雙邊。每半葉十三行，每行最多三十六字，線裝八冊。書前由王國憲題《續修儋縣志》，暨「民國二十五年五月」。

民國六十三年(1974)十二月，臺北市成文出版社，依海口市海南書局鉛印本影印（十六開本，精裝四冊，列為《中國方志叢書》華南地方：第一九一號）。

彭元藻、曾友文修，王國憲纂《民國　儋縣志》，採鉛字排印本，亦稱：石印本。其刊行年代，公私著錄多署：民國二十五年(1936)五月。由於刊年較晚，致流通頗廣，於今國內外庋藏者亦眾，依其刊本年代著錄於次，以供方家查考。

鉛印本　民國二十五年(1936)五月，瓊州海口，海南書局，鉛字排印。

美國：國會圖書館　　史丹福大學　3230/2726.9

英國：劍橋大學　　英吉利圖書館

日本：東洋文庫　q-119

臺灣：內政部（現移中央圖書館藏，今名國家圖書館）

中國：北京　北大　科學　旅大　遼寧　吉大　上海

溫州　南京地理所　武大　廣東　中大　華南師院

影印本　民國六十三年(1974)十二月　臺北市　成文出版社

（據海口海南書局鉛印本）

美國：史丹福大學　3230/2629.9

臺灣：國立臺灣圖書館　673.79115/4214

綜合評論

綜觀儋邑志書之纂修始末，緣自宋代《南寧軍志》，迄於民國二十三年(1934)縣長彭元藻、曾友文修，王國憲纂《民國　儋縣志》止。先後凡六修，除宋代《南寧軍志》、清・沈一成修《康熙　儋州志》二種佚傳，未見藏板外，餘者四種，皆有傳本，分別庋藏於國內外圖書館及文教機構。

首由修志源流言，儋邑志牒纂修，其源流久遠，於今有籍徵考者，緣自宋代《南寧軍志》始，至明代曾邦泰修《萬曆　儋州志》（三集），清代計有：沈一成修《康熙　儋州志》、韓　祐修《康熙　儋州志》（三卷）二種，迨民國肇造，彭元藻、曾友文修《民國　儋縣志》止，先後凡六修。於儋邑修志源流言之，各志相承相傳，構成完整性脈絡體系。其中以彭元藻修《民國　儋縣志》，最為珍貴。

次從志書內容言，彭元藻修《民國　儋縣志》（續修本），凡十八卷、首一卷，分門十一（志），計綱九十有九（目），其內容最為完備而富美。尤以〈經政志〉（卷六）：郵政、黨部、保甲、警衛、法院，〈海黎志〉（卷八）：黎告，〈選舉志〉（卷十四）：學校畢業、鄉宦、軍官等九項，則係新增條目，專載民國紀事，是乃彭元藻修《民國　儋縣志》之特色，亦係研究儋縣地方制度之重要文獻。

終就史料價值而言，無論從史學理念或方志學角度析觀，於文獻整體性言之，儋州志書乃海南方志之一種，亦係《海南文化》資產。在史學上深具史料價值，彌足珍貴。尤以彭元藻續修《民國　儋縣志》，徵引典藉廣泛，舉凡史地、外紀、方志、政書、子集、詩文、雜記、隨筆等重要文獻史料，以資參校考訂，殊具學術研究參考價值。

參考文獻資料

《道光　廣東通志》　　清・阮　元修
民國五十七年(1968)　臺北市　華文書局　影印本
據清道光二年(1822)修　同治三年(1864)重刊本
《道光　瓊州府志》　　清・明　誼修　張岳崧纂　林隆斌校補
民國五十六年(1967)　臺北市　成文出版社　影印本
據清光緒十六年(1890)　補刻本
《萬曆　儋州志》　　明・曾邦泰修　　董　綾纂
明萬曆四十六年(1618)　刻本
《康熙　儋州志》　　清・韓　祜纂修
清康熙四十三年(1704)序　刻本
《民國　儋縣志》（續修）　　彭元藻修　　王國憲纂
民國二十五年(1936)五月　海口　海南書局　鉛印本
《海南方志資料綜錄》　　王會均著
民國八十三年(1994)十月　臺北市　文史哲出版社

二、萬州志

萬州，漢屬珠崖郡地。唐太宗貞觀五年(631)辛卯，始改萬安縣，屬瓊州治。五代為萬安州，宋曰萬安軍，明代稱萬州。於清德宗光緒三十一年(1905)乙巳歲四月，岑春煊奏改萬縣，屬崖州直隸州。迨中華民國肇立，以與四川省萬縣名稱重複，於民國三年(1914)歲次甲寅，改名：萬寧縣，今稱：萬寧市。

萬州，古名：萬安州或萬安軍，抑萬安郡，亦稱萬安縣，或萬全縣，又稱萬縣。既無軍、郡志，亦無縣志。然《萬州志》纂修源流，緣自宋代《萬安軍圖經》始，於明神宗萬曆年間，先有州人鄭敦復著《古寧野紀》（屬外紀性質），續有知州茅一桂修《萬曆　萬州志》（創輯），迨清代三修，俗稱：清修本，分由知州李琰修《康熙　萬州志》（初修本），知州汪長齡修《嘉慶　萬州志》（繕本），萬州知州事胡端書修《道光　萬州志》（續修本）止。

綜觀萬州志書之纂修，大凡六次，中經宋元明清（至宣宗道光八年）四代，約七百有餘年。於今所見者，只有「康熙修本」（李志）、「道光修本」（胡志）二種而已，餘者罕見藏板，恐似佚傳，殊深憾惜。就其相關文獻史料，分由修志源流、待訪志書、康熙修本（李志）、道光修本（胡志）、綜合評論等五大部分，作系統化分析，暨綜合性研究，以供方家參考。

修志源流

萬寧縣原名萬州，古稱萬安，或稱萬縣，皆無縣志，於今所見者（藏板），祇有《萬州志》二種而已。

萬州之有志牒，考其纂修源流，載於文獻典籍，證諸史料，有信稽考者，最早緣自宋人（佚名）纂《萬安軍圖經》，是乃萬州志書之肇始也。

迨明一代，於神宗（朱翊鈞）萬曆三年(1575)歲次乙亥，續有州人鄭敦復著《古寧野紀》，係屬外紀性質，所繫州事，乃記萬州佚事，其紀纂著之體例，亦與方志之體裁有異。

明神宗萬曆年間，萬州知州茅一桂氏，於知州任內，纂刻〈州志〉，是為首創《萬州志》，俗稱萬州〈舊志〉，亦係《萬州志》之古本。唯已佚傳，罕見藏板深感憾惜矣。

迄清一代，各朝頒詔，修志風尚，極為鼎盛。萬州志乘，先後纂編，大凡三次。首度纂修於清聖祖（玄燁）康熙十八年(1679)歲次己未，知州李　琰修《萬州志》，俗稱《康熙　萬州志》，亦就「康熙修本」（李志）。

清仁宗（顒琰）嘉慶二十四年(1819)歲次己卯，次由萬州知州汪長齡主修《萬州志》，俗稱《嘉慶　萬州志》，是為「嘉慶修本」（汪志，繕本未刊），而與「康熙修本」（李志），纂修時間，相距約一百四十餘年之久矣。

按《萬州志》（十卷），係清宣宗（旻寧）道光八年(1828)歲次戊子十一月（胡序），由署瓊州府萬州知州事胡端書氏總修。歷時四月，其志乃竣事付梓，俗稱《道光　萬州志》，是乃「道光修本」（胡志），是志與「嘉慶修本」（汪志），其纂修時間，相距只有九年而已。

綜窺《萬州志》纂修源流，緣自宋代《萬安軍圖經》，於明神宗萬曆年間，先有州人鄭敦復著《古寧野紀》，續有知州茅一桂修《萬州志》（初修本），至嘉慶二十四(1819)知州汪長齡修《嘉慶　萬州志》（繕本），迄道光八年(1828)十一月，萬州知州事胡端書修《道光　萬州志》（續修本）止。萬州志書之纂修，大凡六次，中經宋、元、明、清（宣宗道光八年）四代，約七百餘年。

就文獻價值言之，其中以明代茅一桂修《萬曆　萬州志》，乃首次創修「明修本」（原佚），唯皇明〈舊志〉，向無梓本，深為憾惜。清代胡端書修《道光　萬州志》（凡十卷），其內容最為詳備而富美，乃「清修本」萬州志之嚆矢，殊具史料參考價值。然海南近修《萬寧縣志》，非論旨範疇，恕不贅言矣！

待訪志書

萬州志書，雖有輯本，惟因纂修年代久遠，多被兵災蠹害，致湮沒佚傳者眾，故原有纂本，流傳欠廣，藏板稀少。根據諸家方志書目資料，就其萬州志書待訪者，依纂本年代，分別著述於次，以供方家查考。

《圖經》（萬安軍）　　宋　人纂　　佚

按（萬安軍）圖經，未著撰人，卷數未詳，各家方志書目資料，亦無記載。

宋・王象之《輿地紀勝》（卷一百二十六）：

萬安軍，軍沿革（星土分野、又立萬安州、移軍於陵水洞，安撫王趯）、風俗形勝（此邦與黎、蜑雜居），引《圖經》五條。

張國淦《中國古方志考》（頁六二二）：

（萬安軍）圖經　　宋　佚

案：唐萬安州、萬安郡，宋萬安軍，清崖州直隸州萬縣。

王會均《海南方志資料綜錄》（總目錄・頁三十七）：

（萬安軍）圖經　　宋　人纂

宋　本（年次未詳）　　宋佚　今名：萬寧市

《古寧野紀》　　明・鄭敦復纂　　原佚

明萬曆三年(1575)舊敘　　未刊

按《古寧野紀》之題名、纂者，纂修年代，係根據明萬曆三年乙亥，鄭敦復（州人）《古寧野紀》舊敘著錄。

㈠、知見書目

王會均《海南方志資料綜錄》（待訪錄・頁一九二）：

古寧野紀　　明・鄭敦復纂

明萬曆三年(1575)舊敘　未刊

㈡、纂者事略

鄭敦復，萬州（今萬寧市）人。歲貢，授福州通判（俗稱：別駕）。著有：《古寧野紀》舊敘、《古寧野紀》稿成序、〈銅鼓嶺〉（七言絕詩），載於清・胡端書修《道光　萬州志》。

㈢、纂紀始末

按《古寧野紀》，係州人鄭敦復氏，於明世宗嘉靖三十年(1551)辛亥歲，州守俞公欲修而未果，竊有志于斯書，時加搜訪，採新問故，逮明神宗萬曆三年(1575)乙亥，始成草創，名曰：《古寧野紀》，不敢示人。迄明神宗萬曆十七年(1589)己丑夏間，將舊紀從新校輯，參稽諸書，本古正今，栁漏補闕，訂綴已就，垂二十餘載，尋有斯紀，念鄭氏苦心，亦足慰矣。

明神宗萬曆三年(1575)乙亥，州人鄭敦復《古寧野紀》舊敘：「復有狂疾，粗知章句，即妄意于域外之觀，以天下風俗人材政事山川名物，不得親諸見聞，爲幾枉一生，猶之處家，凡家中之田晦租甑錢貫絲縷醬罌臧獲之數，不知其有無多寡，胡以家爲哉。本州志書，自古未刻，雖文獻不足，亦纂錄者之不足也。嘗謂有一毫媕婀曲護憂毀畏譏之心，不足以與此，有一毫好惡喜譽忌能病直之心，不足以與此，惟二者之心合，遂有宜書而不書，不宜書而書者，竟成各家之私書而已，欺己欺人，于一州之公論公道安在哉。辛亥歲，州守俞公欲修而未果，自是歲搜訪以來，二十餘載，無日不在此書，是以集先今見聞，刪其繁蕪，補其遺漏，因其原式，使文省事增，不敢迂泛，敘山川要得關於險夷瀦洩之用，載風俗要得與於觀風省方之實，紀人物要得合於善者好之，不善者惡之之訓，至於壞則賦額民數，署字妖異之類，要得可窺胡今消息盈虛、人事得失、運化隆替、氣候節宜，世道升沉之變，猶家之記籍，籍其家之所有，咸切于治生者云爾，何所云云二者之心不與存焉。或曰，子成此書，期于用乎，或有異議也，今顧誦孔子，誰毀誰譽章不休，己而答曰，余賤而未仕，陋而寡修，安能期于人之用，免于人之議，惟賴世之知言者爲準，不知言而罪我者，吾不有也，但知處其家，求知家之所有，不失治生要務而已，若曰退托不敢，則他客到家，家中所有，客能盡知之乎，失今不籍，後代晚生未學，雖有聖人之資，亦限於耳目而有所不知也，或曰，子言得矣，得矣因書之爲古寧野紀敘，抑以志遺忘云。」

次據鄭敦復《古寧野紀》稿成序：「夫傳世載籍，豈不浩乎博哉，而志其重也，嘗讀一統志、方輿勝覽諸書，一開卷而天下山川、古今人物與建置沿革之故，瞭如指掌，而興亡感慨賢否勸懲繫之矣，志不重歟，蓋州統于府，府統于省，省則天下之大可通焉。故州志一修，而府志而通志而一統志，非茲其據乎，嘗曰，今日州邑志書，將來國家信史，然則志之所係，不啻重且鉅明矣。雖文獻無徵，夫子致傷于杞宋，然非其人不修，非其時不修，二者因循，遂自置軍以來，十餘載無志聞，正德間，有州庠一二老宿會謀，寫所睹記數條，余辛亥歲，幸在鄉官胡員外處見之，僅二十一二葉而止，所書往公行實及州中事宜，厪厪數語，雖俚而核，猶可傳信，乃從斯歲，竊有志于斯書，時加諏訪，採新問故，逮乙亥歲，始成草創，名曰：古寧野紀，不敢示人。又薄遊羊城，漂泊十年，購得通志交廣南越諸書，百餘卷攜歸，偶見州志新稿，大異曩昔，皆盛稱各家父祖眷戚仁義道德在上，本學李學正謂聖人書出在某家是也。吁，可哂甚矣，豈足信哉。己丑夏間，將舊紀從新校輯，考閱諸書，參稽異同，本古正今，袖漏補闕，訂綴已就，錄今往者，諒無不備于斯矣。念余苦心，垂二十年，尋有斯紀，自是而後，或值人時兩會，端可爲纂州者實錄，不然即無州志，而斯紀亦可備觀覽，不無望于後之博雅君子繼而緒之。」

綜觀鄭敦復《古寧野紀》舊敘及稿成序，窺見此紀纂輯緣由與梗要。因其紀未刊，繕本佚傳，致卷數及內容欠詳，且各家方志書目未見著錄，亦無相關資料查校，茲誌其原文如上，以供方家研究參考。

《萬曆　萬州志》　　明・茅一桂修　萬曆年間（創修）　原佚

按茅一桂修《萬曆　萬州志》，創修年代，卷數、目次未詳。諸家方志書目，亦未見著錄，且又缺相關史籍佐證，致無從深入研究，僅就蒐獲資料，略述於次，以供參考。

㈠、知見書目

阮　元《道光　廣東通志》（卷一百九十二・藝文略四）：

萬州志　　明・茅一桂撰　　佚

李志：一桂，歸安人，萬曆中任，創輯州志。

案：李志，乃係李琰修《康熙　萬州志》。

杜定友《廣東方志目錄》（頁十九）：

萬州志　　茅一桂　　萬曆年　　原佚

王會均《海南方志資料綜錄》（總目錄・頁三〇）：

〔萬曆〕萬州志　　明・茅一桂修

明萬曆年間（年次未詳）創修　　原佚

㈡、纂者事略

修志者：茅一桂，號中峨，浙江省歸安縣人。明神宗（朱翊鈞）萬曆十六年(1588)戊子科順天榜舉人，歷官黎平（今貴州省黎平縣）知府、萬州（今海南省萬寧縣）知州。才優學富，建學修署，折獄平允，創輯州志，尋遷同知。著有：〈華封仙榻〉、〈龜渚迴瀾〉、〈屏石風〉詩（三首），載於《道光　萬州志》（卷八・藝文略）。

胡端書修《道光　萬州志》（卷九・宦績錄）、張岳崧纂《道光　瓊州府志》卷三十：官師志・宦績中），載有事略。祀名宦祠

《嘉慶　萬州志》　　清・汪長齡修　　楊士錦等纂

清嘉慶二十四年(1819)修　繕本　原佚

案：本志之題名，纂修人及修志年代，係根據清道光八年(1828)胡端書修《道光　萬州志》載：「嘉慶二十四年己卯纂修繕本姓氏」著錄。

㈠、知見書目

王會均《海南方志資料綜錄》（總目錄‧頁三〇）：

〔嘉慶〕萬州志　　清‧汪長齡修　　楊士錦纂

清嘉慶二十四年(1819)修　繕本（未梓）　原佚

㈡、修志始末

本《嘉慶　萬州志》，其卷數及目次欠詳，且無相關佐證資料，實難作更深入之研究。唯其修志源流，根據清宣宗道光八年(1828)歲次戊子十一月，萬州知州事胡端書〈續修萬州志序〉略云：洎嘉慶二十四年(1819)己卯，奉制軍阮奏准纂修《廣東通志》，以昭鉅典。前州牧汪君長齡，承檄開局，偕紳士增修齎呈，以勷厥事。惟是草創方就，未付梨棗，恐無以傳諸久遠矣。

㈢、纂者事略

按《嘉慶　萬州志》（增修繕本），其纂修者，依據胡端書修《道光　萬州志》載：〈嘉慶二十四年己卯纂修繕本姓氏〉著錄，計分：主修、分纂、繕書等十員。就其事略，著述於次，以供查考

主修：汪長齡，字西庭，號學山，山東省歷城縣人。清高宗（弘曆）乾隆四十六年(1781)辛丑科進士（二甲三十二名），歷

任四川秀山、浙江奉化、廣東惠來、番禺知縣，於清仁宗（顒琰）嘉慶二十三年(1818)陞任萬州知州。以重法治，民安其業，課士得異才，捐俸修葺書院，士林重之，疾卒於官，享年七十一歲。

毛承霖《續修　歷城縣志》（卷三十九・人物志：列傳），載有事略。

分纂：計有：楊士錦、楊為麟、朱照南、吳鳴岐、陳元緒等五員，其里籍事略，臚著於次，以供參考。

楊士錦，后朗人。清仁宗嘉慶六年(1801)辛酉，拔貢。著有：〈府綏定黎疆〉（詩），載於清・胡端書修《道光　萬州志》（卷八・藝文略）。

楊為麟，后朗人。景山（清乾隆六年辛酉科進士）之孫，家學淵博，清仁宗嘉慶四年(1799)己未，恩貢。著有：和〈府綏定黎疆〉（詩），載於清・胡端書修《道光　萬州志》（卷八・藝文略）。

朱照南，月塘人。清仁宗嘉慶十四年(1809)己巳，恩貢。赴監肆業，報滿即用教諭。著有：〈天馬騰霄〉（和王大宗伯韻），載於清・胡端書修《道光　萬州志》（卷八・藝文略）。

吳鳴岐，祿益人。清仁宗嘉慶十八年(1813)癸酉，歲貢。

陳元緒，南山嶺人。廪貢，署廣東茂名儒學訓導。

繕書：計有：楊經腴、朱桂森、文繼宗、楊為儒等四員，其里籍、事略，分述於次，以供參考。

楊經腴，萬州（今萬寧市）人，瓊州府貢。

朱桂森，月塘人。廪貢，赴監肆業，報滿候選訓導。著有：〈遊東山〉（詩），載於清・胡端書修《道光　萬州志》（卷八

・藝文略）。

文繼宗，州人。廩生，繕書州志。

楊為儒，州人。廩生，繕書州志。

康熙修本（李志）

《康熙　萬州志》四卷　　清・李　琰修　　朱仲蓮纂

清康熙十八年(1679)　刊本

4 冊　有圖表　25 分公　線裝

㈠、知見書目

阮　元《道光　廣東通志》（卷一百九十二・藝文略四）：

萬州志　四卷　　國朝李　琰修　朱仲蓮輯　存

康熙己未　　仲蓮時任學正

江　瀚《故宮方志目》（頁七十三）：

萬州志　四卷　　清・李　琰纂修

康熙十八年　刻本　四冊　　今名萬寧縣

譚其驤《國立北平圖書館方志目錄》（冊四）：

萬州志　四卷　　清・李　琰纂修

康熙十八年　刻本　四冊　　今曰萬寧縣

杜定友《廣東方志目錄》（頁十九）：

萬州志　四卷　　李　琰　　康熙十八年

陳劍流《海南簡史》（頁八十三）：

萬州志（四卷）　　李　琰、朱仲蓮等編

康熙十八年

李景新《廣東方志總目提要》（頁一二八）：

萬州志　四卷　　李　琰纂修　　康熙十八年

藏：北平　　東方　　故宮

黃蔭普《廣東文獻書目知見錄》（頁六十三）：

萬州志　　清・李　琰

康熙十八年(1679)刊本　　北平

今萬寧縣屬海南黎族苗族自治州

朱士嘉《中國地方志綜錄》（頁十四）：

萬州志　四卷　　李　琰纂修　　康熙十八年

藏書者：北平　東方　故宮　　現稱萬寧縣

中國科學院北京天文臺《中國地方志聯合目錄》（頁七〇三）：　　〔康熙〕萬州志　四卷　（清）李　琰纂修

清康熙十八年(1679)刻本

北京　　上海（膠卷）

註：今萬寧縣

王德毅《中華民國臺灣地區公藏方志目錄》（頁一三〇）：

康熙萬州志　四卷　　清・李　琰纂修

清康熙十八年(1679)刊本　　故宮

楊德春《海南島古代簡史》頁一五九：

《萬州志》四卷　　清・李　琰、朱仲蓮等編纂

康熙十八年（公元1679年）刻本

王會均《海南方志資料綜錄》（總目錄・頁三〇）：

〔康熙〕萬州志　四卷

清・李　琰修　　朱仲蓮纂

清康熙十八年(1679)　刻本

今名：萬寧市

㈡、修志始末

按《萬州志》，前明向無刻本。於明神宗（朱翊鈞）萬曆年間，州牧茅一桂氏，雖有創修，唯今已佚傳。

本《康熙　萬州志》，係知州李琰，自清聖祖（玄燁）康熙十七年(1678)蒞任，訪諸學校，僅得手錄一冊，分由吏目陳茂先，學正朱仲蓮，貢生鄭華臣等諸州紳，考核一州事實，於清康熙十八年(1679)，歲在己未孟冬之月，參訂成志，付之以梓。是即「清康熙本」（李志），而與前明萬曆年間「創輯本」（茅志），其纂修時間，相距約九十年矣。

依據清康熙十八年己未，州牧李琰〈舊志敘〉略云：「……予初蒞地方，欲遍觀其形勝險易，周覽其風土民俗，莫過於州志而開卷茫然焉。乃詢諸掌故鮮其人，問諸學校失其授，咸曰：志無刻本，向僅有手錄一冊，亦幾幾乎，蠹蝕之餘，無全豹可窺矣。予曰：噫，是可以見微長而抒寸力者，其在斯乎，夫志上分星野，下畫疆域，考治術于既往，稽倫品于來今，且以明入版圖于何代，歸職方于何年，志非以著尊王之大義乎，予烏得弗亟亟而求之，無何。廣文朱君偕吳生翹楚輩，以向之手錄者見投，予一披閱，殘缺零落，顛倒錯訛，殆不成帖矣。州人固自朴茂，前賢蒞此者，抑何樸遬至此邪，予欲搦管從事，偶爲二豎所奢，遲之又久，猶未率然而舉，何也。志者，史之遺也，詩不作而麟經繼焉，麟既獲而史筆繩焉，凡郡邑編年紀事之書，何莫非宗史籍之遺意，以備覽稽哉。……」是「清康熙本」（李志），其纂修之始末，大略如斯也。

次從胡端書修《道光　萬州志》載「康熙十八年（己未）修

志姓氏」觀之，除知州李琰主修外，尚有三十七人，參與修志各項事務。計參訂二員，仝修四員，校閱二十七員，採訪四員。於是顯見，是志之纂修，規模宏大，動用人員之眾矣。

㈢、纂者事略

按《康熙　萬州志》，並無刊載〈修志姓氏〉。依據胡端書修《道光　萬州志》，所誌〈康熙十八年己未修志姓氏〉，就其參與修志者事略，分著於次，以供查考。

主修：李　琰，字楚璘，號錯菴，直隸（河北省）高陽縣人。清世祖（福臨）八年(1651)辛卯科舉人，歷石城（廣東）知縣，於清聖祖（玄燁）康熙十七年(1678)陞萬州知州，請以先墾荒田，抵補浮報虛糧，以甦民困。任治有體，敷教有方，寬嚴互用。自甘澹泊，捐俸改建學舍，士民重之。

胡端書《道光　萬州志》（卷九：宦績錄）、張岳崧《道光瓊州府志》（卷三十一：官師志三・宦績下）、楊霽《光緒高州府志》（卷二十六：宦績二），皆載有事略。祀名宦祠

參訂：計二員，其里籍、事略，臚著於次，以供參考。

陳茂先，萬州吏目，康熙年任。於清聖祖康熙十八年(1679)歲次己未間，協修州志。

朱仲蓮，廣西新寧人。由歲貢任萬州學正，協修州志。寧靜以養其心，澹泊以明其志，端莊守禮而有師範。

胡端書《道光　萬州志》（卷九：宦績錄），載有事略。祀名宦詞

同修：計四員，其里籍、事略，分述於次，以供查考。

鄭華臣，南豐人。清康熙二十三年(1684)甲子，歲貢。

黃應星，龍樓人。清康熙二十一年(1682)壬戌，歲貢，廣東陽山訓導。

蘇作賓，州人。清康熙二十四年(1685)乙丑，歲頁。

楊芳羨，州人。由增生例監，道義風高，友于素著，鄉里重之。康熙己未，同修州志。

校閱：共二十七員，其里籍、事略，分述於次，以供參考。

張爾綱，州人，生員。

李華如，州人，生員。

楊　勳，州人，生員。

歐輔陽，州人，生員。

曾　江，州人，生員。

吳翹楚，州人。清康熙三十二年(1693)癸酉，歲貢。

陳以颺，州人，生員。

李　沖，州人，生員。

楊天鼎，州人。清康熙三十五年(1696)丙子，歲貢。

吳　燦，州人，生員。

潘重華，州人，生員。

吳惟諧，州人，生員。

李維藩，州人，生員。

陳玉宸，州人，生員。

文爾綖，州人，生員。

楊文顯，州人，生員。

王懋修，州人，生員。

文爾珍，字聘之，曲沖人。郡庠生，生於明神宗萬曆七年(1579)己卯歲，終於清聖祖康熙二十四年(1685)乙丑歲，享壽一百零七歲，葬於橫山光嶺坎。

胡端書《道光　萬州志》（卷二：壽儒），載有事略。

祁　郁，州人，生員。

楊天縱，南門街人。清康熙三十九年(1700)庚辰，歲貢，廣東高明訓導。

王　玠，北門街人。清康熙四十八年(1709)己丑，歲貢。

翁扶綱，州人，生員。

龍昌期，排溪村人。清康熙初年，歲貢。

蔡國祚，溪頭坡人。清康熙二十六年(1687)丁卯，歲貢，廣東花縣訓導。

黃中理，州人，生員。

蔡毓九，州人，生員。

文振略，州人，生員。

採訪：依據清・胡端書修《道光　萬州志》載「康熙十八年己未修志姓氏」，採訪者，計有四員，皆係鄉約。名列如次：

張爾瑾　　陳聖訓　　許成玉　　王　修

㈣、志書內容

李　琰修《康熙　萬州志》，凡四卷、分十八門（志）、共七十九目。於卷一（正文）之前，首載〈舊志敘〉（李琰序）、〈重修萬州志目錄〉、〈萬州志凡例〉（十三條）。其志書內容，依目錄臚述於次，以供參考。

卷　一

輿圖志　境圖　沿革　事紀

星候志　星野　氣候　風候　潮汐附

地里志　形勝　里至附　山川　港澳附　陂塘
　　　　溝渠、井泉附　都市
建置志　城池　署廨　舖遞　關街附　坊表　橋渡

卷　二

賦役志　戶口　田賦　丁役、雜税附
學校志　儒學　祭器　書籍附　學田　學塘附　社學書院
　　　　鄉約所附
秩祀志　廟壇　庵寺　祠樓附
職官志　知州　佐貳　雜職　教職
名宦志　知州　屬貳　教職
流寓志　謫賢　僑寓　罪放附

卷　三

防禦志　軍制　武鎮　衛所附　農兵
武略志　遊擊　守備　守禦
選舉志　薦辟　科目　明經　例監　吏選　恩封
人物志　鄉賢　孝行　義行
節烈志　烈婦　節婦
土俗志　時序　風俗　黎、蛋俱附　土產
外　志　古蹟　釋道　雜記

卷　四

藝文志　記　傳　墓誌　碑文　祭文　詩　賦
　　　　平黎論　條議附

㈤、修志敘例

按《康熙　萬州志》，乃州牧李琰氏，於涖任時，訪得手錄乙冊，依其重修，並參訂郡邑諸志，考核一州事實，成志付梓。就李琰〈重修萬州志目錄〉析窺之，其纂修體例，係採「分志體」，亦就是「按類分目法」。

從李　琰〈舊志敘〉（康熙十八年己未）觀之，是志「……文辭不取其藻麗，端委不樂其繁冗，飾說曲喻之必棄，依阿黨偏之必裁，而理依于質矣。事必歸于其類，體必本于其正，大端不可以或略，細節不可以或贅，而法舉其綱矣。疑者不以示後，誣者不以欺前，炫長懼以駭俗，任心虞以病物，而義歸于當矣。好惡泯而私不萌，毀譽釋而道維公，表彰之法必力，忠厚之意必存，而情求其愜矣。夫然後舉筆成書，即不敢云史之遺意在是，然泰山之下，邱垤各成一體，是即修志之本心。」

就本〈萬州志凡例〉（共十三條）言之，首云：「志州史也，書法宜嚴，品類宜辨，其中有一類至十數葉者，有一類止二、三葉者，事不相蒙，雖少不得混附，必另爲一類，以正體裁。至於時有順逆必正其名而後屬其事，例有輕重先提其綱後詳其目。蓋因舊志爲明季時編，州人狃於故習，不知一統尊王大義，故書法示之。」綜窺〈萬州志凡例〉十三條文，其修志之體例俱備矣。

李　琰修《康熙　萬州志》，所繫州事，以明末清初為最詳，其斷限年代，最遲止於康熙十八年(1679)己未。分述於次：

地里志（卷一）陂塘：那合坡，州二十里。康熙十六年(1677)丁巳，宣義都鄉耆馮天清損金開挖，……擁水灌溉宣義通化二圖十村田千餘畝，以上俱從吳村渡水導入。

職官志（卷二）知州：朱鼎鉉直隸大興人，康熙三年任。……李琰直隸高陽舉人，十七年(1678)任，有傳。

輿圖志（卷一）事紀：國朝（清）康熙十七年(1678)戊午，石城縣知縣李琰，陞萬州知州，二月視事。秋七月，知州事李琰定荒田起科之法。

十八年(1679)己未冬，知州李琰會紳士，纂修州志。

㈥、刊版年代

按《康熙　萬州志》，凡四卷，線裝四冊。原刻本，白口，上魚尾，四週單邊。書高二十五公分，寬十六公分。版框高二十三公分，寬十四・五公分。於〈重修萬州志目錄〉、〈萬州志凡例〉，及其正文，每葉九行，每行最多二十四字。各卷首行及版心，大題：「萬州志」。

李　琰〈舊志敘〉，每葉七行，每行最多十五字。末署：「康熙十八年歲次己未孟冬之月，奉直人知萬州事李琰錯菴撰，並蓋有：正方形（每邊四・五公分）之「方章」二枚。一為「李琰之印」（小篆，陰文），一係「錯菴」（小篆，陽文）號章。

李　琰修《康熙　萬州志》，其公私方志書目，大都署為清康熙十八年(1679)刻本，亦有著為清康熙己未。然是志雖有刊梓，惟流傳欠廣，罕見藏板，於國內外圖書館庋藏者，分列於次，以供查考。

原刻本　清康照十八年(1679)　刊本

臺灣：國立故宮博物院（一部、四冊）　173

中國：北京圖書館（四卷、四冊）

微縮片　據北京圖書館藏清康熙十八年(1679)刊本攝製

中國：上海圖書館（微縮捲片一捲）

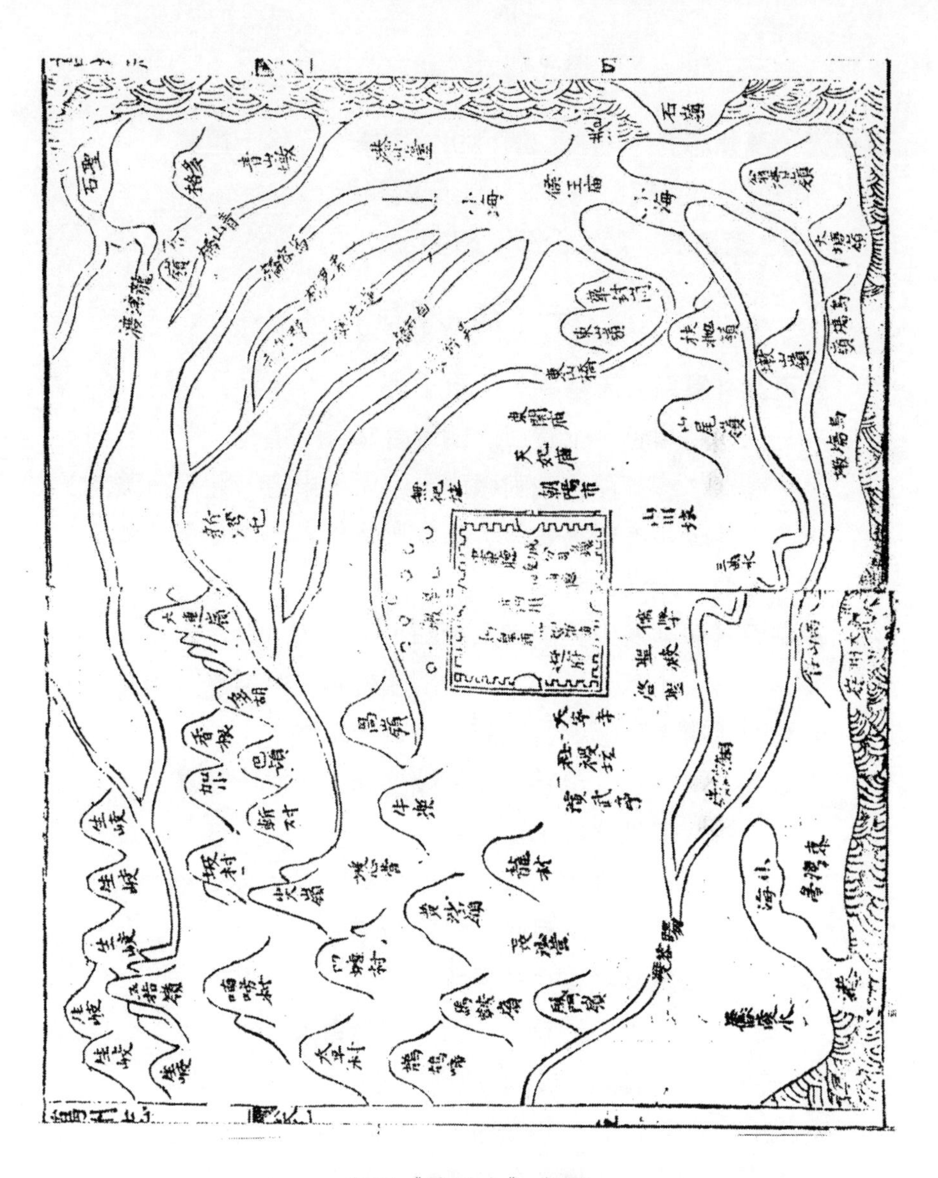

康熙《萬州志》書影

國立故宮博物院藏板

道光修本（胡志）

《道光　萬州志》十卷　　清·胡端書修　　楊士錦纂

清道光八年(1828)刊本　　崇聖祠藏板

4 冊　有圖表　25.5 公分　線裝

㈠、知見書目

杜定友《廣東方志目錄》（頁十九）：

萬州志　十卷　　胡瑞書修　　道光八年　五冊

存（戰前嶺南、中大、東方、北平有藏本）

案：杜著此志胡瑞書修，未知所據何本，或係手民之誤，尚待查考。

陳劍流《海南簡史》（頁八十四）：

萬州志（十卷）　　胡端書修　　道光八年

李景新《廣東方志總目提要》（頁一二八）：

萬州志　十卷　　胡端書修　　楊士錦纂

道光八年　重修本

嶺南　　中大　　東方　　金陵

現稱萬寧縣

黃蔭普《廣東文獻書目知見錄》（頁六十三）：

萬州志　十卷　　清·胡瑞書

道光八年(1828)刊本　　中大　　廣東

一九五八年油印本　　杭大

案：黃著此志，清·胡瑞書修，似有舛錯，尚待補正之。

朱士嘉《中國地方志綜錄》（冊二·頁十四）：

萬州志　十卷　　胡端書纂修　　道光八年

中山　　東方　　金陵

中國科學院北京天文臺《中國地方志聯合目錄》（頁七〇三）：　　〔道光〕萬州志　十卷

清・胡端書修　　楊士錦　吳鳴清纂

清道光八年(1828)刻本

文物　北大　人大　民宮　上海　辭書

天津　旅大　南大　浙江　湖南　廣東

中大　華南師院　　南京地理所

民國三十七年(1948)鉛印本　　廣東

一九五八年廣東省中山圖書館油印本

北京　首都　科學　故宮　歷博　考古所

民宮　黨校　民院　南開　山西　一史館

吉林　吉大　甘肅　青海　山大　北師大

南京　杭大　安大　夏大　河南　哈師院

湖北　廣東　中大　川師等五十個單位

楊德春《海南島古代簡史》（頁一五九）：

《萬州志》十卷　　清胡端書、楊士錦編纂

道光八年（公元 1828 年）修成刊行

中山圖書館收藏油印本

日本國立國會圖書館《中國地方志總合目錄》（頁二七六）：　　萬州志　十卷　　胡端書等

道光八年(1828)刊本

東洋　四冊　q-111

莫　頓《英國各圖書館所藏中國地方志總目錄》（頁九十

一）：　　萬州志　十卷　1828　　倫敦大學（微捲片）

王會均《海南方志資料綜錄》（總目錄・頁三〇）：

〔道光〕萬州志　十卷

清・胡端書修　　楊士錦纂

清道光八年(1828)修　刻本　崇聖祠藏板

民國三十七年(1948)　鉛印本

一九五八年廣東省中山圖書館　油印本

（手繕鋼板字油印）

㈡、修志始末

按《道光　萬州志》之纂修，乃知州胡端書氏，於清宣宗（旻寧）道光七年(1827)丁亥歲冬蒞任，時訪得州之舊志，所載皆殘缺失次，恐免散佚。爰在萬安書院設局，延請州紳纂輯而續修，閱四月而志成。並捐俸倡導，獲州之好義者，繼踵而釀金以助，其志得付諸梓耳。

誠據知州胡端書於清道光八年(1828)歲次戊子十一月〈續修萬州志序〉云：「丁亥冬，余奉檄承乏萬安，既蒞事，閱城池倉庫，即搜訪掌故，得州舊所輯志乘而覽之，所載境內山川形勝，以及田賦兵防類，皆殘闕失次，存者不過十之七八而已。及詢諸紳士等，僉曰舊志修於康熙十八年，迄今百四十餘載，未有續纂者，故蠹蝕至此。乾隆年間，州人進士楊君景山，起而修輯之，緣公車北上，未竟其功。洎嘉慶二十四年己卯，我朝治化，誕敷太和，翔洽聲華，文物之隆，邁軼千古，奉制軍阮奏准，纂修廣東通志，以昭鉅典。前州牧汪君長齡，承檄開局，偕紳士增修賫呈，以勷厥事，惟是草創方就，未付梨棗，恐無以傳諸久遠，以

卷 二

職官表 歷代 國朝

選舉表 薦辟 進士 鄉舉 武科 文武仕宦附 選貢
例貢 例職 文職、武職 例監 封贈鄉賓附

卷 三

輿地略 疆域 形勝 分野 氣候 風候潮汐附 戶口
風俗 時序附 土產

山川略 山 七星墩附 川 港澳塘井附 水利 溝陂附

卷 四

海防略 海防 條議 邊海外國

建置略 城池 廨署 學校 書院 社學 壇廟 津梁

卷 五

經政略上

銓選 祿餉 田賦 鹽法 榷稅 積貯 社倉

卷 六

經政略下

祀典 土貢 學制 科場經費 書院義學經費
兵制 駐防旗兵 馬政 郵政 口糧 監倉
船政

卷 七

前事略 歷代 國朝

卷 八

藝文略 疏 傳 略 記 賦 詩 文 詞

卷 九

古蹟略 城址 署宅 亭附 坊表 塔附 塚墓 寺觀

宦績錄　歷代　國廟

謫宦錄　歷代　罪放附　流寓附　仙釋附　黎岐附　條議

卷　十

列　傳　忠孝　義行　文學　節烈

從民國三十七年(1948)七月三十一日溫麟書先生經手翻印，胡端書修《道光　萬州志》內容窺之，原翻印之「鉛印本」卷十（列傳）各目全缺，殊為憾惜。

此外，原志（鉛印本）內容與目錄，所載條目亦略有差異，茲核列於次，以供方家參考。

卷　二

職官表：分〈文職〉、〈武職〉、〈薦辟〉（目錄列選舉表）三目，再按細目依歷代、國朝列載。

選舉表：〈例職〉目，於志書內容，係按〈例文職〉、〈例武職〉，分別列載。

〈封贈〉目，計有〈壽儒〉、〈鄉賓〉附。

卷　三

輿地略：於志書中，無〈卷三〉及〈輿地略〉標示，查閱頗感不便。

山川略：〈川〉目中〈港、澳〉附，暨〈水利〉目之〈溝、陂〉附，亦缺標示。

卷　四

建置略：〈廨署〉目，亦無標示。

卷　六

經政略下：內中〈馬政〉目，亦無標示。

案：志中標題〈卷五　經政略〉、〈卷六　經政略〉，所載內容各異，惟無〈上〉、〈下〉之分，特此補示之。

卷　八

藝文略及各目，亦無標示，致綱目欠明，參閱極感不便。

卷　十　列傳（各目），內容全缺，有待後人補刊之。

㈤、修志體例

胡端書修《道光　萬州志》（續修），凡例十條。其纂修體例，乃仿新通志（阮志）詮次，係採「紀傳體」，又稱：仿「正史體」，亦就是「按體分目法」也。

本〈萬州志凡例〉第一條：「志之與史，體裁各異，而紀事則同」。又云：「嘉慶二十四年，奉　制軍阮文行飭令纂修各州縣志，州牧汪公爰集州中紳士耆老，採訪百餘年之事蹟，分門別類，條目釐然，然未付之棗梨。道光丁亥年，署州事胡公蒞任，查閱志稿已成，遂以剞劂爲己任，因加爲之，正魯魚、訂亥豕，以成全志云。」

是〈萬州志凡例〉第二條：「志中分類向以志名，今改之爲表爲略爲錄，並目錄之先後次序，悉遵新通志詮次，非敢臆造。……」云

按《道光　萬州志》（續修），係以清仁宗嘉慶二十四年(1819)己卯，州牧汪公長齡纂修《萬州志》（繕稿未刊）為藍本。於舊志遺漏舛訛者。從省志府志改正補入，分門別類核實紀事，並溯自宋元明三代，於清一代，則以康熙、雍正、乾隆、嘉慶四朝，所繫州事，最為詳備。惟其斷限年代，最遲至清宣宗道光九年(1829)止，茲依紀事年次，分別著述於次，以供邦彥參考。

卷六：經政略（祀典），先師廟於道光八年(1828)戊子，以孫奇逢從祀。

卷七：前事略（國朝），道光八年(1828)戊子秋七月，署理知州事胡端書，捐俸創刻州志。

卷二：選舉表（選貢），文明廷，曲沖人，道光九年(1829)，歲貢。

卷四：建置略（壇廟），武廟在州治西，道光九年（己丑）署知州胡端書，重修正堂、大堂、頭門甬道，並塑新神像。

㈥、刊版年代

胡端書修、楊士錦纂《道光　萬州志》（續修），公私方志書目，皆署著為清道光八年(1828)刊本。於今國內外圖書館或文教機構所庋藏者，計有：原刻本、鉛印本、油印本三種藏板，茲依各刊版年次，臚述於次，以供查考。

原刻本　清道光八年(1828)重鐫　崇聖祠藏板

英國：倫敦大學

日本：東洋文庫（四冊）二部　q-111　112

中國：北大　人大　文物　民宮　上海　辭書　天津
旅大　南大　浙江　湖南　廣東　中大
南京地理所　華南師院

鉛印本　民國三十七年(1948)鉛字排印板

案：此「鉛印本」末署「中華民國卅七年七月卅一日，溫麟書先生經手翻印。」

中國：廣東

臺灣：私人珍藏（二冊：卷上、卷下）板

案：是藏板於封面（牌記）大題「萬州誌」（卷上、下）兩冊，皆有毛筆正楷：「黃檢察官惠存」（右上方）、「溫麟書贈」、「三七、一二、二九」（左下方，分二行）。

油印本　一九五八年廣東省中山圖書館手繕鋼板字油印本（據道光八年重鐫、崇聖祠藏板）

案：是「油印本」胡端書〈續修萬州志序〉，末蓋：「胡端書印」（小篆、陰文，每邊二．五公分）、「敬哉氏」（小篆、陽文，高二．五公分、寬二．七公分）方章二枚。

中國：北京　首都　科學　故宮　歷博　民宮　上海　復旦　山西　吉林　甘肅　青海　山大　南京　杭大　安徽　安大　廈大　河南　湖北　廣東　中大　廣西師院　川師　內蒙大　安師大　哈師院

綜合評析

萬州志乘之纂修，緣自宋代《萬安軍圖經》肇始，中經元明清三代，除元代輟修志牒外，於明一代，雖有州人鄭敦復纂《古寧野紀》（誌萬州軼事，屬外紀性質），知州茅一桂修《萬州志》（萬曆年間），唯向無刻本。迨清一代，各省州縣奉檄，開館修志風尚，極為鼎盛，計有：李琰修《康熙　萬州志》、汪長齡修《嘉慶　萬州志》（繕本未梓）、胡端書修《道光　萬州志》（重鐫）三志。於今所見藏板，僅「康熙修本」（李志）、暨「道光修本」（胡志）二種而已。

道光八年重鐫

萬州志

崇聖祠藏板

道光《萬光志》書影

手繕鋼板字油印本

依據李琰修《康熙　萬州志》載，明神宗萬曆三年(1575)州人鄭敦復〈古寧野紀舊敘〉云：「……辛亥歲，州守俞公欲修而未果，自是歲搜訪以來，二十餘載，無日不在此書。……」

復據胡端書〈續修萬州志序〉云：「舊志修於康熙十八年，迄今百四十餘載，未有續纂者，故蠹蝕至此。乾隆年間，州人進士楊君景山，起而輯之，緣公車北上，未竟其功。……」

就李　琰修《康熙　萬州志》言之，是志凡四卷，纂成於康熙十八年(1679)歲次己未，乃《萬州志》之濫觴，略備方志之雛型，粗俱修志體裁。據〈修志姓氏〉載，知州李琰纂修，吏目陳茂先、學正朱仲蓮參訂，貢生鄭華臣、黃應星、蘇作賓，監生楊芳羨同修。閱其志，執筆者出自眾手，然總纂或參訂者，似未詳加校正，編次顛倒，內容訛謬，此美中不足也。

就胡端書修《道光　萬州志》（續修）言之，此志凡十卷，係以汪長齡修《嘉慶　萬州志》（繕稿未刊）為藍本，從省志府志核實補正，於清宣宗道光八年(1828)歲次戊子十一月書成付梓。乃《萬州志》之嚆矢，核與李琰修《康熙　萬州志》校閱，體例尚為詳備，內容亦稱富美，頗具史料參考價值。

首論《道光　萬州志》刊行年代，公私方志書目，均著「道光八年」刻本。然所繫萬州事，則有遲至道光九年（諸如：卷二選舉表「選貢」目，文明廷，曲沖人，道光九年，歲貢。卷四建置略「壇廟」目，武廟在州治西，道光九年己丑署知州胡端書，重修正堂大堂頭門甬道，並塑新神像）者，抑或補刻，唯查無補校證據，亦缺相關史料參訂，特置疑於此，留待學者方家或邦人君子查考。

次言〈知州：胡端書〉署任年代，依據胡端書〈續修萬州志序〉（道光八年歲次戊子十一月）云：「丁亥冬，余奉檄承乏萬安，既蒞事。」復據胡端書修《道光 萬州志》卷四：建置略「壇廟」目：「武廟在州治西，道光九年署知州胡端書，重修正堂大堂頭門甬道，並塑新神像」云。由此足證，知州胡端書氏，於道光七年（丁亥）冬涖任，至道光九年（己丑）尚在任。然胡端書修《道光 萬州志》（道光八年重鐫），暨張岳崧纂《道光 瓊州府志》（道光二十一年修、光緒十六年補刊本），於「職官表」（志）「知州」（萬州）目中，均未刊誌，故特補著於次，以供參考。

綜觀萬州之志乘，雖有刻本，惟流通欠廣，於今所見藏板，除李琰修《康熙 萬州志》、胡端書《道光 萬州志》外，餘者罕見原本，似皆佚傳。然於前明世宗嘉清三十年(1551)辛亥歲，州守俞公欲修而未果（參見萬曆三年乙亥，州人鄭敦復《古寧野紀》舊敘）。又於清高宗乾隆年間，州人進士楊君景山起而修輯之，緣公車北上未竟其功（參見道光八年歲次戊子，署知州胡端書〈續修萬州志序〉云）。致此二次纂修未成，殊深憾惜也。

胡端書修、楊士錦纂《道光 萬州志》（續修），事成於清宣宗道光八年(1828)歲次戊子十一月，迄又一百六十餘載，未有續纂者，於今世事變更，且萬寧縣亦無縣志，其州中俊彥，當值深思矣。

參考文獻資料

《道光 廣東通志》 清・阮 元修

民國五十七年(1968)十月 臺北市 華文書局 影印本

（據清道光二年修　同治三年　重刊本）　卷一九二

《道光　瓊州府志》　　清・明　誼修　　張岳崧纂

民國五十六年(1967)十二月　臺北市　成文出版社　影印本

（據清道光二十一年修　光緒十六年補刊本）　全二冊

《康熙　萬州志》　　李　琰修　清康熙十八年(1679)序　刻本

（臺灣：國立故宮博物院藏板）　線裝　四冊

《道光　萬州志》　　胡端書修

民國三十七年(1948)七月　鉛印本　全二冊

《續修　歷城縣志》　　毛承霖修

民國五十七年(1968)　臺北市　成文出版社　影印本

（據民國十五年　鉛印本）　卷三十九（人物志：列傳）

《民國　高陽縣志》　　李大本修

民國五十七年(1968)　臺北市　成文出版社　影印本

（據民國二十一年　鉛印本）

《光緒　高州府志》　　清・楊　霽修

民國五十七年(1968)　臺北市　成文出版社　影印本

（據清光緒十五年　刊本）　卷二十六（宦績二）

《海南方志資料綜錄》　　王會均著

民國八十三年(1994)十月　臺北市　文史哲出版社

中華民國八十二年(1993)癸酉歲十月十日　初稿

中華民國九十九年(2010)庚寅歲五月十日　增補

臺北市：海南文獻史料研究室

三、崖州志

崖州，民國稱崖縣，今名：三亞市。乃以原崖縣地為行政區域，位於瓊島南端，面臨南海，與東南亞諸國隔海遙望，是西沙群島的後援基地。由於榆林港，係天然的深水良港，亦是核潛艇基地，在軍事上具有重要的戰略地位。

自南朝梁武帝中大同年間(546)，置崖州（州治古儋耳地）屬揚州。中經隋唐、五代，至宋元明三代，其間建置名稱，變更頻仍，不勝列舉。迨清德宗光緒三十一年(1905)乙巳歲，岑春煊奏升崖州為直隸州，屬瓊崖道。

中華民國肇立，於民國元年(1912)歲次壬子，改稱：崖縣。民國三十九年(1950)庚寅歲五月，海南易幟，中華人民共和國成立，一九八四年（甲子）五月，撤銷崖縣，成立三亞市，乃以原崖縣地為行政區域。

崖州志牒，素無《崖縣志》，於今所傳者，祇有《崖州志》而已。其修志源流久遠，有信史稽考者，最早始於宋人《吉陽軍圖經》，明・易紀《崖志》、明儒鍾芳（州人）著《崖州志略》，暨鍾崇德《崖志》，迨清一代，除州學訓導黎上升著《吉陽錄》外，先後凡四修，依次：張擢士修《康熙　崖州志》、李如柏修《康熙　崖州志》、宋錦修《乾隆　崖州志》、鍾元棣修《光緒　崖州志》。於今廣傳者，宋錦「乾隆修本」、鍾元棣「光緒修本」二志而已。

此外，湯寶棻《崖州直隸州鄉土志》（參見卷之六：鄉土志），暨近人《三亞市志》（精裝二冊、十六開本），皆非論旨範疇，恕不贅言矣！

今以《崖州志》為題旨，就相關文獻史料，作綜合性研究。其主要內容，計分：修志源流、待訪志書、宋修《崖州志》、鍾修《崖州志》，綜合析論等五大部分。

修志源流

崖縣原稱崖州，現名三亞市，尚無崖縣志牒，於今國內外知見者，祗《崖州志》而已。

崖州之有志乘，其纂修源流遠久，而有信稽考者，最早始於宋人《吉陽軍圖經》，明代易紀《崖志》、嶺南巨儒鍾芳（州人）著《崖州志略》，暨鍾崇德《崖志》。至清聖祖康熙初年，崖州訓導黎上升著《吉陽錄》。然以鍾芳之博學，所著《崖州志略》，必富具學術價值。迨清一代，崖州志書，除儒學訓導黎上升著《吉陽錄》外，先後纂修大凡四次，分著如次，以供查考。

首修於清聖祖康熙七年(1668)歲次戊申，崖州同知張擢士修《崖州志》，俗稱：「舊志」，亦就「清康熙本」（張志）。

次修於清聖康熙三十三年(1694)歲次甲戌，由崖州同知李如柏纂刻《崖州志》，是為「康熙修本」（李志），而與「舊志」，其纂修時間，相距只有二十六年矣。

三修於清高宗乾隆二十年(1755)歲次乙亥，崖州知州宋錦修《崖州志》（凡十卷），是乃「乾隆修本」（宋志），而與「李志」之纂修時間，相距約六十有餘年。

四修《崖州志》（凡二十二卷），係於清德宗光緒二十六年(1900)庚子歲五月，在知州鍾元棣任內，開局纂修。次歲(1901)辛丑冬，書始纂成。清光緒三十四年(1908)歲次戊申，曾加補訂，但未付梓。直至民國三年(1914)歲次甲寅，始鉛印成書，是為「光緒修本」（鍾志），而與「乾隆修本」（宋志）纂修時間，相距大約一百五十餘年之久。

湯寶棻編纂《崖州直隸州鄉土志》（二卷），詳於「卷之六・鄉土志」著述，恕不贅言，以免重複焉！

綜觀《崖州志》之纂修源流，肇始於宋代《吉陽軍圖經》（一卷），至明代易紀《崖志》、鍾芳著《崖州志略》（四卷）、鍾崇德《崖志》，暨清・黎上升著《吉陽錄》，迄清德宗光緒二十六年(1900)知州鍾元棣纂修，光緒三十四年(1908)補訂，民國三年(1914)付印之《崖州志》（二十二卷）止。大凡九次纂修，中經宋元明清四代，約八百餘年之久。內有明儒鍾芳著《崖州志略》（四卷），載於《四庫提要》（內文佚傳）。惟以鍾元棣修《光緒　崖州志》（二十二卷），體例最為完備，內容亦最為詳實而富美，深具史料價值，殊為珍貴。

待訪志書

崖州志書，雖各有纂本，惟因年代久遠，間遭兵災蟲害，湮滅佚傳者眾，致原有板刊，流傳欠廣，罕見藏版。茲據各家方志目錄資料，就其崖州佚傳志書，依刊版年代，臚著於次，以供研究參考。

《吉陽軍圖經》一卷　　宋　本（年次未詳）　宋佚

托克托《宋史藝文志》（卷二）：吉陽軍圖經　一卷

王象之《輿地紀勝》（卷一百二十七）：

吉陽軍，軍沿革〈星土分野〉，引圖經一條。

黃　佐《嘉靖　廣東通志》（卷四十二）

吉陽軍圖經　一卷　　宋　人撰　今崖州

阮　元《道光　廣東通志》（卷一百九十二・藝文略四）：

吉陽軍圖經　一卷　　不著撰人　佚

黃志稱宋人撰，不知據何本。

鍾元棣《光緒　崖州志》（卷二十二・書目）：

吉陽軍圖經　一卷　　不著撰人

黃《志》稱宋人撰，不知據何本。今佚

張國淦《中國古方志考》（頁六二二）：

吉陽軍圖經　一卷　　宋佚

案：宋吉陽軍，本崖州朱崖軍，清崖州直隸州，民國改稱：崖縣。

一九八四年五月，撤銷崖縣，成立三亞市，以原崖縣境地爲行政區域。

《崖志》　　明・易　紀　　成化年間　佚

按易　紀，廣西柳州衛人。明成化間，任崖州學正，編集《崖志》（參見《光緒　崖州志》卷之十五・職官志・明：學正）。

《崖州志略》四卷　　明・鍾　芳撰　原佚

㈠、知見書目

黃　佐《嘉靖　廣東通志》（卷四十二）：

崖州志略　四卷　　鍾　芳撰　佚

阮　元《道光　廣東通志》（卷一百九十二・藝文略四）：

崖州志略　四卷　　明・鍾　芳撰　佚

鍾元棣《光緒　崖州志》（卷二十二・書目）：

崖州志略　四卷

明・鍾　芳撰　　黃志有，今佚

王國憲《續修　瓊山縣志》（卷十九・藝文）：

崖州志略　二卷　　鍾　芳撰　　見黃通志

案：王著「二卷」，未知所據何本，尚待方家查考。

杜定友《廣東方志目錄》（頁十九）：

崖州志略　四卷　　鍾　芳纂　原佚

陳劍流《海南簡史》（頁七十九）：

崖州志略（四卷）　　鍾　芳撰

見：明・黃　佐編《廣東通志》

㈡、纂者事略

鍾　芳（本姓黃），字仲寅，號筠溪，崖州高山所（今三亞市、崖城鎮、水南村）人。明武宗正德三年(1508)戊辰科（第二甲第三名）進士（榜姓黃），遷翰林庶吉士，授編修，歷官至戶部右侍郎，卒贈右都御史，賜葬祭。

鍾芳為官清廉，公正無私，寬政愛民，性簡重，寡嗜欲。立志為學，博極而精，律歷醫卜，無不通貫，被尊「嶺南鉅儒」，所著：《學易疑義》、《春秋集要》、《小學廣義》、《皇極經世圖》、《崖州志略》、《養生紀要》、《續古今紀要》、《筠溪詩文集》、《讀書札記》，皆有傳世，並著錄於《四庫全書總目提要》。

黃佐《嘉靖　廣東通志》、郭棐《萬曆　廣東通志》、金光祖《康熙　廣東通志》、郝玉麟《雍正　廣東通志》、阮元《道光　廣東通志》、唐胄《正德　瓊臺志》、歐陽璨《萬曆瓊州府志》、牛天宿《康熙　瓊郡志》、賈棠《康熙　瓊州府志》、蕭應植《乾隆　瓊州府志》、張岳崧《道光　瓊州府志》、宋錦《乾隆　崖州志》、鍾元棣《光緒　崖州志》，暨吳道鎔《廣東文徵作者考》、臧勵龢《中國人名大辭典》、楊家駱《四庫大辭典》、李建璋《崖州史話》等，皆載有傳。並有《鍾筠溪年譜》（鍾芳後人編），以供研究參考。

從各家志書著述「鍾芳事略」析觀，其內容大同小異而繁簡有別，特就置疑問題，參證相關史料，分別著論於次：①

甲、姓氏問題：唐胄《正德　瓊臺志》（卷三十八・人物三：進士）載：黃芳，正德三年(1508)戊辰科呂柟榜進士（碑作：二甲三名，黃　芳）。

鍾芳先祖乃係書香世家，至祖父鍾京，家道中落，少育外親。由於曾祖母黃氏，故生父鍾明原名黃明，鍾芳原名黃芳，迨黃芳中進，始奏復原姓。

乙、里籍問題：依各家志書所誌鍾芳傳略，其里籍著述頗不相同，有誌「崖州人」，或「先崖州人，改籍瓊山」，抑「瓊山人」。

鍾芳家系，緣於三國時代，魏太傅（名書法家）鍾繇。於唐中書侍郎鍾紹京，始自河南長葛，南遷江西龍南。至宋龍圖學士鍾佃安，因受命征戰於廣西一帶，而落籍於瓊。高祖鍾鎧自瓊遷萬，曾祖鍾惠自萬遷崖。鍾元棣修《光緒　崖州志》（卷三十八・人物志一：名賢）載：鍾芳，高山所人（就今三亞市崖城鎮水

① 游師良〈嶺南巨儒－鍾芳〉，刊於李建璋《崖州史話》　頁35～39　一九八九年八月　海口市　海南人民出版社

南村）。

丙、志略問題：鍾芳著《崖州志略》，尚有《崖州志》、《崖志略》等不同題名。其卷數，亦有著錄為「四卷」與「二卷」。據各方志書目著錄，採用《崖州志略　四卷》之題名及卷數者極多，唯因年代久遠，原本佚傳，且無相關史料，作更深入研究，故置疑於茲，期待方家查考。

《崖志》　　明・鍾崇德　　天啟間　佚

按鍾崇德，廣東東莞人。舉人，明天啟間，任崖州學正，編集《崖志》（參見《光緒　崖州志》卷之十五・職官志・明：學正）。

《吉陽錄》　　清・黎上升著　佚

㈠、知見書目

清・鍾元棣修，張嶲、邢定綸、趙以謙纂《光緒　崖州志》（卷之十五：職官志二・訓導）載（頁三一四）稱：

黎上升所著有《吉陽錄》、《南游記》。

㈡、纂者事略

黎上升，廣東省四會縣人。歲貢，於清聖祖康熙初年，任崖州儒學訓導。勤月課、清冒籍，造三連卷。所著有《吉陽錄》、《南游記》。

《康熙　崖州志》　　清・張擢士纂修　原佚

㈠、知見書目

阮　元《道光　廣東通志》（卷一百九十二・藝文略四）：

崖州志　　國朝・張擢士修　未見

杜定友《廣東方志目錄》（頁一十九）：

崖州志　　張擢士　　康熙七年

楊德春《海南島古代簡史》（頁一六〇）：

《崖州志》未詳卷數　　清・張擢士編纂　已佚

㈡、纂者事略

張擢士，江南通州（今江蘇省南通縣）人。貢生，曾任湖廣（今湖北省）孝感知縣。於清聖祖康熙七年(1668)戊申，任崖州知州，纂修舊志。

張擢士氏，於清康熙十年(1671)歲次辛亥，曾為吏請命，上疏〈請復邊俸詳文〉，陳述崖疆艱遠，官吏苦衷，期求朝廷對崖州官吏以邊俸待遇，補加薪餉和展限赴崖時間。並在大清《會典》中，間列海南及其屬地崖州條款。

張擢士在知州任內，於清康熙九年(1670)歲次庚戌，〈上金制軍崖州利弊條款〉。暨清康熙十年(1671)歲次辛亥。〈請復邊俸詳文〉。以及〈五指山次邱文莊公〉、〈游大洞天〉二詩（七言律），刊載鍾元棣修《光緒　崖州志》（卷之二十・藝文志：書牘），暨（卷之二十二・藝文志三：詩）。

《康熙　崖州志》　　清・李如柏纂修

清康熙三十三年(1694)序　刻本　佚

㈠、知見書目

阮　元《道光　廣東通志》（卷一百九十二・藝文略四）：

崖州志　　國朝・李如柏修　未見

康熙甲戌，序載宋志

杜定友《廣東方志目錄》（頁一十九）：

崖州志　　李如柏修　　康熙三十三年

楊德春《海南島古代簡史》（頁一六〇）：

《崖州志》未詳卷數　　清李如柏編纂

康熙三十三年（公元 1694 年）刻本　已佚

㈡、修志始末

按《康熙　崖州志》，乃知州李如柏氏，於清聖祖康熙三十三年(1694)歲次甲戌，本諸「事惟求實，文惟從簡」宗旨而纂修，並取材於清康熙十六年(1677)歲次丁巳，牛天宿修《康熙　瓊郡志》，俗稱：清康熙修本（牛志）。

依據清康熙三十三年知州李如柏《崖州志》序：「……如柏承乏，遜謝不敏，惟自兵燹以來，遺文故實，悉付灺燼。崖中人士，又鮮與贊襄者。求如《新唐書》紀表，志出於歐陽永叔，列傳出於宋景文，各具手眼，不相蒙襲，安得萌此侈想！爰以簿書餘晷，寸心隻手，搜羅裒輯。知殿九州之末而不必繁，因居邊境之盡而不可略。自隸瓊管之後而不敢任，既有珠崖之名而不容讓。事惟求實，文惟從簡。取材於前丁巳所修之府志，而酌古準今，微有一得。綱領條目，不無異同。凡陵谷遷變，户口登耗，政治隆替，風俗貞淫，亦庶幾其略備焉。」（序文載於宋錦修《乾隆　崖州志》之首）是修志之始末，大略如斯矣。

㈢、纂者事略

李如柏，遼東（鑲白旗）人。監生，清聖祖康熙二十七年

(1688)任崖州知州。於康熙三十三年(1694)歲次甲戌，纂刻《舊志》。序載宋志，亦就宋錦修《乾隆　崖州志》，惟纂本罕見，似已佚傳，殊為憾惜。

崖州知州李如柏氏，著有：〈張烈婦墓志〉、〈游小洞天和石壁原韵〉、〈弔張烈婦墓〉，刊載在鍾元棣修、張　巂纂《光緒　崖州志》（卷之二十・藝文志二：志），暨（卷之二十一・藝文志三：詩）。

乾隆修本（宋志）

《乾隆　崖州志》十卷　　清・宋　錦修　　黃德厚纂

清乾隆二十年(1755)李璜序　刊本

6 冊　有圖表　26 公分　線裝

㈠、知見書目

阮　元《道光　廣東通志》（卷一百九十二・藝文略四）：

崖州志　十卷　　國朝宋　錦修　黃德厚輯　存

乾隆乙亥　　德厚時任學正

江　瀚《故宮方志目》（頁七十三）：

崖州志　十卷　　清・宋　錦纂修

清乾隆二十年　刻本　六冊　　今名：崖縣

譚其驤《國立北平圖書館方志目錄》（冊四）：

崖州志　十卷　　清・李如柏原本　宋　錦增修

傳鈔乾隆二十年本　六冊　　今曰崖縣

杜定友《廣東方志目錄》（頁十九）：

崖州志　十卷　　宋　錦修　　乾隆二十年

（戰前北平、東方有抄本，故宮有藏本）

陳劍流《海南簡史》（頁八十四）：

崖州志（十卷）　　宋　錦增修　　乾隆二十年

李景新《廣東方志總目提要》（頁一三〇）：

崖州志　十卷　　宋　錦纂修　　乾隆二十年

北平（傳鈔本）　東方（抄本）　故宮（二）

黃蔭普《廣東文獻書目知見錄》（頁六二）：

崖州志　十卷（今屬海南黎族苗族自治州）

清・宋　錦　傳鈔乾隆二十年(1755)刊本

（李如柏原本）　『北京』

一九五三年鈔本　　『廣東』

朱士嘉《中國地方志綜錄》（頁十四）：

崖州志　十卷　　宋　錦纂修　　乾隆二十年

北平（傳鈔本）　東方（抄本）　故宮（二）

現稱：崖縣

王德毅《中華民國臺灣地區公藏方志目錄》（頁一三〇）：

乾隆崖州志　十卷　　清・宋　錦纂修

清乾隆二十年(1755)刊本　　故宮

中國科學院北京天文臺《中國地方志聯合目錄》（頁七〇四）：　〔乾隆〕崖州志　十卷　清・李如柏修　黃德厚纂

清乾隆二十年(1755)刻本

北京　故宮　天津　南開　　臺灣

抄　本

北京　南開　廣東　科學（膠卷）

案：是志係宋錦修，其著爲李如柏修，似有舛錯，有待補正之。

楊德春《海南島古代簡史》（頁一六〇）：

《崖州志》十卷，清宋　錦、黃德厚等，據李如柏本編纂，乾隆二十年（公元 1755 年）修成刊行。

廣東中山圖書館藏

王會均《海南方志知見錄》（抽印本：頁三七八）：

〔乾隆〕崖州志　十卷

清・宋　錦修　黃德厚纂

清乾隆二十年(1755)李璜序　刊本

6 冊　有圖表　26 公分　線裝

朱士嘉《美國國會圖書館藏中國方志目錄》（頁四二九）：

崖州志　十卷　　清・宋　錦纂修

乾隆二十年(1755)修　民國鈔本　六冊

現稱：崖縣

㈡、修志始末

按《乾隆　崖州志》，係州牧宋錦氏，於清高宗乾隆十八年(1753)歲次癸酉，署理崖州，惕懮志乘，俱就湮沒，乃廣咨博訪，得殘本於儒士家。復取省、府各志，參互考訂，以求至是。殷然征文考獻，樂而不疲，期修志為務也。

緣李如柏修《崖州志》（舊志），書成於清聖祖康熙三十三年(1694)歲次甲戌，相距六十餘年。其間各事跡，誠如：平黎、防海、儒行、節烈、以及政令之損益，吏治之循良，人文之蔚起，種切其舊志所未載者，州牧宋錦氏，亦咸於委蛇是食時，悉心采輯，手自裁定，務期去偽存真，足以信今而傳後，此修志其勤也。

至於折衷參訂，編次校閱，悉由崖州學正黃德厚氏，以總其事，亦與有勞矣。是志書成於清高宗乾隆二十年(1755)歲次乙亥，並由瓊州府同知李璜（浙江秀水人）氏，於重修《崖州志》序，弁言於首，爰誌其纂修巔末。

按李璜氏〈重修《崖州志》序〉（乾隆二十年）原文，於（鍾元棣修、張　嶲纂《光緒　崖州志》之首）有載。

㈢、纂者事略

本《乾隆　崖州志》（重修本）之纂修者，於志並無〈修志姓氏表〉，亦缺相關資料查考。依據瓊州府同知李璜氏，於清乾隆二十年(1755)歲次乙亥，〈重修《崖州序》序〉，參證鍾元棣修《光緒　崖州志》（卷之十五・職官志二：文職），暨（卷之十七・宦績志一：名宦）等資料，分別析著於次，以供查考。

主修者：宋　錦，字在中，河南省武陟縣人。清世宗雍正十一年(1733)癸丑科進士（三甲七〇名），於清高宗乾隆三年(1738)，任四川省犍為縣知縣，政簡刑清，重修學校，彙輯縣志，陞合州，入祀名宦祠

乾隆十八年(1753)任崖州知州，慈惠清廉，禮士愛民，修《州志》，設書院，立義學會，以育多士。秩滿，於乾隆三十年(1765)升本府（瓊州）同知。

羅綬香　邱煥門總纂《民國　犍為縣志》（卷五・宦績志）、鍾元棣修　張嶲纂《光緒　崖州志》（卷之十七・宦績志：名宦），載有傳略。

宋錦並著有：〈裴貞婦傳〉、七言律〈重建五賢祠落成〉、

〈回風嶺〉詩二首，載於《光緒　崖州志》卷之二十：藝文志二（傳）、卷之二十一：藝文志三（詩）。

總纂者：黃德厚，廣東省吳川縣人。廩貢，於清高宗乾隆十八年(1753)歲次癸酉，任崖州學正，折衷參訂，編次校閱，協修《州志》。

㈣、志書內容

宋錦修、黃德厚纂《乾隆　崖州志》（重修）凡十卷，其志書之內容，除首載〈重修《崖州志》序〉（乾隆二十年歲次乙亥，瓊州府同知李璜序），〈舊序〉（康熙三十三年，崖州知州李如柏序）外，依據本〈崖州志目錄〉，臚述於次，以供參考。

卷之一　疆域志

輿圖　星野　沿革　形勝　山川　鄉都

卷之二　建置志

城池　公署　鋪舍　壇廟　亭閣　坊表　橋樑

津渡　墟市　古蹟

卷之三　賦役志

戶口　田土　實徵錢量　國朝新頒全書

卷之四　學校志

學宮　廟號　姓氏　典禮

卷之五　兵防志上

營制　弓兵　民壯　鄉兵附　兵餉　屯田　武官署

營寨　軍器　武功

海黎志下

海防　海寇　外國　黎情　村峒附　撫黎　平黎

平亂

卷之六 秩官志

元勳 官師 武職 名宦 開定名臣 流寓附

卷之七 人物志

諸科 進士 鄉舉 恩拔 副榜附 歲薦 恩貢附

武科 監生 掾史 封廕 鄉賢 孝友 儒林

逸士附 貞烈

卷之八 風土志

氣候 風潮附 風俗 土產

卷之九 災祥志 災祲 紀異 遺事

卷之十 藝文志 文 詩

㈤、修志體例

宋錦修、黃德厚纂《乾隆 崖州志》，凡十卷，計分十一志（類門），共有七十三綱目。從此志之內容，觀其修志之體例，係採「分志體」，亦就「按類分目法」。由於原志並無纂修「凡例」查考，唯據瓊州府同知李璜氏，於清高宗乾隆二十年(1755)〈重修《崖州志》序〉略稱：「……州牧宋君，廣咨博訪，得殘編於儒士之家。復取省府各志，參互考訂，以求至是。……」是乃宋錦氏，重修《崖州志》之所本也。

宋 錦修《乾隆 崖州志》，所繫州事，乃沿續於清康熙三十三年(1694)甲戌，李如柏氏「清康熙本」（舊志）之後，此六十年間，平黎、防海、儒行、節烈各事跡，暨政令之損益，吏治之循良，人文之蔚起，一切《舊志》所未載者，悉心采輯裁定，務期去偽存真，足以信今而傳後（參見〈李璜序〉文）。

宋錦修《乾隆　崖州志》，所誌崖州事物，係以清代康熙、雍正、乾隆（二十年之前）三朝，最為詳備。其斷限年代，最遲至清乾隆二十年(1755)止，茲舉例著述於次，以供方家查考。

卷之七（人物志・貞烈）

裴氏，水南裴瑞瑚女，許字陳克書。年二十，歸書。甫及門，夫身故。氏堅持大義，誓不他適。家計澹薄，勤紡織以奉孀姑，不失婦道。姑死，拮據營葬，忙亡人盡子職，撫育繼子，以承夫嗣。苦志三十餘年，乾隆二十年(1755)，州牧宋錦詳請旌表。祀節義祠

㈥、刊本年代

按《乾隆　崖州志》，凡十卷，線裝六冊。原刻本，白口，上魚尾，左右雙邊。除地輿圖四葉外，序文每半葉六行，每行十二字。目錄與正文，每半葉九行，每行二十字。書高二十六公分、寬十七・五公分，版框高二十二公分、寬十六公分。仿宋體字，注分雙行。各卷首行及版心，皆大題《崖州志》。

宋錦修《乾隆　崖州志》之刊行年代，各家方志書目資料，大都著錄為清乾隆二十年(1755)刻本。於今國內外各圖書館庋藏者，計有：原刻本及手抄本二種，茲就知見藏版，著述於次：

原刻本　清乾隆二十年(1755)刻本

臺灣：國立故宮博物院圖書文獻館(173)

中國：北京　　故宮　　天津　　南開

手抄本　民國四十二年(1953)鈔本

美國：國會圖書館（六冊）

中國：北京　　南開　　廣東　　科學（膠卷）

宋錦《乾隆 崖州志》書影

臺灣國立故宮博物院珍藏

一而共得一度不離星紀星遇所臨之地氣
得瓊故於瓊也竊然黎婺一山挺峙天外崖州
屬瓊則星野
當與郡同也
南海北極出地一十五度史曰南迴珠崖盡迴
珠崖而南盡海而止
也止有十五度者迴既與下又以黎婺爲
指諸山截乎其地故北極出地度止此耳
沿革
按珠崖分野屬揚州之域星次婺女度唐虞以
來爲揚越荒徼秦爲越郡外境
漢武帝元鼎六年平南越明年改元元封始以其
地置珠崖儋耳郡督於交州昭帝元始五年省

崖州志 卷之一 疆域志 二

儋耳入珠崖元帝初元三年用賈捐之議罷珠
崖郡光武建武中復置珠崖縣屬合浦郡仍督
於交州自初元三年棄後至此八十六年
三國吳大帝赤烏五年復置珠崖郡
晉平吳後省珠崖入合浦郡
宋元嘉八年復立珠崖郡
梁復就儋耳地置崖州
隋開皇初置臨振郡大業中改爲珠崖郡隸揚州
司隸刺史又析西南地置臨振郡

光緒修本（鍾志）

《光緒 崖州志》二十二卷

清・鍾元棣修　張嶲　邢定綸　趙以謙纂

清光緒二十七年(1901)修（鍾序） 光緒三十四年(1908)補訂（邢序） 民國三年(1914) 鉛印本

10冊 有圖表 25公分 線裝

㈠、知見書目

杜定友《廣東方志目錄》（頁十九）：

崖州直隸州志　二十二卷　　鍾元棣

（戰前中大、東方有藏本）

崖州志　二十二卷　　張　嶲　　民國三年

（戰前嶺南有藏本）

陳劍流《海南簡史》（頁八五～八六）：

崖州志（二十二卷）　　鍾元棣等修

光緒三十四年

崖州志（二十二卷）　　張　嶲等修　民國三年

李景新《廣東方志總目提要》（頁一二九～一三〇）：

崖州直隸州志　二十二卷　　鍾元棣纂修

光緒三十四年　　中大　　東方

崖州志　二十二卷　　張　嶲纂修

民國三年刊　　嶺南

黃蔭普《廣東文獻書目知見錄》（頁六三）：

崖州志　二十二卷　　清・鍾元棣

光緒三十四年(1908)刊本　　中大

民國三年(1914)刊本

朱士嘉《中國地方志綜錄》（頁一十四）：

崖州直隸州志　二十二卷　　鍾元棣纂修

光緒三十四年　東方

註：現稱崖縣（今名：三亞市）

崖州志　二十二卷　　張　嶲纂修　民國三年刊

註：嶺南大學圖書館藏，不著編纂年次

中國科學院北京天文臺《中國地方志聯合目錄》（頁七〇四）：〔民國〕崖州志　二十二卷

鍾元棣修　張　嶲　邢定綸纂

民國三年(1914)鉛印本

一史館　吉大　蘇州　廣東　中大

華南師院（不全）　廣西二（不全）

一九六二年郭沫若標點鉛印本

北京　黨校　復旦　南開　華東師大

遼寧　南京　安大　湖北　上海師院

廣東　廣東博　廣東社科　河南師大

陝師大　廣西一

抄　本　　暨大

黃　葦《中國地方志詞典》（頁一九〇：著名方志）：

〔崖州志〕　二十二卷

鍾元棣修　張　嶲　邢定綸纂

民國三年鉛印本

一九六二年郭沫若標點鉛印本

註：崖州，今稱崖縣，屬廣東省海南黎族苗族自治州。

楊德春《海南島古代簡史》（頁一六〇）：

《崖州直隸州志》二十四卷　清鍾元棣、張嶲編纂清光緒三十四年刊本。

此書於民國三年(1914)重新鉛印，一九六二年郭沫若加以標點，由廣東人民出版社公開出版發行，改名《崖州志》。

王會均《海南方志知見錄》（抽印本：頁三八〇）：

〔光緒〕崖州志　二十二卷

清・鍾元棣修　　張　巂纂

光緒二十七年(1901)修（鍾序）

光緒三十四年(1908)補訂（邢序）

民國三年(1914)　鉛印本

10 冊　有圖表　25 公分　線裝

㈡、修志始末

按《光緒　崖州志》，又名《崖州直隸州志》，乃知州鍾元棣氏，於清德宗光緒二十五年(1899)歲次己亥秋七月，奉命權州事，接篆視事之暇，覽其山川，考其圖籍，訪問州志，則得州紳何秉禮家手校本。取而閱之，乃知書成於清聖祖康熙三十三年(1694)，纂自李如柏氏。清乾隆二十年(1755)，州牧宋錦氏為之增輯。惜書太簡略，且曠距百餘年。繼任者雖有志重修，卒以貲巨難籌，事仍中止。致州之事蹟，湮沒失傳者，不知凡幾。爰與盧玉墀、張巂、趙以謙、邢定綸等耆紳議商倡修，先自捐廉百緡為創勸，州里紳士踴躍獻金，集成巨款。遂在光緒二十六(1900)庚子夏開局纂修，仍延張孝廉、邢廣文、趙明經為主筆，並請尹君州同司理出入，於光緒二十七年(1901)辛丑春，書始告成（見知州鍾元棣〈重修《崖州志》序〉，光緒二十七年序）。

依邢定綸氏光緒三十四年(1908)〈重修《崖州志》序〉節云：

「《崖州志》，自宋錦公增輯以來，閱一百四十年。其間諸州事將久而文獻無徵，傳聞失實。況且故老無存，紀載互異，搜討非易，難保失濫失闕。光緒己亥(1899)，鍾公奉檄來攝州事，爰與州紳商及重修志事，眾情鼓舞，遂於庚子年(1900)五月，開局纂修，凡六閱月，鍾公解任，未能蕆事。越辛丑(1901)，復行編輯，是年冬，書始纂就，謀付手民。癸卯(1903)秋，鍾公署篆瓊山，聘綸襄校試卷，特攜稿就正，復捐廉金三百，爲梨棗資。尋綸秉鐸石城，校刊無人，耽擱者久之。歲在戊申(1908)，承馮似齋太守指授，復集同人，重加裒益，於是搜羅閎備，故此書遂纖芥靡遺。……」

復據州紳鄭紹材氏，於民國三年(1914)歲在甲寅，〈新刊崖州志跋〉載云：

「鍾牧元棣重修《州志》，書成於光緒辛丑(1901)，補訂於戊申(1908)間。籌出版而未果，不止一、二次。甲寅(1914)春，偶與孟君繼淵談及此事，幸具同心。既而商諸大眾，胥有厥志。但因得款未敷，而欲暫待。紹材特於先君名下加捐八十金以足之，親攜繕本，赴省排版。版初出，其誤點悉爲校正，凡三匝月而工竣。印成一百套，分餉州人，非敢謂克竟前後修輯者之志也。竊喜此書印刷既覯厥成，流傳自當永久，而後生考古，不致興文獻不足之嗟。是則區區之心耳，用撮數言於卷末，以諗來者。」

㈢、纂者事略

本《光緒　崖州志》之纂修者，於志無列〈修志姓氏〉，惟依鍾州牧元棣，暨州人邢定綸氏〈重修《崖州志》序〉探究之，是志乃係鍾知州任內倡修，邢定綸、張嶲、趙以謙，實總其成，分其任者則陳子雲、邢子春、黎丹墀、翟燕臺也，並由尹圖南司理出入，亦與有勞矣。茲參證相關資料，就其纂修者事略，分著於次，以供查考。

倡修者：鍾元棣，字景愉，浙江省海寧縣人。附貢，於清德宗光緒二十五年(1899)，任崖州知州。撫黎緝匪，日昃不遑，不數月，威惠大成，百廢俱舉。清光緒二十六年(1900)歲次庚子五月，爰與諸州紳議商，重修《崖志》，並捐廉百金為倡，群情激奮，皆樂捐貲，以贊其成。所著：〈毛公靈驗記〉、州新八景：〈鰲山疊翠〉、〈抱郭雙流〉、〈洞天幽勝〉、〈落筆凌空〉、〈溫泉漱玉〉、〈鏡湖秋月〉、〈靈山騰雲〉、〈峻嶺回風〉，刊載於《光緒　崖州志》（卷之十九：藝文志一・疏記）、暨（卷之二十一：藝文志三・詩）。

主纂者：據清光緒二十七年(1901)鍾元棣〈重修《崖州志》序〉云，仍延張孝廉、邢廣文、趙明經為主筆，茲參證相關資料，著述於次：

張　巂（孝廉），字蓉舫，崖州黃流里孔汶村人。清德宗光緒二十三年(1897)丁酉科順天榜，舉人。

趙以謙（明經），字溪南，崖州北廂官塘村人。清德宗光緒年間，歲貢。

邢定綸（廣文），崖州佛老里佛老村人。清德宗光緒十一年(1885)乙酉科拔貢，選廣東省石城縣學訓導。父修愈，光緒年間恩貢，家學淵博。

分纂者：據州紳邢定綸氏，於清光緒三十四年(1908)〈重修《崖州志》序〉云，分其任者，則陳子雲、邢君子春、黎君丹墀、翟君燕臺也。惟查無相關資料，其個人事略無從臚述，期留方家查考。

司理者：尹如鵬，字圖南，崖州州同（按鍾知州元棣氏，暨州人邢定綸氏〈重修《崖州志》序〉，刊誌尹州同如鵬，或尹君圖南，司理出入）。

㈣、志書內容

鍾元棣修、張嶲纂《光緒　崖州志》（重修本），凡二十二卷。其志之主要內容，除諸序刊於首外，茲就目錄，依其卷帙，列著於次，以供查考。

卷　一　輿地志一
沿革　疆域　氣候　潮汐　風俗

卷　二　輿地志二
山　川　港附灣　塘　溝　陂　井

卷　三　輿地志三
物產：穀類　蔬類　花類　果類　草類　竹藤類
香類　木類

卷　四　輿地志四
物產：禽類　獸類　鱗類　介類　昆蟲類　蛇類
金銀類　石類

卷　五　建置志
城池　公署　學宮　學校　壇廟　倉儲　鄉都
鋪舍　津渡　橋樑　墟市　坊表　塋墓　亭閣
塔　古迹

卷　六　經政志一
銓選　祿餉　留支經費　節省均平各款

卷　七　經政志二
戶口　土田　屯田　派征則例　賦役　鹽法　榷稅

土貢

卷　八　經政志三　祀典

卷　九　經政志四　釋奠考　慶典

卷　十　經政志五　學制　學田　學規　貯書

卷十一　經政志六　兵制　營汛　軍器　巡警

卷十二　海防志一　海防　環海水道

海防志二　海寇　土寇附

海防志三　海防條議

卷十三　黎防志一　黎情　村峒

黎防志二　關隘

卷十四　黎防志三　撫黎　平黎　明季事跡

黎防志四　黎防條議

卷十五　職官志一　職官

職官志二　文職

職官志三　武職

卷十六　選舉志　諸科（內文補）

諸科：舉文學　徵辟　舉經明行脩　舉人材

進士　鄉舉　武舉　恩貢　拔貢　歲貢

入監　掾吏　封蔭　例員

卷十七　宦績志一　名宦

宦績志二　謫宦　流寓

宦績志三　武功

卷十八　人物志一　名賢

人物志二　忠義　孝友　儒林　文苑　篤行　卓行

隱逸　耆舊　耆壽

人物志三　烈女

卷十九　藝文志一　誥贈文　御祭文　疏　記

卷二十　藝文志二　雜文　書牘　志　傳

卷二十一　藝文志三　詩

卷二十二　雜　志一　災異　紀異　書目　金石

雜　志二　遺事

綜觀《光緒　崖州志》（重修本）目錄，其志之內容，凡二十二卷，計分十一類門（志），共一一一綱目。舉凡州事，必亦考實，分門別類，廣為詳誌，以備資考。

㈤、纂修體例

從《光緒　崖州志》內容窺之，其纂修體例，係採「分志體」，亦就「按類分目法」。原志書雖無「凡例」條文，惟據州人邢定綸氏，清光緒三十四年(1908)〈重修《崖州志》序〉，其書以《宋志》為底本，而益以《通志》、《府志》。遍啟州中人士，廣為采拾。其間缺略者補之，紕繆者正之，繁蕪者翦之，務期精益求精，以垂州事之實錄。

按《光緒　崖州志》，所繫「崖州」事，其斷限年代，除卷之一（沿革），溯自唐虞、三代及秦外，實有紀年者，緣自漢武帝元鼎六年（111 B.C）平南越。次年（元封元年 110B.C）辛未，始略其地，置儋耳、珠崖二郡，屬交州。

迨宋、元、明、清四代，所繫州事較多，而以明清兩季，最為豐實。尤於清德宗光緒年間，崖州紀事極為詳備。茲舉例述之於次，以供查考。

建置志・學校：德化書院，在樂羅舊德化驛。咸豐六年(1856)

里人同建，光緒三十四年(1908)改為樂育小學堂。

經政志・鹽田：臨川場，光緒十三年(1887)至三十四年(1908)，共開得晒生鹽田五百七十五丘，每丘徵銀二兩。水田一百三十三丘，每丘徵銀一兩。共銀一千二百八十三兩，為地方行政經費。

經政志・釋奠考：光緒三十四年(1908)，以顧炎武、王夫之、黃宗羲從祀。

黎防志・撫黎：光緒三十四年(1908)，小抱扛黎亂，是年冬，深入至抱翅之窮谷撫之，亂乃止。

職官志・學正：廖瑜，龍門歲貢，光緒三十三年(1907)任。

職官志・中軍守備：黎獻廷，州城內人。難蔭，光緒二十五年(1899)署任，三十四年(1908)復署任。

雜　志・災異：光緒三十四年(1908)戊申九月，颶風兩作，毀傷民舍田禾。十月，淫雨，蝗蟲食禾。

是年，抱扛黎亂。

雜　志・紀異：光緒三十三年(1907)丁未，起晨坊小熟田，禾豐稔，穗產雙粒，一紅一白。粒大殼不能容，皆中裂。田一畝，有收四十秤谷者。秋，大熟，谷亦豐登，一蔕產雙穗（采訪冊）。

就《光緒　崖州志》言，各門目內容，所繫州事，亦較〈宋志〉詳備。然紀事年代，頗不一致，大抵係以光緒三十四年(1908)戊申為其斷限年代。惟亦有遲到清宣統元年(1909)者，似非光緒三十四年間增補，茲臚述於次，以待方家查考。

甲、卷十一　經政志（巡警）：巡警正局，借城隍廟為之。宣統元年，知直隸州范雲梯奉文建立。設巡警一員，勇九名。

乙、卷十五　職官志二（文職）：直隸知州　范雲梯，廣西永安州。拔貢，宣統元年（己酉）任。

㈥、徵引典籍

鍾元棣修、張嶲等纂《光緒　崖州志》（重修本），凡二十二卷。其內容極為詳備，且廣泛徵引典籍，參互考訂，於條目間，除註記〈增補〉、〈新增〉、〈增輯〉、〈采訪〉者外，舉凡徵考文獻，皆多註於各條末，茲依四部分類法，概作分類，列述於次，以供查考。

甲、經部：《爾雅》、《小雅》、《埤雅》、《山海經》、《儀禮》、《禹貢》、《廣韻注》、《隸續》、《家語》、《家訓》、《說文》。

乙、史部：鍾元棣修《光緒　崖州志》，徵引史書繁多，就其類屬，分著於次：

史地之屬：《史記》、《史記正義》、《通鑑》、《漢書：地理志》、《後漢書：伏隆傳》、《齊書：州郡志》、《十六國春秋：地理表》、《隋書：地理志》、《唐書：地理志》、《宋史：食貨志》、《宋史：賈似道傳》、《元史：地理表》、《元史：英宗紀》、《明史：地理志》、《明史：選舉志》、李肇《國史補》、《外紀》、《輿地紀勝》、《方輿紀要》、《太平寰宇記》、《太平廣記》、《圖經》、王佐《候潮論》、《賈捐之傳》、《鍾氏家乘》、《考異：李太尉南行錄》、李綱〈威武廟記〉、《先賢像贊碑》、蘇軾〈峻靈王廟記〉及〈伏波廟記〉。

方志之屬：《元和志》、《元豐九域志》、《一統志》、《大清一統志》、《方輿志》、《夷堅志》、《桂海虞衡志》、周《職方》、《山東志》、《廣志》、《南越志》、《羅浮山志》、《廣州志》、黃佐《通志》、黃佐《通志：圖經》、金《通志》、郝《通志》、阮《通志》、牛《府志》、賈《府志》、蕭《府志》、《瓊山志》、《感恩志》、《儋州志》、《萬州志》、《崖州志》、《舊志》、宋《崖州志》、《采訪冊》。

政書之屬：《通典》、《會典》、《大清會典》、《永樂志》、《咸淳志》、《通考》、《朱考》、《律例》、《學政全書》、《學正須知冊》、《學冊》、《營冊》、《檔冊》。

丙、子部：《荀子》、李時珍《本草綱目》、《政和本草》、陳藏器《本草》、《本草拾遺》、《草木狀》、《南方草木狀》、李石炎《博物志》、楊孝先《異物志》、楊孚《異物志》、《南州異物志》、《安南異物志記》、《紀異志》、《異苑》、《種樹書》。

丁、集部：丘濬《瓊臺集》、韓昌黎《南食詩》、王阮亭《竹枝詞》、左思《吳都賦》、唐《荊川集》、《藍鹿州集》、《樊南文集》、《通俗文》、《詩》、《名賢詩話》、《海語》。

戊、類書：《太平御覽》、《六帖》、《索隱》、《事類合璧》、《玉海》、《類聚》、《釋名》、《唐語林》。

已、雜著：《北夢瑣語》、《投荒雜錄》、《粵東筆記》、《廣州記》、《酉陽雜俎》、《交州記》、《雜記》、《嶺表錄異》、《嶺南雜記》、《南越筆記》、《倦游雜錄》、鍾芳〈平黎碑記〉、《海槎餘錄》、《賓退錄》、《駭聞錄》、《歸田錄》、《說圃》、洪邁《容齋隨筆》。

㈦、刊本年代

鍾元棣修《光緒　崖州志》之纂刻年代，據鄭紹材〈新刊崖州志跋〉云，是志於清光緒二十七年(1901)修，光緒三十四年(1908)補訂，然出版未果，致刻本流通甚罕（多家方志目錄，列著戰前「中大」、「東方」兩館有藏板，特加說明，留待查考）。迨民國三年(1914)，始印行一百套，故傳本罕見。目前國內外公藏者，依其刊版年代，著述於次，以供查考。

原刊本　清光緒三十四年(1908)補訂本
（據杜定友《廣東方志目錄》、李景新《廣東方志總目提要》、朱士嘉《中國地方志綜錄》、黃蔭普《廣東文獻書目知見錄》諸書刊載），著列於次：

中國：中大　東方（兩館戰前有藏板）

鋁印本　民國三年(1914)鉛印本
（據清光緒三十四年繕本）

美國：國會圖書館

中國：一史館　吉大　蘇州　廣東　中大

橫排本　一九八三年四月簡字本（廣東地方文獻叢書）
（據民國三年鋁印本，重新橫排鉛印）

中國：北京　復旦　南開　遼寧　南京　安大
湖北　廣東

抄　本　年代及依據母本未加著錄

中國：暨大

风　俗

崖州习礼义之教，有邹鲁之风。参泉《通志》樵牧渔猎，与黎獠错杂。妇女不事蚕桑，止织吉贝。家自耕植，田无佣佃。今有佣佃。士多业儒，人重廉耻。年《府志》

民风朴茂，不喜华靡。衣服宫室，概从简略。士兼耕读，农务种植。妇女纺绩吉贝，为斜纹花布等形，兼治外务。《旧志》（参《府志》。）

崖处滨海，时有飓风之虞。故公私宫室，不为高敞。贫民庐舍，织柴为壁，涂之以泥，盖以茅茨，常为飓风所卷。富家营一室两房，栋柱四行。中两行嵌以薄板，余甃以砖。所构材料，选用格木，坚重细腻，最为耐久。其制，中为正室，左右为旁室，两相对向。有三合、四合之名。不尚楼阁，惟取完固而已。

疍民，世居大蛋港、保平港、望楼港濒海诸处。男女罕事农桑，惟缉麻为网罟，以渔为生。子孙世守其业，税办渔课。间亦有置产耕种者。妇女则兼织纺为业。（《旧志》）今无疍民。

番民，本占城回教人。宋元间因乱挈家泛舟而来，散居大蛋港、酸梅铺海岸。后聚居所三亚里番村。初本姓蒲，今多改易。不食豕肉，不供先祖，不祀诸神，惟建清真寺。白衣白帽，念经礼拜，信守其教，至死不移。吉凶疾病，亦必聚群念经。有能西至天方，拜教祖寺茔，教祖名 穆罕默德 。归者群艳为荣。岁首每三年必退一月。本月朔见月吃斋，以次月朔见月次日开斋，为元旦。捕鱼办课，广植生产。婚不忌同姓，惟忌同族。不与汉人为婚。人亦无与婚者。参《旧志》。

崖语有六种。曰军语，即官语，正音，城内外三坊言之。其初本内地人仕宦从军来崖，因家焉，故其音语尚存，而以军名。曰迈语，音与广州语相似，附城四厢，及正三亚里椰根里言之。曰客语，与闽音相似，永宁里、临川里、保平里及西六里言之。与郡语同。曰番语，所三亚里言之，即回语。曰儋语，儋人隶籍者言之，与迈语相似。曰黎语，东西黎言之，互有异同。参《旧志》。

光緒《崖州志》書影

一九八三年簡字本（據民國三年鉛印本）

崖州志卷之四

舆地志四 物产 禽类 兽类 鳞类 介类 昆虫类 蛇类 金银类 石类

禽 类

鹤，白色，千岁变苍，又千岁则黑。惟黄鹤最大，青鹤颇小。《罗浮志》又粤中少鹤，惟琼州则玄裳缟衣，丹顶。其余灰鹤居多。又有蓑衣鹤。郝《志》

绿鸠，似斑鸠，而色绿。自广西来。《岭南杂记》百十为群。每七八月，榕子、铁力子熟，则至。

斑鸠，匹鸟。栖必以双。灰斑色，颈细，微红，有三种。大者如鸽。稍小者名火鸠。每芝麻割时，罗人置一为媒，网捕之。又一种名鹁鸠，大如雌鸡，俗名鸡母鸠。

燕，《广州志》曰燕有三种。乳于岩崖者为土燕。《御览》海燕大如鸠，春回，巢于石岩，危壁营垒，岛人伺其秋去，以长竿接铲，取而鬻之，谓之海燕窝。《海语》今东西玳瑁洲皆有之。又有春巢于人家者，子长则去。

剪刀雀，类燕而大，尾长，善击。黄《志》按此鸟色乌，身微长，两尾开合如剪。

光緒《崖州志》書影
一九八三年簡字本（據民國三年鉛印本）

綜合析論

綜觀崖州志乘之纂修，其有信史足資徵考者，大凡十種，各志書雖有繕本或刊本，惟因年代久遠，諸多湮滅佚傳，罕見藏板。於今所知見者，只有三種而已。諸如：宋錦修《乾隆　崖州志》（十卷），鍾元棣修《光緒　崖州志》（二十二卷），均為「清修本」。暨湯寶棻纂《崖州直隸州鄉土志》（二卷），係「手繕本」（參見「卷之六・鄉土志」詳釋）。其中以鍾元棣修《光緒　崖州志》（重修本），極為珍貴。

首由內容特色言：鍾元棣《光緒　崖州志》（重修本），凡二十二卷，分十一類門（志），共一一一綱目，舉凡輿地、建置、經政、海防、黎防、職官、選舉、宦績、人物、藝文、雜志等，所繫州事，必亦考實，分門別類，廣為詳誌。故其內容，最為詳備而富美，是乃「鍾志」（重修本）之特色。

次從史料價值言：鍾元棣《光緒　崖州志》（清修本），於志書纂修時，搜羅廣泛，徵引群籍，舉凡經、史（史地、外紀、方志、采訪冊、政書、通制、通典、營冊、檔冊）、子（本草、博物志、異物志）、集（詩、文、詞、賦），以及類書與雜著（雜記、隨筆、筆記）等文獻典籍，近一百二十種，以資考訂參校，極備史料價值。

終就學術研究言：鍾元棣《光緒　崖州志》，乃崖州志乘之嚆矢，所紀州事，最為詳實，上溯漢唐，下至清末、民初，大凡建置沿革、山川形勝、疆土物產、氣候潮汐、風土人物、典制藝禮，莫無各具其要。於是，「鍾志」足資徵考其歷史文化、經政典制、民風物產之概貌，深具學術研究參考價值，自不待言矣。

參考文獻資料

《清一統志表》　　清・萬芝堂校
　清乾隆五十八年(1793)陳蘭森序　刊本
《道光　廣東通志》　　清・阮　元修
　民國五十七年(1968)十月　臺北市　華文書局　影印本
　　（據清道光二年(1822)修　同治三年(1864)重刊本）
《正德　瓊臺志》　　明・唐胄纂　正德十六年(1521)修　刻本
　民國七十四年(1985)　臺北市　新文豐出版社　影印本
　　（據寧波天一閣藏明正德殘本）
《道光　瓊州府志》　　清・張岳崧纂
　民國五十六年(1967)　臺北市　成文出版社　影印本
　　（據清道光二十一年修　光緒十六年補刊本）
《乾隆　崖州志》　　清・宋　錦修　乾隆二十年(1775)刊本
《光緒　崖州志》　　清・鍾元棣修
　一九八三年　廣州市　廣東人民出版社　橫排本
　　（據清光緒三十四年補刊　民國三年鉛印本）
《海南方志資料綜錄》　　王會均著
　民國八十三年(1994)十月　臺北市　文史哲出版社
《崖州史語》　　李建璋編
　一九八九年八月　海口市　海南人民出版社

中華民國八十年(1991)辛未三月二十四日　完稿
中華民國八十三年(1994)甲戌四月一日　增補稿